CENTURY

Dit boek is voor mijn oma,
die de sterren van heel dichtbij ziet.

Oorspronkelijke titel: Century. L'anello di fuoco
Alle namen, karakters en andere items in dit boek zijn het copyright,
het handelsmerk en de exclusieve licentie van Atlantyca S.p.A.
Alle rechten voorbehouden.

Tekeningen: Iacopo Bruno
Vertaling: Pieter van der Drift en Manon Smits
Begeleiding en productie: Ventuno Consulting & Management

© 2006 Edizioni Piemme Spa, Via Galeotto del Carretto, 10,
15033 Casale Monferrato (Al), Italië
© 2007 Baeckens Books nv, Mechelen (Belgium)
Alle rechten voorbehouden. Niets uit deze uitgave mag worden verveelvoudigd
en/of openbaar gemaakt, op welke wijze dan ook, zonder voorafgaande
schriftelijke toestemming van de uitgever.

Uitgegeven in België bij Bakermat, Mechelen
In Nederland bij uitgeverij Fantoom (een imprint van Bommes bv, Amsterdam)
ISBN 978 90 5461 547 7
ISBN Fantoom 978 90 78345 04 6
NUR 282/283
D/2007/6186/041

Pierdomenico Baccalario

DE RING VAN VUUR

Tekeningen
Iacopo Bruno

Vertaling
Pieter van der Drift en Manon Smits

Ik weet dat ik sterfelijk ben en een eendagsvlieg,
maar steeds wanneer ik de wentelingen van de sterren bestudeer,
raak ik niet meer met mijn voeten de aarde,
maar laat me bij Zeus zelf volstromen met godenvoedende ambrozijn.
Ptolemaeus, astronoom

De natuur houdt ervan zich te verstoppen.
Heraclitus, filosoof met de bijnaam 'de donkere'

HET BEGIN

De sterren van de Grote Beer staan roerloos aan de hemel.

Ook voor hen is de tijd gekomen.

In de schuilhut omringd door het ijs klinkt zenuwachtig geroffel op tafel. Dan klinkt er een vraag, die lang blijft hangen in de van rook verzadigde lucht.

'Denken jullie dat ze komt?'

Er volgen geen antwoorden. De aluminium ramen zijn ijskoud. Buiten sneeuwt het. De gletsjer straalt een blauwe gloed uit.

'Volgens mij hoor ik de wolven...' mompelt een van de twee mannen, terwijl hij aan zijn baard krabt. 'Jullie niet?'

'Laten we beginnen,' stelt de ander voor. Hij is grijs en graatmager, als een boom die een brand heeft doorstaan. 'We hebben niet veel tijd.'

De vrouw houdt op met trommelen, ze kijkt op haar horloge en knikt. 'Hij heeft gelijk. We beginnen.'

De twee mannen slaan hun notitieboekjes open en beginnen erin te bladeren.

'Hoe gaat het met de kinderen?' vraagt die met de baard.

'Ze groeien goed,' antwoordt zij. 'Binnenkort zullen we moeten kiezen.'

Ze heeft een stuk of twintig foto's bij zich. Ze laat ze aan de anderen zien. De kiekjes gaan snel van hand tot hand.

'Hoe oud zijn ze?' vraagt de graatmagere man.

'Acht.'

De man met de baard is duidelijk onrustig: hij staat met een nerveuze ruk op van tafel, houdt zijn gezicht voor het raam en tuurt naar buiten, alsof hij iets kan bespeuren in die gigantische sneeuwstorm. 'Toch hoorde ik ze net weer. De wolven, bedoel ik.'

De graatmagere man laat een schorre lach horen. 'We zijn omringd door dertig kilometer ijs. Hoe kun je dan wolven horen?'

De man met de baard blijft dicht bij het raam staan tot het helemaal beslagen is, dan gaat hij weer op zijn stoel zitten en kijkt voor de zoveelste keer op zijn horloge. 'Misschien hadden we moeten afspreken op een plek die makkelijker te bereiken is. Een park, net als vorige keer.'

'Dan was ze evengoed niet gekomen. Je weet hoe ze is. Hoe dan ook...' De graatmagere man wijst op de foto van een meisje. 'Zij niet, hadden we gezegd.'

De vrouw laat haar vinger over de rand van het kopje glijden, dan trekt ze een wenkbrauw op zonder verder ook maar iets te laten blijken van wat ze denkt.

'Ik ben van gedachten veranderd,' verklaart ze, en ze neemt een slok thee.

'Volgens mij kun jij niet zomaar van gedachten veranderen.'

'Dat is mijn taak.'

'Maar dat meisje...' Een korte, benige vinger wijst naar het gezichtje met de zwarte krullen. 'Dat is nog altijd jouw nichtje.'

'Ze spreekt twee talen beter dan jij. Wat moet ik zeggen om je te overtuigen?'

'Je kent de risico's.'

'En jij kent de redenen.'

'We hadden nee gezegd, de laatste keer.'

'De laatste keer was ze nog maar net geboren.'

Er valt een lange stilte, waarin alleen de ketel op het vuur te horen is, en de wind die door de haard wervelt. De mannen kijken somber naar de foto's op tafel: westerse gezichten, spleetogen, blond haar, rood haar, lichte huid, donkere huid. Jongens en meisjes die totaal van elkaar verschillen, afgezien van één zeer belangrijk detail.

Weldra zullen ze te weten komen wat dat is.

De wanden van de schuilhut kraken onder het gewicht van de sneeuw. Boven hen, aan de ijskoude nachtelijke hemel, volgen de sterren hun trage voortgang.

'Ik wil niet dat je een fout maakt,' hervat de graatmagere man.

'Maak jij dan nooit fouten?'

'Dat probeer ik. Ook omdat ik niet met zulke aardige mensen te maken heb... Dat weet je.'

De man met de baard schraapt zijn keel om de anderen te laten stoppen met ruziemaken. Dan zegt hij: 'Laten we ons nu nog niet al te druk maken. We hebben nog tijd genoeg om te beslissen. Ik moet alleen weten waar ik de kaart naartoe moet brengen.'

'Waar heb je die verstopt?'

De man met de baard laat de anderen een oud diplomatenkoffertje zien. 'Dit zou er toch onopgemerkt door moeten kunnen...'

'Ik hoop het. Want als iemand het in de gaten krijgt...'

De graatmagere man stopt ineens met praten. Hij hoort geluiden buiten de schuilhut. Voetstappen op de sneeuw. Laarzen. Hondengejank. Een woest gehuil.

Wolven.

De drie springen overeind.

'Geloven jullie me nu?' schreeuwt de man met de baard terwijl hij weer naar het raam rent. Net voordat hij het heeft bereikt, zwaait de deur van de schuilhut ineens open. Er komt iemand naar binnen, met laarzen aan voorzien van klimsporen, die een poolmuts en een paar handschoenen op de grond gooit.

'Sorry dat ik zo laat ben,' zegt de nieuwkomer met een ontwapenende glimlach. Uit haar kap valt een bos lang zwart haar. 'Maar ik moest uitzoeken waar het zal beginnen.'

Met een dof geluid klikt ze de klimsporen los, en gooit ze de deur dicht voor de slee die door wolven wordt getrokken.

En ze zegt: 'Het zal beginnen in Rome.'

1
DE VAL

Roerloos in het donker zit Elettra te wachten.

Ze zit volkomen stil, in kleermakerszit, met haar handen om het touwtje dat de val in werking zet. Bewegingloos als de oude kasten die om haar heen staan opgestapeld in een stoet van schaduwen, de een nog donkerder dan de andere.

Elettra haalt langzaam adem, onhoorbaar. Ze laat het stof op zich neer dwarrelen zonder zich er iets van aan te trekken.

Kom tevoorschijn, kom tevoorschijn, prevelt ze in zichzelf, waarbij ze alleen haar lippen beweegt.

Ze klemt haar vingers om het touwtje en spitst haar oren, helemaal in het donker gehuld. De ketels zoemen in de verte, en pompen heet water door de buizen van de hotelkamers. De meters tikken zachtjes, elk met zijn eigen ritme. In de kelder heerst een stoffige stilte.

Het hotel, de stad, de hele wereld lijken eindeloos ver weg.

Het is niet koud.

Het is negenentwintig december.

Het is het begin. Maar dat weet Elettra nog niet.

Een heel zacht geluidje verraadt dat de muis eraan komt. *Trip trip.*

Pootjes op de vloer, ergens in het donker.

Elettra tilt het touwtje langzaam op en ze denkt met een voldane glimlach: De onhoudbare lokroep van pecorino romano-kaas.

'Niemand kan pecorino romano weerstaan,' zegt tante Linda altijd als ze in de keuken staat.

Trip trip. En dan stilte. *Trip trip.* En dan weer stilte.

De muis snuffelt aan de lucht, en volgt voorzichtig het pad van de geuren.

Hij zit bijna in de val, denkt Elettra, en ze wrijft met haar duim over het touwtje. Ze vraagt zich af: Hoelang duurt het nog, stomme muis?

Ze heeft een eenvoudige val gemaakt: een stuk pecorino neergelegd onder een schoenendoos, die omhoog wordt gehouden door een oude balein van een paraplu. Ze hoeft maar één rukje te geven en de doos valt over de muis heen. De enige moeilijkheid is dat ze in het donker moet zien te bepalen wanneer de muis bij de kaas is.

Ze moet op haar instinct vertrouwen. En haar instinct zegt dat het nog niet zo ver is.

Elettra wacht.

Nog eventjes.

Trip trip, doet de muis. En dan stilte.

Elettra geniet van dit soort momenten. Het zijn de laatste ogenblikken van een perfect plan, de ogenblikken waarin alles met succes
beëindigd kan worden.

Ze verheugt zich nu al op de bewonderende blik van haar vader, als
hij terugkomt van zijn rit met het busje. En de kreten van afschuw van
tante Linda, als ze haar de muis laat zien, morsdood bungelend aan
zijn staart zoals je een morsdode muis nu eenmaal hoort vast te houden.

Haar andere tante, Irene, zal alleen maar zeggen: 'Je moet niet in de
kelder gaan spelen. Dat is een heel gevaarlijk labyrint.' Om er vervolgens heel mysterieus aan toe te voegen: 'Niemand weet waar dat labyrint heen voert.'

Elettra is niet naar beneden gegaan om te spelen: ze is op een missie om die muis te vangen.

Dat is wel even wat anders dan spelen.

Trip trip, doet de muis.

En dan...

Dan begint het plafond van de kelder ineens te trillen, door een luid
gedreun dat de flessen in de houten rekken doen rammelen.

Dit kan niet waar zijn, denkt Elettra terwijl ze omhoog kijkt. Nee,
niet nu!

Maar het trillen houdt niet op. Het stof dwarrelt onrustig op. Het
gebons op de vloer klinkt steeds harder, het verandert in een woeste
stroom voetstappen en wordt nu vergezeld door een steeds luider
hoorbare stem.

Die ten slotte uitmondt in een soort sirene.

'EEELEEEEEETTRAAAAAA!' gilt de sirene, terwijl de deur van
de kelder openzwaait.

Een stortvloed van licht valt over de trap, de opgestapelde meubels, de flessen wijn, de kasten en de standbeelden.

Elettra kijkt meteen vóór zich: het grijze muisje zit recht overeind op zijn achterpootjes, één centimeter binnen de schoenendoos.

'Je ontsnapt me niet!' zegt ze, en ze trekt aan het touwtje.

De doos valt, maar niet over de muis heen.

'Nee!' roep ze uit.

Boven aan de trap zoekt tante Linda op de tast naar de lichtknopjes, en ze drukt ze allemaal in. Een stuk of tien peertjes gaan plotseling aan, en het schijnsel verdrijft elk donker hoekje. Ze hangen aan het plafond in ronde lampenkappen bestaande uit oude flessen.

'Elettra! Zat je in het donker?'

'Verdorie!' schreeuwt ze terwijl ze overeind springt. 'Nu is hij me weer ontsnapt!'

'Wie is je ontsnapt?' vraagt haar tante verbluft.

Elettra bekijkt haar dreigend, met de balein van de paraplu in haar hand. 'Wat moet je nu weer?'

Boven aan de trap staart haar tante de kelder rond alsof ze die voor het eerst ziet. 'O, wat een puinhoop!' jammert ze. 'Je vader en ik moeten hier echt eens een keer gaan opruimen. Ik vind het niet kunnen om een kelder te hebben die er zo bij ligt!'

Het lijkt alsof ze nu al niet meer weet waarom ze hierheen is gekomen.

Terwijl ze naar haar kijkt begint Elettra te koken van woede. Tante strijkt ijdel door haar dikke bos lichtgrijs haar, ze heeft geen idee wat ze heeft aangericht. De schoenendoos ligt nutteloos op de vloer en de grote stenen kelder verbergt een muis die nog altijd in prima gezondheid verkeert. Het hele doolhof van gangen en kamers boordevol spullen ziet er nu treurig uit in het kille licht van de peertjes.

'Wat wil je, tante?' schreeuwt Elettra nog een keer. En dan, omdat ze totaal niet reageert, roept ze er achteraan: 'Tánte!'

Tante kijkt haar met haar lichte ogen aan. 'Elettra, lieverd,' zegt ze, heel bedaard. 'Je vader heeft gebeld vanaf het vliegveld. Hij zegt dat er een probleem is met de kamers. Een heel groot probleem.'

'Wat voor probleem?'

'Dat wilde hij niet zeggen.'

'En waar is hij nu?'

Tante Linda glimlacht. 'Op het vliegveld, zei ik toch?'

Fernando Melodia klapt zijn mobieltje dicht: de stem op het bandje van de telefoonmaatschappij heeft hem zojuist laten weten dat zijn beltegoed op is.

'Potjandorie,' mompelt hij onder zijn keurig geknipte snor. 'Wat moet ik nu doen?'

Naast hem staat de familie Miller, een Amerikaans echtpaar met een nogal nors kijkende zoon. Ze staan bedaard naast het bord van Terminal A op wacht bij een hele rits gigantische koffers.

Ze zijn kleiner dan hun zoon, een lange, ongekamde slungel die om zich heen kijkt alsof hij staat te wachten tot hij naar het schavot wordt geleid. Misschien schaamt hij zich voor de kleren van zijn ouders: zijn vader draagt een ottergrijs ruitjesjasje en gespikkeld vlinderdasje, zijn moeder een kakikleurig mantelpakje.

Daar staan ze dan, de familie Miller. Ze zijn aangekomen en ze hebben er zin in.

Ze hebben de laatste vrije kamer van het hotel geboekt om oudejaarsavond in Rome door te brengen. Bovendien is professor Miller in Italië voor een belangrijk congres over het klimaat. Zijn vrouw is duidelijk dol op shoppen. Hun zoon daarentegen ziet eruit alsof hij met geweld is meegesleurd.

Fernando zucht.

Om zich kenbaar te maken als eigenaar van het hotel, draagt hij een bord onder zijn arm waarop hij heeft geschreven:

HOTEL
DOMUS QUINTILIA
WELKOM!

Een ideetje van Elettra. Een uitstekend idee, ook al heeft Fernando er een paar lange ogenblikken spijt van gehad dat hij het bord had meegenomen. Hij had het nog niet opgeheven of de familie Miller kwam glimlachend op hem af. De twee volwassenen tenminste.

Een handdruk.

'Erg aardig van u om ons te komen afhalen,' bedankte meneer Miller hem, terwijl hij zijn stapel koffers eventjes in de steek liet.

Fernando glimlachte onzeker terug, en vanaf dat moment bleef die glimlach op zijn gezicht geplakt zitten.

Een glimlach waarin hij zichzelf het liefst zou begraven.

De reden voor zijn ongemakkelijke gevoel is dat hij naar het vliegveld van Fiumicino was gegaan om twee personen af te halen. Niet drie. Twee Fransen genaamd Blanchard en niet drie Amerikanen genaamd Miller. Hij wachtte op een moeder met haar dochter die met vlucht acht-nul-acht vanaf Parijs Charles De Gaulle zouden aankomen op Terminal B. De jonge parfumontwerpster Cecile Blanchard en haar dochter Mistral. Hij wilde ze ontvangen, ze in het busje van het hotel laten plaatsnemen en ze de sleutels van kamer nummer 4 geven, die met het lavendelkleurige interieur, de badkamer met douche en een prachtig balkonnetje boven de steeg.

De laatste vrije kamer van het hotel.

Er is in het hotel geen kamer meer vrij voor deze drie Amerikanen. Zo te zien zijn ze opgewekt en kalm, een teken dat zij van het tegendeel overtuigd zijn. En dat Fernando een of andere fout heeft gemaakt met de reserveringen.

Een groot probleem, waarvoor maar heel weinig oplossingen zijn.

Hij klemt zijn hand om het mobieltje zonder tegoed in zijn broekzak en hoopt dat Elettra hem snel zal terugbellen.

'Is er iets aan de hand?' vraagt de Amerikaanse hoogleraar. Hij doet onmerkbaar zijn dasje recht, iets wat hij om de haverklap doet.

'Nee, nee, helemaal niet,' verzekert Fernando hem, terwijl hij een snelle oplossing probeert te bedenken. En zichzelf dwingt niet te denken aan het feit dat het bijna oudejaarsavond is en dat Rome wordt overspoeld door toeristen. 'We moeten alleen nog even wachten op de aankomst van twee andere gasten.' Hij wijst naar het bord waarop de vlucht uit Parijs staat aangegeven. 'Ze kunnen elk moment hier zijn.'

Terwijl hij zich in het gedrang van mensen en bagagewagentjes begeeft, probeert Fernando tot bedaren te komen. Het is wel op te lossen, denkt hij. Het is niet de eerste keer dat hij iets verkeerd doet met een reservering, sinds zijn vrouw dood is. Maar het is hem nooit eerder overkomen dat het hele hotel vol zat. En hij heeft het gevoel dat de rest van de stad ook vol zal zitten.

Dan denkt hij aan het Internet. Sinds hij de mogelijkheid heeft ingesteld om online kamers te boeken, is alles er een stuk ingewikkelder op geworden. Vroeger hoefde hij alleen maar de telefoon op te nemen. Nu moet hij de computer aanzetten, de e-mail binnenhalen, de reserveringen noteren, de namen op de formulieren invullen en de zestien cijfers van de creditcard overschrijven.

Het is echt een baan voor boekhouders geworden.

Een hele stoet mensen komt door de uitgang van de internationale aankomsthal, het teken dat de vlucht uit Parijs geland is. Met een bedrukt gevoel houdt Fernando zijn bord boven zijn hoofd.

Misschien hebben die twee Parisiennes het vliegtuig gemist. Misschien zijn ze van gedachten veranderd. Of misschien is er toch nog een kamer vrij, en weet hij het alleen niet. Maar dat is niet erg waarschijnlijk, in een hotel met maar vier kamers.

Hij werpt een steelse blik op de Amerikaanse jongen, die de enige persoon op de wereld lijkt die nog somberder gestemd is dan hij.

Zijn mobieltje blijft maar zwijgen. Waarom doet Elettra er zo lang over om hem terug te bellen?

'Bent u van Hotel Domus Quintilia?' vraagt een mannenstem hem precies op dat moment.

Fernando kijkt omlaag naar twee kleine Chinezen: een meneer gekleed in glanzende zijde en een heel vrolijk jochie, met blauwe ogen en een bloempotkapsel. Om zijn blijdschap nog meer te benadrukken, opent de jongen zijn mond in een reusachtig brede glimlach.

'Sorry, hoe bedoelt u?' antwoordt Fernando werktuiglijk. Tegelijkertijd voelt hij die bekende rilling van het onvoorziene over zijn rug lopen.

De man gekleed in zijde wappert met een afgedrukt blaadje ter hoogte van zijn navel.

'Ik ben meneer See Young Wan Ho,' stelt hij zich voor. 'En dit is mijn zoon Sheng Young Wan Ho. Heel aardig van u dat u ons bent komen afhalen.'

'N... neem me niet kwalijk?' stamelt Fernando verbouwereerd. En onder het stamelen ziet hij vanuit zijn ooghoek een Franse dame en een meisje dat onmiskenbaar haar dochter is op hem af komen lopen.

Meneer See Young Wan-nogwat wappert nog een keer met het blaadje ter hoogte van zijn navel. Zijn zoon Sheng lacht vrolijk. 'We hebben kamer nummer 4 van uw hotel gereserveerd. Erg aardig van u dat u ons komt afhalen.'

De onzekere glimlach zit nu helemaal vastgeklonken op het gezicht van Fernando Melodia.

En intussen zegt de Franse dame, de parfumontwerpster, de enige persoon die hij vanavond verwacht had, tegen haar dochter: 'Kijk, Mistral. Daar is de meneer van ons hotel.'

Fernando blijft onbeweeglijk staan, hij weet niet wat hij moet doen.

Misschien komt het daardoor dat hij de man in het zwart niet opmerkt, die langs hem heen loopt en een doordringende geur van viooltjes achter zich laat.

2
HET STOF

De binnenplaats van het hotel is de kleur van ijzer, stil en zwijgzaam. Elettra steekt hem in een flits over, langs de put en de kronkelende stronken van de klimplanten, die zich statig verheffen tot onder het balkon. Vanaf de omheining kijken vier standbeelden met een ondoorgrondelijke uitdrukking naar beneden.

Als Elettra bij de trap komt, steekt ze haar tong uit naar het stenen masker dat boven de ingangsboog hangt. Dan rent ze met twee treden tegelijk de trap op naar de kamer van haar andere tante: Irene.

Ze klopt op de deur, maar doet hem al open zonder op antwoord te wachten. In de kamer is een gedempt licht, dat binnenkomt door de grote balkondeuren. Het plafond is met groene fresco's beschilderd, en de vloer bestaat uit zwart-wit geruite tegels.

'Tante?!' roept Elettra. 'We hebben weer eens een probleem met de kamers!'

Tante Irene zit achter in de kamer in haar rolstoel te lezen onder de lichtbundel van een lamp in de vorm van een reiger. Ze legt het boek op haar knieën en kijkt Elettra aan van onder haar bril, terwijl ze haar hoofd een beetje schuin houdt. Ze is een heel slanke vrouw, en haar witte haar is opgestoken met een sierlijke schildpaddenspeld. Toen ze jong was, vóór het ongeluk waardoor ze verlamd raakte, was ze een heel mooie vrouw geweest.

'Het is niet waar!' antwoordt ze, alsof ze al weet wat het probleem is. 'Heeft je vader het nu alweer voor elkaar?'

Elettra rent het laatste stukje van de kamer door. Die typische manier van rennen van haar, die eindigt met een sprongetje. Ze gaat op haar knieën op het kleed voor haar tante zitten en maakt haar aan het lachen met een grijns.

'Ik geloof het wel, ja. Maar deze keer heeft hij het echt goed voor elkaar.'

'Hoe bedoel je?'

'Drie kamers in één,' legt Elettra uit. 'Hij is onderweg van het vliegveld met twee Franse vrouwen, drie Amerikanen en twee Chinezen... die er allemaal van overtuigd zijn dat ze kamer 4 hebben gereserveerd.'

'Zeg alsjeblieft dat je me voor de gek houdt,' kreunt de oude dame.

'Nee! Ik heb hem net aan de telefoon gehad.'

'Maar dat kan toch niet!' roept Irene uit, terwijl ze haar boek op de grond laat vallen. 'Wat is er zo moeilijk aan om drie reserveringen te noteren? Als je moeder er was, zou ze hem eens goed de waarheid vertellen!'

'Tante...'

De vrouw slaat met haar handen op de armleuningen van de rol-stoel. 'Je vader loopt gewoon altijd te dromen. Als mijn zus en ik hem niet voortdurend achter de vodden zouden zitten, was het hotel allang dicht geweest!'

'Papa wil zich niet bezighouden met het hotel,' probeert Elettra hem te verdedigen. 'Hij is aan het schrijven...'

'Aan het schrijven!' lacht tante nerveus. 'O ja! Die beroemde spionageroman van hem. Hoeveel jaar is hij daar nu al mee bezig? Vijf jaar? Tien?'

Elettra gaat er niet op door en kijkt op de klok. 'We hebben minder dan twintig minuten om een oplossing te vinden.'

Tante Irene zucht. 'Wat voor oplossing?'

Elettra haalt haar schouders op. 'Algehele paniek?'

'Haal tante Linda erbij,' besluit de oude dame. 'We hebben drie vrouwen nodig om een oplossing te bedenken voor de problemen die één man veroorzaakt!'

'Dat is toch simpel,' besluit Linda een paar minuten later doodge-moedereerd. 'We zeggen tegen ze dat we geen plaats hebben en we sturen ze weg.'

'Dat kunnen we niet maken!' protesteert Elettra.

'Dan zoeken we een ander hotel voor ze, op onze kosten.'

'Precies, dat is het eerste wat we moeten doen,' stemt Irene in.

Elettra gaat aan de slag, en na enkele vergeefse pogingen hangt ze de hoorn moedeloos op. 'Zo makkelijk is het niet. Zelfs het Astoria zit helemaal vol.'

Tante Irene neemt de lijst met hotels en pensionnetjes op haar schoot nog eens door. Ze dicteert het volgende nummer aan haar nichtje en moppert: 'Die rottige oudejaarsavond en die rottige toeristen ook.'

Linda beent met grote stappen door de kamer van haar zus.

Ze blijft staan voor een glazen bol uit haar verzameling, pakt hem op en strijkt er met een vinger onderlangs.

'Huismijt,' oordeelt ze terwijl ze haar vingertop bestudeert. 'Je moet je kamer veel beter schoonmaken. Het is niet gezond om in zo'n stoffige kamer te wonen. Zeker niet in jouw toestand.'

'Linda!' valt Irene uit, die al aanvoelt dat haar zus weer eens een aanval van smetvrees krijgt. 'Mijn bénen zijn verlamd, niet mijn hersenen! En van een beetje stof is nog nooit iemand doodgegaan.'

Linda houdt de glazen bol ondersteboven met een van walging vertrokken gezicht, geenszins overtuigd. In de bol beginnen kleine witte vlokjes naar beneden te dwarrelen. 'Vreselijk,' besluit ze als de bol een paar tellen later weer terugzet. 'Dit soort dingen zorgt alleen maar voor meer rommel.'

'Jij hoeft ze niet mooi te vinden! Hoe dan ook, dit is mijn kamer en ik kan hier neerzetten wat ik wil.'

'En al die afschuwelijke aftandse schilderijen?' gaat haar zus onverstoorbaar verder. 'En die oude kasten, met die typische muffe geur die oude kasten altijd hebben? Die kosten je al je kleren, wat ik je brom! Je zou nieuwe kasten moeten laten maken, net zoals ik op mijn kamer heb. En dan moet je er vanillegeur in leggen. Eén zakje in elke lade, en dan geurt al je ondergoed naar...'

'Naar vanille! Ja, dat dacht ik al!' schreeuwt tante Irene bijna. 'Zou je het erg vinden om je op het probleem van de kamers te concentreren, Linda, in plaats van te proberen mijn leven te steriliseren?'

Elettra legt voor de vijfde keer de hoorn terug.

'Niks aan te doen, ook niet in het Milton. Blijkbaar zit de hele stad zo vol als een ei.'

'O ja!' roept Linda uit. 'En over eieren gesproken, wat eten we vanavond? Ik zou wat polenta kunnen maken, met spek, of vis, ik heb geelstaart, die kunnen we in de oven doen met aardappelen en verse peterselie...'

Elettra negeert haar en doet een zesde poging. Maar ook die is, net als de volgende, zonder succes. 'Alles zit vol,' besluit ze.

'Dan...' zucht tante Irene. 'Dan rest ons alleen nog plan B.'

'Geen denken aan!' protesteert Linda meteen. 'Ik geef mijn kamer niet aan vreemden!'

'Linda, we hebben geen andere...'

'En het is trouwens een rommeltje, één grote rommel. En hoe wou je ze binnenlaten? Met schoenen aan? Je weet heel goed dat er in mijn kamer niet op schoenen wordt gelopen! Niks ervan! En mijn wc! Die moet gedesinfecteerd worden. En als zij er eenmaal op zijn geweest? Dan kan ik hem nooit meer gebruiken! Dan zitten er onbekende bacteriën op, virussen waartegen ik geen antistoffen heb. En jullie ook niet! Er zijn ziektes die zelfs stomen op 100 graden overleven! Dat heb ik ook op tv gehoord! Zoals die vent die de vogelgriep heeft meegenomen uit Turkije, heb je dat gelezen?'

'Linda!' onderbreekt Irene haar, terwijl ze haar pols vastgrijpt. 'Luister goed naar me: in jouw kamer kunnen we die twee vrouwen doen. De Franse dame en haar dochter. Kijk naar me: vrouwen. Zij is ontwerpster. Schoon, fris. En ze hoeft er maar een paar nachtjes te slapen.'

Haar zus gromt, weinig overtuigd. 'En waar moet die Chinese meneer dan?'

'Op de kamer van Fernando.'

'En Fernando dan?'

'Op de bank in de eetzaal.'

'De bank in de eetzaal is helemaal niet stevig!' protesteert tante Linda. 'Je weet heel goed dat Fernando alles waar hij aan komt kapotmaakt. En hij slaapwandelt ook nog!'

'Moet je horen wie het zegt...' komt Elettra tussenbeide. 'Jij slaapwandelt zelf ook.'

'Ik slaapwandel niet!' roept haar tante uit. 'Ik heb alleen soms dat ik... een beetje in mijn slaap praat.'

'Een béétje?' smaalt haar nichtje.

Irene probeert het gesprek de kop in te drukken: 'We stoppen de Amerikanen in kamer 4. De Française gaat in jouw kamer, en jij komt hier bij mij slapen,' vat ze samen. 'En de Chinees op de kamer van Fernando.'

'Fernando kan niet op die bank slapen,' houdt Linda vol.

'Dan slaapt hij ónder de bank.'

'Je kunt niet op de grond slapen. Dat is smerig.'

'Luister, Linda,' valt haar zus haar in de rede, 'één van de redenen waarom ons hotel altijd vol zit is omdat er op de hele planeet geen schonere en frissere plek te vinden is. Dus... Fernando slaapt op de grond en jij en Elettra moeten proberen de kamers klaar te maken zodat die mensen er kunnen logeren.'

De twee willen vol goede moed aan de slag gaan, maar dan schiet Linda ineens iets te binnen. 'Sorry, maar... ook als we het zo doen, komen we nog steeds drie bedden te kort. Eén voor de zoon van de Chinees, één voor...'

'Dan doen we het zo: de kinderen leggen we allemaal in de stapelbedden bij Elettra op de kamer.'

'Is dat een grapje?'

'Nee, ze zullen een hoop lol hebben. Elettra praat beter Engels dan wij allemaal bij elkaar. En haar kamer is perfect.'

'Ja, maar...'

'Maar wat?' onderbreekt haar nichtje haar, terwijl ze met haar zwarte krullenbos schudt. 'Dat is een geweldige oplossing. En misschien is het ook wel de enige. Kom op, tante. We kunnen het!'

'Meneer Mahler?' vraagt de jonge vrouw op het vliegveld.

Ze staat voor de uitgang van de internationale aankomsthal. Rondom haar verspreidt zich het oranje licht van een straatlantaarn. Ze is slank, ze heeft lange dunne wenkbrauwen en sierlijke handen. Ze draagt een krijtstreepjasje, een strakke spijkerbroek en groene leren laarzen met hoge hakken.

De man aan wie haar vraag gericht was, is niet blijven staan. Hij is langs haar heen gelopen en doet alsof hij naar de rij voor de taxistandplaats staart. Hij is in het zwart gekleed, hij heeft sluik wit haar, hoge jukbeenderen en een spitse neus als een ijspriem. Hij heeft kleine ogen en zo'n dunne mond dat die maar een spleetje lijkt. Hij sleept een onopvallende zwarte koffer op wieltjes achter zich aan, en in zijn hand draagt hij een ongewone vioolkoffer.

'Bent u meneer Mahler?' herhaalt de jonge vrouw in het Engels terwijl ze op hem af loopt.

De eerste sneeuwvlokken vallen uit de lucht.

De man blijft recht voor zich uit kijken en sist: 'Zou kunnen.'

'Beatrice,' stelt ze zich voor. 'Ik kom u ophalen.'

'Dat is duidelijk.'

De jonge vrouw bijt op haar lip. 'Loopt u met me mee?'

'Bent u met de auto?'

'Dat is duidelijk,' antwoordt ze geïrriteerd.

Pas dan draait de man zich om. Hij heeft een kille, afstandelijke blik. 'Mooi,' zegt hij. 'Ik weet dat het vliegveld ver van het centrum is. En ik ben behoorlijk moe.'

'Joe Vinyl heeft me gevraagd om een hapje met u te gaan eten...'

'Vanavond niet,' werpt de man tegen. 'Het enige wat ik nodig heb is een bad en een bed.'

Beatrice loopt voor hem uit over het trottoir. 'Mooie viool,' merkt ze op, terwijl ze het portier van haar gele Mini opendoet.

'Het is geen viool,' antwoordt hij, terwijl hij zijn greep om het handvat onmerkbaar verstevigt.

3
DE VIER

Het sneeuwt als het busje van Fernando Melodia de binnenplaats van Hotel Domus Quintilia komt oprijden, in het oude hart van de wijk Trastevere. De gasten stappen uit onder de dichte vlokken en rennen naar de beschutting van het oude betimmerde balkon. De chauffeur verdwijnt haastig naar de receptie. En terwijl zij de eerste koffers uitladen, komt hij terug naar het busje en legt opgewonden uit wat er is gebeurd met de reserveringen, hij biedt de noodoplossing aan die de vrouwen des huizes hebben bedacht, en zonder op een reactie te wachten verdwijnt hij opnieuw het hotel in.

Er breekt een heftige discussie uit onder de gasten. Er dwarrelen steeds dikkere sneeuwvlokken om hen heen, die spiraalvormige banen tekenen.

De Amerikaanse hoogleraar staat stokstijf naast de ingang van het hotel, met een woedend gezicht.

'Dit is een schandaal!' buldert hij. 'Ik heb nog nooit zoiets meegemaakt!'

Zijn vrouw heeft hem bij de kraag van zijn jasje gegrepen en trekt eraan alsof het een hondenriem is.

'George... rustig maar...'

'Rustig?' stuift hij op, terwijl hij eerst naar de oude binnenplaats van Hotel Domus Quintilia wijst, en vervolgens naar de trap die naar de receptie leidt. 'Hoe moet ik in godsnaam rustig worden? We hadden een driepersoonskamer gereserveerd, en nu krijgen we een tweepersoonskamer! Waar moet onze arme Harvey dan slapen?'

Als hij hoort dat het over hem gaat, kijkt die 'arme Harvey' met een vies gezicht om zich heen.

'Wegwezen hier,' oordeelt hij kort maar krachtig.

Hij gaat één stap aan de kant om de enorme Schotse koffers van meneer See-Young Wan Ho te ontwijken.

Ook de Chinese meneer ziet er ontstemd uit, en zijn pak van glanzende zijde weet zijn humeur niet op te krikken.

'En wat moet ik dan zeggen? Ik heb een tweepersoonskamer gereserveerd, die jullie nu hebben gekregen... En ik zit met een eenpersoonskamer opgescheept! En ik heb ook een zoon bij me.'

In tegenstelling tot die 'arme Harvey' rent de Chinese jongen echter uitgelaten door de sneeuw, en hij geeft luidkeels commentaar op alles wat hij ziet: het houten balkon, de vier standbeelden die van de omheining omlaag kijken, de donkere trap naar de ingang met het spottende masker erboven, de put in het midden van de binnenplaats, het busje van het hotel.

De twee Franse gasten hebben nog niks gezegd en lijken niet van plan om zich in de strijd te mengen.

Ze lijken op elkaar als twee druppels water, en ze hebben ook dezelfde kleren aan. Lichte, ongrijpbare kleren, in een even ondefinieerbare kleur als hun sluike haar.

Wanneer meneer Miller om hun mening vraagt, zegt mevrouw Blanchard alleen maar: 'Er is kennelijk een fout gemaakt met de reserveringen.'

'Het is een grof schandaal!' buldert de Amerikaanse hoogleraar nog eens, die de Franse mevrouw veel te soft vindt.

'Wegwezen hier,' herhaalt zijn zoon weer nors.

'Wacht even...' zegt meneer See Young Wan Ho, terwijl hij naar de deur van het hotel kijkt. 'Misschien gaat er iets gebeuren.'

Hé, denkt zijn zoon, terwijl hij ineens blijft staan in de sneeuw.

Elettra is eraan gekomen.

Ze heeft een ovalen gezicht, donkere, ferme ogen en een weelderige bos zwarte krullen. Ze is in het gezelschap van een al even mooie dame, met een fris gezicht, lichte ogen en zilverachtig haar tot op de schouders. Ze glimlachen allebei geruststellend, als iemand die voor alle problemen een oplossing weet.

'Het spijt ons verschrikkelijk...' begint de vrouw. 'Maar u zult zien dat alles in orde komt.'

Elettra nodigt hen uit om mee naar binnen te komen: 'Dan kunnen we er in elk geval in de warmte over praten, als u wilt.'

Als een magneet aangetrokken door de ogen van Linda, verandert de gezichtsuitdrukking van de Amerikaanse hoogleraar op slag. Hij bevrijdt de kraag van zijn jasje uit de greep van zijn vrouw en antwoordt met een onverwacht meegaand: 'Goed idee.'

Ook die 'arme Harvey' lijkt een zweem van interesse te hebben opgevat voor de hele zaak. Meneer See Young Wan Ho accepteert de uitnodiging met een buiging. De twee Françaises laten een beschaamde Fernando langs hen heen glippen, die zich over de koffers ontfermt, en zelf lopen ze achter Elettra aan naar een mooie eetzaal met een laag plafond, met vijf gedekte tafeltjes en met glimmende schilderijen aan de muren.

Daar worden ze opgewacht door een oude dame in een rolstoel.

'Ik ben Irene,' begint de dame, met een bedaarde glimlach. 'En het spijt me vreselijk wat u is overkomen.'

De Amerikaanse hoogleraar maakt aanstalten om te protesteren, maar dan doet hij er het zwijgen toe, alsof hem ineens iets te binnen schiet.

'De fout die we hebben gemaakt is onvergeeflijk,' vervolgt de dame. 'Maar volgens ons is het voorstel dat we u gedaan hebben wel acceptabel: de stad zit vol mensen, en u zou onmogelijk een betere plek kunnen vinden. Geloof me: de kamers waarin u zult worden ondergebracht, zijn misschien wel de meest gerieflijke van het hele hotel.'

'In de mijne ontbreekt wel een bed voor mijn dochter...' komt de Franse dame tussenbeide.

'Dat is niet echt een probleem,' antwoordt Elettra op dat moment. 'In mijn kamer staan twee stapelbedden. Als... Mistral... zo heet je toch...?'

Het Franse meisje knikt verlegen.

'Als Mistral wil, kan ze op mijn kamer slapen. De twee jongens kunnen dan in het andere stapelbed. Zo heeft iedereen een plek.'

Mistral kijkt naar haar moeder om te zien of die ermee instemt.

Sheng roept vol overtuiging: 'Hao!' en zoekt vergeefs de blik van Harvey, maar die staart verlegen naar de grond.

Het Amerikaanse echtpaar staat razendsnel te smoezen. Meneer Wan Ho kijkt de oude dame in de rolstoel onverstoorbaar aan.

De eerste die een besluit neemt is de moeder van Mistral, die schouderophalend besluit: 'Mijn dochter is het gewend om onafhankelijk te zijn. Als zij het goed vindt, is het mij best.'

'Wilt u de kamer zien?' vraagt Elettra.

'Nee hoor. Ligt hij heel ver van de mijne af?'

'Twee trappen.'

De twee wisselen een geamuseerde blik en gaan dan akkoord met het voorstel.

'Heel goed,' zegt tante Irene tevreden.

'Het is inderdaad nogal laat inmiddels,' komt meneer Wan Ho op dat moment tussenbeide, terwijl hij zijn pak gladstrijkt. 'En we hebben een lange reis achter de rug. Als mijn zoon het goed vindt, ga ik ook akkoord met deze oplossing.'

Daarop wendt tante Irene zich tot de twee Amerikanen: 'Dan blijft u nog over...'

De man kruist vredig zijn armen voor zijn borst. Mevrouw veegt een speelse lok van het voorhoofd van haar zoon aan de kant, maar Harvey wendt meteen zijn hoofd af. 'Zie jij het zitten, Harvey? Anders...'

'Ik vind het best,' antwoordt hij.

Eén ogenblik lang maakt hij zijn blik los van de neuzen van zijn schoenen en kruist die van Elettra.

Geïntimideerd draait hij zich om en gaat de koffers halen.

Na nog wat houterige afscheidsgroeten loopt de eetzaal van het Domus Quintilia leeg.

Irene grijpt de wielen van haar rolstoel en duwt zichzelf naar de lift. In de muur achter haar gaat heel voorzichtig een deur open.

'Kom maar naar buiten, dappere held,' zegt ze tegen de donkere spleet van de deuropening. 'Het gevaar is geweken.'

Fernando Melodia steekt zijn hoofd om de deur, vergewist zich ervan dat alle gasten weg zijn en komt de kamer in. Hij heeft een stapel kleren, handdoeken en een pyjama in zijn armen. 'Hoe wist je dat ik het was?'

'De lucht is doordrongen van je schuldgevoel.'

'Ik...'

De wielen van de rolstoel piepen over de vloer.

Door het raam zien ze het hoekige profiel van een standbeeld dat naar de witte hemel kijkt.

'Wees alleen voorzichtig met de bank,' grinnikt de oude tante.

'Ik slaap liever op de grond.'

'Dat lijkt me een goed idee, want je weet hoe Linda reageert als er iets met die bank gebeurt.'

'Verdorie.'

'Wat, verdorie?'

Fernando kijkt naar de trap waar hij net vanaf is gekomen: 'Ik heb mijn roman op mijn kamer laten liggen. Ik denk dat ik nog maar even naar boven ga om die op te halen. Misschien kan ik vanavond...'

'Laat toch zitten, Fernando,' verzucht de oude vrouw. 'Onze Chinese vriend is vast niet van plan om jouw meesterwerk te stelen. Help me liever met die rolstoel.'

Fernando legt zijn kleren op een fauteuil en duwt Irene naar de zwarte liftdeuren.

'Was het lastig om ze over te halen?' vraagt hij.

'Niet lastiger dan normaal,' antwoordt ze pinnig.

De ijzeren deuren gaan met een metalige zucht open. Fernando Melodia laat de rubberbanden een tikje overhellen, en duwt zijn zus dan in de lift.

'Het sneeuwt,' verzucht hij. 'Dat is lang niet gebeurd in Rome...'

'Laten we dan naar het dakterras gaan,' stelt tante Irene voor. 'De aanblik van de stad onder een witte deken mogen we niet missen.'

De gele Mini glijdt snel door het verkeer op de grote rondweg. De kleine ruitenwissers vechten tegen de sneeuw die zich aan de voorruit hecht.

De autoradio verspreidt zachte symfonische muziek. Aan het achteruitkijkspiegeltje bungelt een knuffel in de vorm van een doodskop.

'Ik heb veel verhalen over u gehoord, meneer Mahler,' zegt Beatrice, terwijl ze het witte busje van een hotel inhaalt, waarvan de rode stadslichten als vlinders tussen de sneeuwvlokken glinsteren.

'En hoe waren die verhalen?'

'Ze eindigden allemaal op dezelfde manier,' glimlacht de jonge vrouw, terwijl ze de Mini in de ruimte tussen twee auto's drukt.

'Vond u het mooie verhalen?'

'Heel mooi.'

'U houdt van droevige verhalen.'

'Soms is droefheid heel boeiend.'

'Meestal is het gewoon droevig.'

De twee zwijgen enkele ogenblikken, die worden aangegeven door het ritme van de ruitenwissers.

'Volgens mij hebt u niet goed begrepen wat de aard van mijn werk precies is,' zegt de man met de viool.

'Joe Vinyl praat over u alsof u een soort legende bent.'

'Ik heb Joe Vinyl nooit ontmoet. Wat voor legende?'

'Een misdaadlegende.'

De man met het witte haar schudt lichtjes zijn hoofd. 'Precies. Wat zei ik u? U hebt het mis.'

'Is dat dan niet zo?'

'Ik zou eerder zeggen dat ik een efficiënte uitvoerder van andermans verwachtingen ben,' houdt de man vol.

'Het is maar hoe je het interpreteert.'

'Er bestaan geen interpretaties.'

'Wat bestaat er dan wel?'

'Alleen wat je kunt. En wat je niet kunt.'

'Ik snap het. Werk, dus.' Beatrice houdt beide handen op het stuur van de Mini. 'Joe heeft me verteld dat dit een opdracht is voor...'

Jacob Mahler laat zijn hand bliksemsnel naar voren schieten. Zijn vinger hangt al voor de neus van Beatrice wanneer zijn lippen met een dreigend gesis fluisteren: 'Ssst... Spreek die naam niet uit.'

Ze houdt haar beide handen op het stuur.

Ze doet alsof ze die vinger voor haar neus niet ziet. En ze durft zich een verbluft lachje te veroorloven: 'En waarom niet? We zitten toch met z'n tweeën in deze auto?'

'Spreek die naam nóóit uit,' herhaalt de man met de viool, terwijl hij zijn hand theatraal weghaalt. 'Dat is de goede raad van een vriend.'

'Dus we zijn vrienden?'

'Wil je nog een goede raad? Niet zoveel vragen stellen.'

Beatrice haalt haar schouders op.

Ze legt haar rechterhand even op de versnellingspook. Dan zet ze de autoradio harder.

De gele Mini scheurt over het glanzende wegdek.

Het gaat steeds harder sneeuwen.

4
TOEVAL

'Kom binnen,' zegt Elettra hardop, terwijl ze de kraan van de wasbak dichtdraait. Ze meent dat ze iemand op de deur heeft horen kloppen. 'Kom maar!' herhaalt ze in het Engels, nog harder.

Haar kamer is in het duister gehuld, afgezien van het licht dat van buitenaf naar binnen filtert, door de tralies van een raam. Het is een gedempt, warm licht, trillend door de sneeuwbui.

De deur naar de gang gaat net ver genoeg open om Mistral, het Franse meisje erdoor te laten.

Elettra steekt haar hand op ten teken van begroeting, en wijst naar het stapelbed.

'Ga jij hier maar liggen, boven mij,' raadt ze haar aan, met haar mond nog vol tandpasta. 'Dan is het andere stapelbed voor Harvey en...' Ze kan niet op de naam van de Chinese jongen komen.

'Sheng,' vult Mistral aan.

Ze heeft een tas bedrukt met lila bloemen bij zich. Pyjama, schone kleren, tandenborstel en tandpasta. Ze is heel lang, langer dan Elettra, en ze is op een verfijnde manier mooi, met haar pagekopje en haar grote ogen, die volkomen rond en volkomen blauw zijn. Boven op haar dunne nekje prijkt haar driehoekige gezicht als dat van een elegante reiger. Het meisje loopt rond met omzichtige traagheid, zonder ook maar iets aan te raken.

Elettra bestudeert haar met de klinische blik van iemand die gewend is anderen te beoordelen aan de hand van een paar details. Een typische eigenschap van iemand die vele tientallen mensen voorbij ziet komen die nauwelijks van elkaar lijken te verschillen. Haar eerste oordeel is onverbiddelijk. Mistral is langzaam. Ze zal nooit met haar overweg kunnen. Elettra is gewend om zich onverwachts en doelbewust te bewegen, terwijl Mistral, onaardig uitgedrukt, een stuntelige sliert lijkt. En dat is niet goed. Zeker niet voor een meisje dat er leuk uitziet en véél langer is dan zijzelf.

'Wat een prachtige kamer heb je,' zegt Mistral. Haar Engels heeft een opvallende cadans.

Door de aardige toon van haar stem en de uitdrukking op haar gezicht heeft Elettra meteen spijt van haar eerste oordeel.

'Vind je dat echt?' vraagt ze.

'Ja. Hij is geweldig.' Mistral zet de tas met lila bloemen op het bed, maakt hem open en haalt er een paar stoffen pantoffels en een witte handdoek uit. 'Het ruikt hier lekker. En hij is heel netjes.'

'Pure overlevingsdrift, geloof me,' grapt Elettra. 'Tante Linda dwingt me om alle spullen op een vaste plek te leggen. Alles moet tot op de millimeter perfect zijn. Kom mee, dan laat ik je de badkamer zien.'

Mistral is verrukt over de spiegel die wordt omringd door peertjes. Ze strijkt met haar hand over de brandende lampjes en mompelt: 'Ik heb er altijd al van gedroomd om zo'n spiegel te hebben.'

Met dromerige blik kijkt ze naar zichzelf. Elettra is in de deuropening blijven staan en kijkt glimlachend naar haar, blij dat ze in dat kleine geluk kan delen.

'En dan te bedenken dat ik hem amper gebruik...' zegt ze.

'Waarom niet?'

'Ik heb iets met spiegels,' glimlacht Elettra. 'Hoe vaker ik erin kijk... hoe minder ze gaan glanzen, ze worden steeds doffer.'

Mistral lacht. 'Dat is toch zeker een grapje?'

'Nee. En dat is niet het enige: ik kan lampen laten doorbranden, en ook andere elektrische apparaten. Voor mij is een spiegel omringd door lampjes dus een soort... mijnenveld.'

Mistral stelt haar nieuwsgierig een paar vragen, en moet lachen om zoiets raars. Haar driehoekige gezicht dat tussen de lampjes wordt weerspiegeld, is het toonbeeld van kalmte. En terwijl Elettra antwoord geeft op haar vragen, wist ze stukje bij beetje het etiket van stuntelige sliert uit en vervangt dat door een positievere omschrijving: romantische droomster.

'Waar denk je aan?' vraagt het Franse meisje, terwijl ze haar handen op de rand van de wasbak legt.

Elettra schrikt op uit haar gedachten. 'Wat?'

'Je hebt me onder een soort vergrootglas gelegd... of vergis ik me?'

'O, nee, sorry. Het is gewoon lang geleden dat...' Elettra pakt haar haren bij elkaar en laat ze dan weer over haar schouders vallen. 'Dat er een vriendin bij me op de kamer was.'

Mistral moet onwillekeurig glimlachen, en maakt een vaag gebaar met haar hand. 'Nee, ik moet sorry zeggen. Door het werk van mijn moeder ben ik ook heel vaak alleen. En zodra er iemand bij me is, heb ik het gevoel dat ik onder een microscoop wordt gelegd.'

'Ik kan je verzekeren dat ik je niet aan het verscheuren was. Integendeel.'

'Doe maar net alsof ik niets gezegd heb.'

'Oké,' besluit Elettra. 'Wat voor werk doet je moeder?'

'Ze werkt met parfums,' vertelt Mistral. 'Dat wil zeggen, ze máákt parfums.'

'Maakt ze parfums? Hoe dan?'

'O, dat is iets wat ik later ook wil leren. Daarvoor moet je naar een speciale school.'

'Bedoel je dat er speciale parfumscholen bestaan?'

'In Frankrijk wel.'

'En waar is die school waar jij naartoe wilt?'

'In Grasse, een plaatsje aan de Côte d'Azur, waar al honderden jaren parfums worden gemaakt. Het is niet makkelijk, geloof me: om parfumcomponist te worden moet je heel veel studeren. Je moet de verschillende essences in de juiste categorieën weten onder te verdelen: je hebt geuren van het hoofd, van het hart, van de geest, dat zijn de lichte, vluchtige geuren, en van de aarde, die blijven het langst hangen. Je hebt scherpe parfums, en zoete, zanderige, natuurlijke, chemische... je hoeft alleen maar je fantasie de vrije loop te laten!'

'Ooh...,' mompelt Elettra geboeid. 'Ik had niet gedacht dat er mensen waren die... studeerden om parfums kunnen maken.'

En terwijl de twee meisjes verder praten over lavendelessences en de grote koperen ketels waarin rozen worden gedistilleerd, wordt er opnieuw op de deur geklopt.

Het is Sheng, die zich al heeft verkleed.

De Chinese jongen met het bloempotkapsel draagt een vrolijke pyjama met blauwe streepjes en onhandige, rode gymschoenen.

'Ik heb mijn sloffen thuis laten liggen,' verontschuldigt hij zich meteen als hij ziet dat de meisjes hem verbluft aanstaren.

Elettra wil de deur weer dichtdoen, maar Sheng waarschuwt haar dat Harvey er ook aan komt.

'Ik hoorde hem achter me lopen in de gang.'

Inderdaad verschijnt Harvey even later in de deuropening. Hij loopt gebogen, alsof hij gebukt gaat onder een hele berg problemen. En zijn haar hangt voor zijn ogen, alsof hij niets anders wil zien dan zijn eigen voeten.

'Ik heb geen pyjama,' zegt hij als hij de streepjespyjama van Sheng ziet. 'Maakt dat wat uit?'

'Hoe slaap je dan, zonder pyjama?'

'In mijn T-shirt en boxershort,' antwoordt hij met een vuurrood gezicht, terwijl hij met zijn rug naar de meisjes staat.

'Wij zullen er geen aanstoot aan nemen,' antwoordt Elettra plechtig met een knipoog naar het Franse meisje. 'Nee toch?'

Mistral laat een klaterend lachje horen, dat wordt afgebroken door de bruuske beweging die Harvey maakt om bij zijn bed te komen.

'Ik slaap boven, oké?'

'Oké, hao,' mompelt Sheng. 'Ik heb altijd al graag beneden willen slapen...'

Harvey verstijft, alsof hij een zweem van ironie heeft opgemerkt in het antwoord van Sheng: 'Heb ik iets verkeerds gezegd? Wil jij liever boven? Zoals je wilt.' En zonder een reactie af te wachten grijpt hij zijn basketbaltas en gooit hem op het onderste bed. 'Dan slaap ik beneden.'

'Hé, wat doe je nu?' zegt Sheng doodgemoedereerd.

'Ik ga slapen,' antwoordt Harvey terwijl hij in de schaduw van het stapelbed verdwijnt.

Sheng staat stokstijf in zijn gymschoenen en kijkt de twee meisjes geamuseerd aan, met een blik die al zijn verbazing uitdrukt.

Harvey is kennelijk nogal een moeilijk type. Iemand die graag stoer overkomt.

Elettra heeft het gevoel dat er een uitdaging in de lucht hangt, die ze meteen besluit aan te nemen. Ze leunt tegen het stapelbed van de jongens aan, buigt zich voorover om naar de spijkerbroek en de tennisschoenen te kijken die de Amerikaan nog steeds aanheeft, en vraagt: 'Slaap jij altijd met je schoenen aan?'

Harvey spert zijn ogen geschrokken open: 'Wat zei je?'

Elettra herhaalt: 'Ik vroeg of mensen in Amerika altijd met hun T-shirt, boxershort, spijkerbroek en schoenen aan slapen.'

Pas dan beseft Harvey dat hij nog helemaal aangekleed is.

Gegeneerd staart hij eerst naar de pyjama van Elettra, dan naar die van Mistral en ten slotte naar de streepjes op die van Sheng, die zijn gymschoenen optilt en uitlegt: 'Ik ben mijn sloffen vergeten. Maar deze trek ik wel eerst uit voor ik naar bed ga.'

Buiten de kamer dwarrelt de sneeuw langzaam omlaag.

De twee meisjes zitten in kleermakerszit op de grond. Harvey is in de badkamer en Sheng streelt de glazen 'paardenbloemenlamp' op het nachtkastje van Elettra: hij bestaat uit een hele bos dunne buisjes lichtgevend glas.

'Mijn vader?' zei Sheng, in vloeiend Engels. 'Die werkt in de toeristische branche.'

'Heeft hij een reisbureau?'

'Zoiets. Hij organiseert culturele uitwisselingen: een Chinese jongere gaat een maand bij een Europees gezin wonen, en een Europese jongere gaat een maand bij een Chinees gezin wonen, als een soort studiereis.'

'Klinkt interessant.'

'Ik kan je over een maand vertellen hoe het is,' mompelt Sheng. Dan legt hij uit: 'Ik dien eigenlijk als proefkonijn in Rome, ook al wilde mijn vader me eigenlijk per se naar Londen sturen.'

'En waarom niet naar Parijs?' vraagt Mistral.

'Omdat ik *Gladiator* een betere film vind dan *The Da Vinci Code?*' grapt Sheng.

'Parijs is Parijs.'

'En Rome is een prachtige stad,' gaat Elettra in de verdediging. 'Oud en nieuw tegelijkertijd.'

'En met die sneeuw ziet het er echt toverachtig uit,' voegt Sheng eraan toe, met een blik uit het raam.

'Je hebt geluk, het sneeuwt bijna nooit in Rome...'

'Heb je het gezin waar je gaat wonen al leren kennen?' vraagt Mistral aan de Chinese jongen.

Sheng schudt zijn hoofd.

'Nee. Dat ga ik volgend jaar ontmoeten... dat wil zeggen, over een paar dagen.'

'En weet je niet eens of je bij een jongen of een meisje in huis komt?'

'Ik heb geen flauw idee. Ik heb wel al een beetje Italiaans leren praten.'

De badkamerdeur gaat open en valt met een klap weer dicht. Harvey komt naar hen toe lopen, met zijn blote voeten over de grond slepend. 'Ik ben klaar. Als jullie willen, kunnen we gaan slapen.'

Geen van de anderen lijkt hem antwoord te willen geven.

Elettra slaat haar armen om haar knieën en zegt: 'Het lijkt me wel heel vreemd om een maand van huis weg te zijn. Ik weet niet of ik dat leuk zou vinden.'

'Een maand waar?' vraagt Harvey.

Als ze het hem uitleggen, merkt hij resoluut op: 'Ik zou nooit een onbekende in huis willen hebben.'

'Dat had ik ook niet verwacht,' zegt Elettra.

'O nee, hoezo niet?'

'Omdat het wel duidelijk is dat je niet graag in gezelschap bent. Je hebt nog praktisch niks gezegd sinds je de kamer in bent gekomen. Behalve dan "Ik ga slapen".'

'Wel, wat had ik dan moeten zeggen? Ik ben kapot.'

'Je had iets kunnen zeggen als: "Ik ben kapot, jongens. Hoe is het met jullie?" Dat heet "een gesprek voeren".'

'Ik zou niet weten hoe ik moest beginnen.'

'Weet ik veel? Je kunt beginnen over je favoriete film, of over je laatste boek dat je hebt gelezen, of wanneer je jarig bent...' oppert Sheng, terwijl hij zijn vingers tussen de dunne lichtgevende buisjes van het glas steekt. 'Sterker nog, ik zal jullie eens vertellen wanneer ik jarig ben...'

Harvey onderbreekt hem met een schor lachje. 'Mijn verjaardag is inderdaad wel grappig.'

'Vast niet zo grappig als de mijne,' onderbreekt Mistral hem.

'Geloof me. De mijne is erger,' houdt Sheng vol.

'Dat denk ik niet,' antwoordt Harvey, terwijl hij zijn handen in zijn nek ineenvouwt. 'Ik ben op negenentwintig februari geboren, dat geloof je toch niet?'

Er gaat een soort elektrische schok door de kamer, die Elettra duidelijk door haar vingers voelt gaan. Het is een schok die van buiten komt, van de straat, of misschien van veel hoger. Alsof er in de hemel, op een eindeloze hoogte, een eeuwenoud mechanisme van sterren en oude mysteries in werking is getreden.

De lucht trilt van de stilte, en wordt dan ineens onbeweeglijk en koud.

De handen van Sheng grijpen de steeltjes van de paardenbloemenlamp vast. Mistral, die tegen het bed aan zit, houdt haar adem in.

Harvey beseft dat hij iets raars heeft gezegd, hij gaat zitten en vraagt: 'Grappig hè?' Maar zijn stem klinkt weifelend. 'Vinden jullie dat niet typisch? Negenentwintig februari!'

'Ik ben ook op negenentwintig februari geboren,' fluistert Sheng terwijl hij zich naar hem omdraait.

Het wordt nog kouder in de kamer. En de elektriciteit in Elettra's handen neemt toe.

'Dat geloof ik niet,' zegt Mistral. 'Dat kan niet!' Haar blauwe ogen stralen een hevige verbazing uit. 'Ik ook.'

De handen van Sheng verstijven helemaal tussen de buisjes van de lamp.

'Nee maar...' mompelt hij. 'Dat is... dat is een waanzinnig toeval.'

'Stel je voor...' begint Harvey, die op de rand van het bed zit.

Elettra moet zich bewegen. Ze heeft het heet. Er zit een kokende vulkaan in haar binnenste. Ze loopt naar het raam, doet het wagenwijd open, laat de koude avondlucht naar binnen.

Hoe kan dit, vraagt ze zich af.

Ze kijkt omhoog. De hemel is bewolkt. Er is geen ster te bekennen.

Maar dat betekent niet dat ze er niet zijn.

Ze doet haar ogen dicht, ze laat een paar sneeuwvlokken op haar gezicht neerdalen en oplossen tot kleine tranen. Haar handen voelen zo warm dat haar vingertoppen pijn doen.

Als ze haar ogen weer opent, om ze op de drie mensen in haar kamer te richten, beseft ze dat geen van hen een woord heeft gezegd.

De stuurse Harvey.

De dromerige Mistral.

De vrolijke Sheng.

'Ik geloof niet in toeval,' zegt Elettra met trillende stem.

Ze is logisch, rationeel, heel ordelijk. Zij heeft mensen in één oogopslag door. Zij ordent, classificeert en heeft altijd overal een verklaring voor.

Behalve wanneer ze lampen laat doorbranden of spiegels dof laat worden. Behalve wanneer een printer op hol slaat als zij voorbij loopt, of een tv-scherm van kleur verandert.

Ze gelooft niet in toeval. Niet in zo'n toeval, tenminste.

Want Elettra is ook op negenentwintig februari geboren.

Ze zegt het tegen de anderen, en dan voelt ze de behoefte om op iemand te steunen. Ze raakt Shengs huid aan. En onmiddellijk stromen alle spanning en hitte die ze in zich voelde naar hem over, als een rivier met die buiten zijn oevers treedt.

'Au!' gilt de Chinese jongen als hij voelt dat hij zich brandt.

De paardenbloemenlamp die hij in zijn hand heeft geeft een verblindende lichtflits af en barst in duizend stukken uit elkaar.

5
DE ROEP

In wit gehuld wordt het verkeer van Rome steeds langzamer, tot het helemaal stil komt te staan, als een verzwakt dier. Aan het stuur van de gele Mini, in haar eentje, probeert Beatrice niet op alles om haar heen te letten, en ze verschanst zich in haar autootje. Ze zet het volume van de cd-speler voluit en laat haar gedachten ver weg voeren door de muziek. Ze is omringd door eindeloze rijen auto's, claxons en branddende koplampen. De standbeelden die de bruggen over de Tiber bewaken kijken haar streng aan.

Ze heeft Jacob Mahler afgezet voor de kleine villa die ze voor hem heeft gehuurd in de wijk Coppedè, dicht bij Corso Trieste. Daar had Mahler om gevraagd: hij wilde graag logeren in die bizarre wijk tussen de dreigende huizen vol vreemde gezichten, maskers, kantelen, torentjes, lelies, rozen en twijgen die met elkaar vervlechten onder de puntdaken.

Ach ja, als hij dat zo graag wil...

Beatrice legt haar hoofd tegen het raampje. Ze is moe. Het koude glas voelt prettig aan tegen haar wang; het bevriest haar moeilijkste gedachten. Ze had veel verwacht van deze dag, en ze heeft het gevoel dat er weinig van terecht is gekomen. Niet dat ze had gedacht dat "de grote Jacob Mahler" meegaander zou zijn... Maar ze is teleurgesteld door de onnodige arrogantie van die man, en door het feit dat zij zich er zo door heeft laten verwarren.

Jacob Mahler is ontzettend zeker van zichzelf en ontzettend onaangenaam.

Ze zeggen dat er weinig moordenaars zoals hij op de wereld zijn.

In de Mini hangt nog steeds een zweem van zijn geur van viooltjes.

Beatrice doet haar ogen dicht en denkt terug aan de manier waarop ze afscheid van elkaar hebben genomen.

'Wat moet ik tegen Joe Vinyl zeggen?' vroeg Beatrice toen ze hem voor de villa afzette. Een smeedijzeren hek vol scherpe punten. Balkons gedragen door oude mythologische figuren.

'Zeg maar dat we elkaar morgen om elf over elf zien.'

'Hier?'

De sneeuwvlokken plakten aan haar haren als witte spinnen.

Hij schudde zijn hoofd. Hij keek haar aan met zijn lichte, doordringende ogen. Hij wees op de voorgevel van de villa. 'Ik ben hier niet. Hier is niemand.'

Stom, dacht Beatrice. Niemand weet dat Jacob Mahler in Rome is aangekomen.

'Zien we elkaar dan in het restaurant van Joe?'

Opnieuw schudde Jacob Mahler zijn hoofd, hij had er lol in haar voor gek te zetten.

'Waar dan?'

'In het beste café van Rome. Om elf over elf.'

En nadat hij die raadselachtige zin had gezegd, draaide hij zich om en liep door het hek.

'Meneer Mahler?' riep Beatrice hem achterna. 'Meneer Mahler? Wat is dan het beste café van Rome?'

De wind deed de sneeuwval aanzwellen, zodat er een wit gordijn neerdaalde tussen haar en Jacob Mahler.

Toen ze nog een keer keek, was hij verdwenen.

Een luid getoeter brengt haar ineens terug in de werkelijkheid. Het verkeer is een paar meter opgeschoten. Beatrice schakelt naar de eerste versnelling en rijdt naar voren. Het kan wel uren duren voor ze thuis is. En ze heeft zo'n zin om naar bed te gaan en haar ogen dicht te doen.

Ineens wordt ze bevangen door een gevoel van onmacht en angst. Ze zoekt haar mobiele telefoon en loopt de lijst namen af tot ze die van Joe Vinyl heeft gevonden. Ze selecteert hem, kijkt naar het verlichte display van haar mobieltje, maar ze durft niet te bellen. Ze stuurt hem een sms: *De afspraak is morgen, om elf over elf. In het beste café van Rome.*

'Stik toch!' roept ze dan.

Ze gooit de telefoon op de achterbank. Ze klemt het stuur stevig vast en telt de minuten die ze nodig heeft om weer een meter vooruit te komen.

Precies op dat moment gaat haar mobiel over.

Beatrice verwringt haar arm om de telefoon te kunnen pakken, ze controleert het nummer en ziet tot haar opluchting dat het niet Joe is, en evenmin een van haar ex-vriendjes.

'Beatrice?'

Het is Jacob Mahler.

Haar mond zakt een stukje open. Ze voelt een steek van ongerustheid in haar maag, terwijl haar hersenen zich afvragen: Hoe komt hij aan mijn privénummer?

'Waarom bel je?' Beatrice bijt op haar lip: ze heeft hem getutoyeerd.

'De plannen zijn veranderd,' vervolgt Jacob Mahler.

'In welk opzicht?'

'We moeten vanavond nog iets doen.'

'Heb je Joe Vinyl gesproken?'

'We hebben een ontmoeting met een man.'

'Waar?'

'Onder de Ponte Sisto. Over een halfuur.'

'Dat kan niet,' antwoordt Beatrice. De auto's om haar heen staan moervast. De sneeuw komt wervelend uit de donkere hemel vallen en lijkt nog lang niet van plan te stoppen. 'Ik zit vast in de file.'

'Bedenk maar een manier. Het is heel belangrijk.'

'Er is geen manier! Alles staat stil.'

'Daarom bewegen wíj ons juist. Ik wacht hier op je. Ik reken op je.'

Beatrice wil protesteren, maar Jacob Mahler heeft al opgehangen.

Probeer logisch te denken, houdt Beatrice zich voor.

Om terug te keren naar de wijk Coppedè, zou ze het eerste stoplicht moeten bereiken en dan de zijstraat inslaan die heuvelopwaarts voert, aan de andere kant van de streep.

De auto's staan drie rijen dik. Een eindeloze stoet witte en rode lichten te midden van de sneeuw. In dit tempo kan het alleen al een half uur duren voor ze bij het stoplicht is.

En ze heeft geen halfuur tot haar beschikking.

Alles staat stil.

Daarom bewegen wij ons juist.

Bedenk maar een manier.

Een krankzinnig idee schiet door haar hoofd. Ze grijpt haar jas van de achterbank. Ze legt haar bevende hand op de handgreep van het portier.

Alles staat stil.

Daarom bewegen wij ons juist.

Beatrice haalt diep adem. Ze zet de motor af, opent het portier en stapt uit de Mini, die ze midden in het verkeer laat staan.

'Ik ben hartstikke gek geworden,' zegt ze, terwijl ze tussen de andere auto's door begint te lopen. 'Ik ben hartstikke gek geworden.'

Achter haar klinkt wat getoeter, maar Beatrice draait zich niet om. Ze begint te rennen, ze komt bij het stoplicht en steekt het kruispunt over. Zoals ze al had verwacht rijden de auto's vlot door over de weg die heuvelopwaarts gaat.

'De raadselen van het Romeinse verkeer,' mompelt ze met een glimlach.

Bij de ingang van de straat begint ze met haar armen te zwaaien, om een donkere auto te laten stoppen.

'Kan ik je helpen?' vraagt de jongen achter het stuur terwijl hij zijn raampje omlaag doet.

'Ja,' antwoordt Beatrice.

Ineens gebeurt er iets vreemds.

Rondom hen gaan ineens alle lichten van de stad uit. De stop-lichten gaan uit. En dan alle lantaarnpalen. En ten slotte de neon-reclame, de lampen in de huizen.

Rome wordt in het donker gehuld.

'Wat gebeurt er?' vraagt de jongen, terwijl hij verbouwereerd om zich heen kijkt. Hij stapt instinctief uit zijn auto en laat het portier open staan.

Voor Beatrice is dat een teken van het lot.

'Ik steel je auto,' zegt ze.

Hij denkt dat ze een grapje maakt en lacht: 'Welja, ga je gang. Ben je een autodief?'

'Misschien wel.' Zonder hem de tijd te gunnen om te reageren, duikt Beatrice op de bestuurdersstoel, grijpt het stuur en rijdt met piepende banden weg, in een waaier van natte sneeuw.

De jongen schreeuwt haar na, hij probeert achter haar aan te rennen.

Het sneeuwt.

De gele Mini heeft ze achtergelaten in een file.

Ze heeft net een auto gestolen.

Rome is volkomen donker.

Maar het enige waar ze zich druk om maakt is dat ze op tijd bij Jacob Mahler moet zijn.

6
HET DONKER

De kamer van Elettra is donker.

'Heb je je pijn gedaan?' vraagt het meisje aan Sheng, terwijl ze naast hem neer knielt.

De lamp met de bloemsteeltjes is in duizend stukken uiteen-gesprongen op de vloer.

'Nee, maar...'

'Mistral?'

'Harvey?'

'Ik ben er.'

'Ik ook.'

'Heeft iemand zich pijn gedaan?'

'Nee.'

'Wat is er gebeurd?'

De kinderen kruipen naar elkaar toe.

'Pas op voor het glas.'

'Er liggen overal splinters,' zegt Sheng.

Elettra zoekt het lichtknopje. Ze drukt er vergeefs op. Ze gaat naar de badkamer. Maar ook daar doet het licht het niet.

'Niks aan te doen. Blijkbaar is de meter gesprongen.'

'Een steekvlam,' zegt Harvey. 'Het was een soort steekvlam.'

'Ik zag hem uit de handen van Sheng komen,' stamelt Mistral. Haar stem trilt als een vioolsnaar.

'Nee maar,' zegt Sheng weer. 'Nee maar.'

Het lijkt wel alsof hij niks anders meer kan zeggen.

De kamer is volledig in het duister gehuld: het enige licht dat er doordringt is de weerkaatsing van de sneeuw die op de binnenplaats omlaag dwarrelt. Een donkere binnenplaats, als de bodem van een zwarte doos.

'Waar ga je heen?' vraagt Harvey als hij Elettra door de kamer hoort lopen.

Ze gaat op de rand van het bed zitten en trekt haar schoenen aan.

'Ik ga in de gang kijken.'

'Ik ga met je mee,' stelt de Amerikaan voor, plotseling actief.

Maar eigenlijk denkt Elettra aan iets heel anders. Ze denkt aan de lading energie die door haar heen is gegaan. Aan hoe ze die op Sheng heeft overgebracht, toen ze zijn schouder aanraakte. En aan hoe die energie de lamp van haar tante heeft laten exploderen.

Ze is doodsbang. Ze voelt haar botten trillen.

De lamp is ontploft met een verblindend wit licht.

Harvey zoekt op de tast zijn schoenen achter op het bed. 'Ik wist wel dat ik ze niet uit had moeten trekken!' grapt hij.

'Jullie willen ons toch niet hier alleen laten?' vraagt Mistral.

Elettra loopt naar de deur. 'Ik ga alleen even kijken of het licht in de gang het wel doet.'

'Ik ben klaar,' zegt Harvey. Dan voelt hij aan zijn benen, en beseft dat hij in zijn boxershort staat. 'Heel even nog.'

Snel geritsel van een spijkerbroek. Elettra doet de deur open en probeert het lichtknopje in de gang.

Klik klik.

Hier ook al niet.

'Nee maar,' mompelt Sheng voor de zoveelste keer.

'Wat moeten we doen?'

'Ik ga op zoek naar de meterkast,' oppert Elettra.

'Heb je geen kaars?'

'Misschien in de keuken,' antwoordt ze.

'Waar ben je?' vraagt Harvey, die door de kamer wankelt. Hij struikelt over iets, dat een onheilspellend geluid maakt.

'Mijn tas!' roept Sheng uit.

'Blijf waar je bent, Harvey!' roept Elettra bijna hysterisch. 'Blijf allemaal waar je bent! We moeten onze ogen eerst aan het donker laten wennen.'

'Ik zie niks,' zegt Sheng.

Harvey ook niet. Hij blijft onbeweeglijk op de vloer zitten.

Iedereen is stil.

Elettra denkt: Het kan niet dat alles zó donker is.

Een paar tellen later zegt Harvey: 'Nu begin ik iets te onderscheiden. Ik zie jou bij de deur staan, Elettra. En ik zie ook de bedden.'

'Ik ook,' mompelt Mistral.

'Ik zie nog steeds niks,' beweert Sheng.

Elettra knikt. Door de helderheid van de sneeuw kan ook zij nu de vage omtrekken van de meubels ontwaren. Maar voorbij de deur, richting de ingang van het hotel, is de gang volkomen zwart.

'Ik kan wel íets zien...' zegt ze.

'Fijn voor jullie,' antwoordt Sheng. 'Maar ik zie nog steeds niks. Misschien... ben ik wel blind geworden door die ontploffing. O jee!'

Er glijdt iets over zijn gezicht: het zijn de handen van Mistral. 'Rustig maar, Sheng. Ik ben het.'

'Wat doe je?' vraagt de Chinese jongen.

De handen van het meisje strelen zijn gezicht.

'Volgens mij heb je niks, Sheng. Misschien zou het alleen... wel een goed idee zijn om je ogen open te doen.'

Sheng krijgt een schok en vraagt beschaamd: 'O ja...? Hoezo...?'

'Je hebt je ogen dicht.'

Sheng probeert zich te ontspannen en langzaam zijn ogen open te doen.

Deze keer is Mistral degene die een schok krijgt: 'Sheng!' roept ze uit. 'Jongens, kijk eens!'

'Wat is er?' vraagt hij, plotseling ongerust.

Hij ziet de gedaanten van Harvey en Elettra op hem af komen. Een kromgebogen slungel en een woeste bos zwarte krullen.

'Je ogen...' mompelt Mistral.

'Wat is daarmee?' vraagt hij, terwijl eraan voelt.

Harvey schudt zijn hoofd. 'Ik geloof dat ik droom.'

'Wat is er dan...?'

'Ze zijn geel,' zegt Harvey.

'Ze lijken wel van goud,' mompelt Elettra. 'Als twee kostbare juwelen.'

'Jullie maken toch zeker een grapje, hè?'

Mistral schudt haar hoofd. 'Nee, echt waar. Je hebt twee enorme uilenogen.'

'Goudgeel.'

'Maar het wordt al minder,' merkt Harvey op.

'Wat wordt al minder?'

'Wat je in je ogen hebt. Het lijkt alsof het... wegsmelt.'

'Wegsmelt?'

'Het schittert minder.'

'Wat schittert minder?'

'Heb je pijn aan je ogen?'

'Néé!'

'En kun je er goed mee zien?'

'Ik zie alles... geel.'

'Wat zie je?'

Sheng staat op. 'Jullie, de bedden, de deur naar de gang, de badkamer...'

'Kun je helemaal tot aan de badkamer kijken?'

'Ja... ik bedoel... Hoezo, jullie niet dan?'

'Nee.'

'Ik ook niet.'

'Het is pikdonker, Sheng. Wíj zien geen hand voor ogen.'

'Wat is er met me gebeurd?'

'Ik ga op zoek naar de meterkast,' besluit Elettra, terwijl ze zich met een ruk omdraait.

'Wij gaan mee!' roepen de andere drie bijna in koor.

Even later lopen de vier kinderen op de tast door de gang die naar de eetzaal voert.

'Ik zie alles steeds minder geel... en ik kan steeds minder ver weg kijken,' zegt Sheng.

Mistral controleert zijn ogen, en zegt: 'Nu zijn ze weer vrijwel normaal.'

Sheng houdt de rug van zijn hand tegen zijn voorhoofd. 'Wat het ook was, het is nu dus aan het wegtrekken?'

'Het was eigenlijk niet gek,' merkt Harvey op. 'Een steekvlam die je in een nachtdier verandert.'

'De volgende keer mag jij, oké?' grapt Sheng.

Elettra loopt voor hen uit. Ze kent deze gang op haar duimpje, maar in de stille duisternis zit haar iets niet lekker. En ze heeft het onaangename gevoel dat het op de een of andere manier door háár komt.

Ze bereiken de eetzaal waar de tafels keurig gerangschikt staan: met de witte tafelkleedjes lijken ze in het halfdonker net slapende bloemen.

Het noodlampje van de lift achter in het vertrek is uit.

'Blijkbaar is de stroom overal uitgevallen,' mompelt Elettra meer tegen zichzelf dan tegen de rest.

Ze loopt rakelings langs de tafeltjes, zodat de porseleinen kopjes rinkelen.

'Gebeurt dat vaak?' vraagt Sheng.

'Af en toe,' liegt Elettra.

'Je ziet echt geen steek,' zegt Sheng mismoedig, na een tijdje.

Ze staan voor de deur naar de binnenplaats, onder aan de trap die naar de slaapkamers voert.

'Tante?' mompelt Elettra, als ze een geluid hoort op de verdieping boven hen.

Stilte.

'Zo te horen liggen ze allemaal diep in slaap.'

'Dat is ook het beste wat je kunt doen als de stroom is uitgevallen...' zegt Harvey.

'Kunnen we de voordeur open zetten om wat licht binnen te laten?'

'Help even,' zegt Elettra.

Ze verschuift twee zware grendels, die soepel opengaan, zonder enig geluid te maken. De deur gaat met een gebiedende klik open, alsof hij net wakker is geworden.

Buiten wordt alles bedekt door een witte mantel. Zacht en licht, compact en stil, geeft hij de vierkante binnenplaats, de put en de lelijke vormen van het busje een vriendelijker uiterlijk. Boven het balkon hebben de vier standbeelden een dikke witte haardos.

'Het lijkt net een scène uit *The Lord of the Rings*,' zegt Harvey. 'Het zou me niks verbazen als Gandalf nu ineens tevoorschijn kwam.'

Mistral bijt op haar lip, zonder iets te zeggen. Voor haar heeft de binnenplaats ook iets magisch, maar ze had wel wat poëtischers in gedachten dan zo'n stomme film.

Nu de voordeur wijdopen staat schijnt er wat licht in de hal van het hotel, waardoor het trapgat, de balie van de receptie met een grote koperen paraplubak, en een enorme bos tuinbloemen te zien zijn.

'Elettra?' vraagt Sheng, als hij merkt dat het Italiaanse meisje is verdwenen.

'Ik kom zo,' klinkt een stem uit de verte.

De kinderen horen enkele lades open en dicht gaan, en dan de stem van Elettra die uitroept: 'Geweldig, ik wist het wel!'

Ze verschijnt weer van achter de balie met een pakje sigaretten in de hand.

'Róók jij?' vraagt Harvey vol afschuw.

Elettra glimlacht, en haar stralend witte tanden schitteren in de weerschijn van de sneeuw. 'Ik niet. Maar mijn tante Linda wel. Dat wil zeggen, ze beweert altijd dat ze al jaren niet meer rookt, maar ik wist zeker dat ze ergens een pakje sigaretten verstopt had liggen, voor noodgevallen. En dit is wat we nodig hadden.'

Ze haalt een groene plastic aansteker uit het pakje.

Harvey's duim strijkt over de vuursteen en een vlammetje verlicht de trap die omlaag voert naar de kelder. 'Hé, wat een plek! Het lijkt wel...'

Mistral loopt vlug langs hem heen en legt hem het zwijgen op, voordat hij de kans krijgt om ook het magische van deze plek te bederven. Het is een oude stenen kelder, met een trap die naar een labyrint van kamers boordevol oude spullen voert.

'Fantastisch...' zegt ze, terwijl ze de sfeer in zich opneemt.

'Hao, te gek!' mompelt Sheng bij het zien van de indrukwekkende trap.

'Hier zitten de elektriciteitsmeters...' zegt Elettra achteloos, en ze zet een paar stappen over de drempel.

Harvey houdt de aansteker omhoog om een hele rij lelijke zwarte kastjes te verlichten, waarin een onbeweeglijke metalen schijf glanst.

'Zo te zien staan ze stil.'

'Er is hier een echo,' merkt Mistral op, die een paar treden lager staat.

'En er zit ook een vervloekte muis,' voegt Elettra toe, terwijl ze de meters bestudeert. 'Je hebt gelijk, Harv. Ze staan stil.'

Het vlammetje van de aansteker flakkert. De ogen van de Amerikaanse jongen lijken groot en ingevallen.

'Tja, Elly,' antwoordt hij, en hij legt een hand op haar schouder.

Elettra knippert twee keer met haar ogen. Elly? denkt ze. O, nee. Zo werkt het niet. Ze heeft een bloedhekel aan bijnamen. En zij moet degene zijn die beslist hoe ver een jongen mag gaan.

'Ik heet geen Elly,' zegt ze terwijl ze zijn hand van zich afschudt.

'Dan heet ik ook geen Harv,' antwoordt hij bruusk.

Hij laat het vlammetje van de aansteker uitgaan.

De kelder wordt in het donker gehuld.

Ik mag die jongen wel, denkt Elettra.

Onder de sneeuw krijgt de binnenplaats van Hotel Domus Quintilia een eeuwenoude charme.

Bij het slaan van een kerkklok, één lange, galmende slag, voelt Elettra een koude rilling onder haar pyjama door gaan.

'Misschien moet ik mijn vader even wakker gaan maken. Of mijn tante.'

'Waarom zou je?' vraagt Harvey. 'Als er geen stroom is, kunnen zij daar ook niks aan veranderen. Want als ik me niet vergis... is die kerktoren daar ook donker.'

Mistral staat bij hen in de deuropening, en ze wijst naar de verticale omtrekken van de kerktoren van de Santa Ceciliakerk. 'Harvey heeft gelijk. Toen we vanavond hier aankwamen, was die wel verlicht.'

'Dat klopt!' roept Sheng. En dan: 'Hao!'

'Waarom zeg je iedere keer dat woord?' vraagt Mistral hem dan.

'Hao? Dat is een Chinese uitroep. Het betekent "geweldig", "te gek".'

Elettra negeert hen en schudt haar hoofd: 'Dat kan gewoon niet. Zoiets is nog nooit gebeurd...'

'De kracht van de negenentwintigste februari,' zegt Harvey plechtig.

'Hoe bedoel je?'

'Vier mensen die op negenentwintig februari zijn geboren bevinden zich in dezelfde stad, in hetzelfde gebouw...'

'In dezelfde kámer...' preciseert Sheng.

'En ze laten de elektriciteit in heel Rome springen. Dat lijkt me normaal. Of tenminste, niet zo heel vreemd.'

Elettra kijkt naar de sneeuw die zich ophoopt op de put. Ze voelt haar hart hevig bonzen in haar borst, en de gedachten razen door haar hoofd. Harvey heeft gelijk: de elektriciteit sprong precies op het moment dat zij haar energie op Sheng overbracht. En toen ze dat deed, ontplofte de lamp en werden Shengs ogen twee gele goudklompjes.

'We zouden kunnen gaan kijken,' zegt ze, haar zorgen samenvattend.

'Waar?' vraagt Sheng.

'Buiten.'

'Wáár buiten?'

'Buiten het hotel. We kunnen een rondje lopen en kijken of de stroom overal is uitgevallen. Of alleen hier bij ons.'

'En als we dat dan weten?'

'Ik weet niet. Dan weten we het tenminste.'

'En waarom moeten we dat weten?'

'Omdat wij als enigen wakker zijn hier in huis?'

Mistral huivert. 'Ik ga niet mee. Veel te koud.'

Ze zijn nog steeds allemaal in hun pyjama, behalve Harvey, die zijn spijkerbroek heeft aangetrokken.

'Zo vatten we allemaal kou,' zegt Sheng.

'Jullie hebben allemaal kleren in de kamer liggen,' antwoordt Harvey, terwijl zijn blik die van Elettra kruist. 'Je hoeft alleen maar even iets warms aan te trekken. Dan gaan we de stad in.'

7
DE BRUG

Trastevere ziet eruit alsof de wijk met houtskool is getekend. Stil en roerloos verrijst het uit het witte tapijt van de sneeuw. Sobere gebouwen, schuine daken, donkere galerijen, op elkaar steunende dakgoten, scheve schoorstenen.

Allemaal in het duister.

De kinderen verlaten behoedzaam het hotel, laten de Santa Cecilia-kerk achter zich en lopen in de richting van de rivier. Hun voeten kraken op het dichte sneeuwdek en zakken lichtjes weg in het wit.

Sheng is de enige van de vier die geen moment zijn mond houdt: hij heeft de badmuts van het hotel op zijn hoofd gezet om geen nat haar te krijgen, en hij wil de anderen overhalen om zijn voorbeeld te volgen.

'Je ziet eruit als een halvegare, met dat ding op,' oordeelt Harvey meedogenloos.

Na de ontploffing en de stroomuitval is zijn stemming compleet omgeslagen. Hij lijkt rustiger en zelfverzekerder.

De kinderen komen uit op de Piazza in Piscinula, waar groepjes mensen staan te praten over wat er is gebeurd. Ze maken licht met de koplampen van hun auto's, en ze wijzen naar de gebouwen die in het duister zijn ondergedompeld. Sommige mannen en vrouwen moeten lachen, anderen staan te klagen. Een cafébaas zit ineens zonder muziek. Een clubje studenten heeft de rugzakken ergens neergezet om een heftig sneeuwballengevecht te beginnen.

Elettra ziet een echtpaar dat wat achteraf staat en vraagt hen wat ze van de stroomuitval weten.

'Trastevere zit zonder stroom,' antwoordt de dame haar. 'En ook de wijken Parioli en Esquilino. Maar er zijn ook wijken waar niets aan de hand is.'

'Het komt allemaal door die ellendige tunnel,' moppert de man, en hij begint een woeste tirade over de wegwerkzaamheden.

'Horen jullie dat kabaal niet?'

De kinderen spitsen hun oren, er klinkt een onophoudelijk getoeter, zij het ver weg.

'Kun je je voorstellen hoe de toestand op de wegen nu is, met al die sneeuw en die stoplichten die het niet doen?'

Mistral ontwijkt een sneeuwbal en maakt er zelf ook een, die ze zomaar ergens op het plein smijt.

'O jee. Geen goed idee,' zegt Harvey.

'Juist wel! Een geweldig idee!' roept Sheng terwijl hij naast Mistral gaat staan.

Algauw vliegen de sneeuwballen alle kanten op.

Zonder het licht van de straatlantaarns en de neonverlichting vormt de oude wijk van Rome een sprookjesachtig decor, met het labyrint van geplaveide steegjes en slapende gebouwen.

'Zullen we gaan kijken hoe de Tiber er in het donker uitziet?' oppert Elettra als het gevecht even stil ligt.

'Is dat heel ver?'

'Nee. Het is vlakbij.'

Als de kinderen bij de rivier komen, ontdekken ze dat de stad als het ware in tweeën gesplitst is: het ene deel is verlicht, het andere donker, gehuld in een zwarte mantel van stilte.

Leunend over de balustrade van de Ponte Garibaldi kijken Harvey, Elettra, Mistral en Sheng naar de wijk aan de overkant van de Tiber, waar de lampen nog wel gewoon aan zijn.

'Het is dus toch geen volledige stroomuitval!' zegt Elettra een beetje gerustgesteld.

De anderen zeggen niets. Mistral kijkt vol vervoering naar de weerkaatsing van het licht op de stroming van de rivier en de trage dans van de sneeuwvlokken. Ze heeft het gevoel dat ze met haar ogen open droomt.

'Wat is daar allemaal?' vraagt ze terwijl ze naar het Tibereiland wijst, dat half verlicht is. Net alsof het eiland de scheidslijn tussen verlichting en duisternis is.

Elettra antwoordt: 'Voor zover ik weet heb je daar het Fatebenefratelli-ziekenhuis, een restaurant, een paar kerken en...'

'Wat?'

Elettra laat een vreemd lachje horen. 'Een madonnabeeld dat de Madonna van de Lamp wordt genoemd.'

'Wat een toepasselijke naam,' zegt Harvey. 'Zullen we een kijkje nemen?'

'O, dat kan niet. De Madonna staat in een kerk en die is 's nachts gesloten.'

'Ik bedoelde het eiland,' preciseert Harvey.

'Als jullie willen.'

De vier lopen naar de oudste brug van de stad, die een donkere boog over de Tiber tekent.

Als ze er zijn, zegt Elettra: 'Deze brug heet de Ponte Quattro Capi, de Brug met de Vier Hoofden. Vanwege een legende, uiteraard.'

'Wat voor legende?'

'Halverwege de brug heb je vier gebeeldhouwde hoofden. Men zegt dat het de hoofden van de architecten zijn die de brug gebouwd hebben. Ze hadden voortdurend ruzie met elkaar, en daarom werden ze onthoofd toen het werk af was... Maar hun hoofden zijn als beelden op de brug gezet, zodat ze na hun dood tenminste wel voorgoed verenigd zouden blijven.'

'Wat gruwelijk,' zegt Mistral.

'Eigenlijk zijn het acht hoofden. Vier plus vier...' legt Elettra verder uit, terwijl ze de brug op lopen, die glibberig is van de sneeuw. 'En het zijn ook niet de hoofden van de architecten... maar die van Janus Bifrons.'

'En wie mag die meneer wel zijn?' vraagt Harvey.

'Een godheid met twee gezichten. Het ene kijkt naar het verleden, en het andere naar de toekomst.'

De Tiber stroomt langzaam onder de voeten van de kinderen door. De sneeuwvlokken verdwijnen in het donkere, trage water van de rivier, en de wind danst onder de bogen van de brug door.

'Vreemd om te zien, de halve stad verlicht en de andere helft donker,' mompelt Mistral. Ze vindt het jammer dat ze geen potlood en papier bij zich heeft om er een tekening van te maken, maar ze probeert evengoed elk detail in haar geheugen te prenten. 'Ik zou hier de hele nacht willen blijven kijken.'

'Zullen we nu dan naar het eiland gaan?' stelt Sheng ongeduldig voor.

'Wacht even,' zegt Elettra, die naast de uitgehouwen gezichten op de brug staat. 'Hebben jullie het niet warm?' vraagt ze, bijna zonder erbij na te denken.

'Warm?' snuift Harvey. 'Ben je gek geworden? Je bevriest bijna!'

Mistral loopt echter bezorgd naar haar toe en vraagt: 'Elettra? Voel je je wel goed?'

'Ja, hoor.'

'Je haar ziet er vreemd uit...'

Als Mistral haar haren aanraakt, voelt Elettra een gloeiende hitte. Haar haren zien eruit als harde, zwarte slangen, helemaal verstrikt.

Ze kijkt omhoog naar de hemel. Tussen de wolken schitteren enkele sterren.

En van de andere kant van de brug komt een man op hen af rennen.

Hij lijkt uitgeput. Hij begint te wankelen en kijkt angstig achter zich. Hij blijft even staan uitpuffen en rent dan weer verder.

Op een paar meter van de kinderen glijdt de man uit en valt hij op de grond zonder een geluid te maken; hij probeert weer overeind te krabbelen, maar dat lukt niet.

'Help!' roept hij vanaf de grond. Hij klemt een oud koffertje van bruin leer in zijn armen, en hij roept opnieuw: 'Help!'

Elettra, Harvey, Sheng en Mistral blijven op het voetpad staan, niet in staat om door te lopen en hun blik los te maken van die man. Hij is een jaar of zestig, misschien zeventig, en hij draagt een heel chique regenjas.

'Kijk nu!' roept Sheng verbluft. 'Wat gebeurt er?'

Harvey zet een stap achteruit. 'Kom, wegwezen...'

Mistral, die naast Elettra staat, probeert haar naar achteren te duwen.

'Hij lijkt wel dronken,' fluistert ze.

Maar Elettra blijft naar hem kijken. De man heeft hun aanwezigheid opgemerkt. Hij kijkt naar haar. En...

Ik ken die man, denkt Elettra, ook al weet ze heel goed dat dat niet zo is.

Hij heeft een mager, ingevallen gezicht, en een lange witte baard.

En een heel vertrouwde uitdrukking, ook al weet Elettra zeker dat ze hem nooit eerder heeft gezien.

'Help! Help me!' herhaalt de man met hernieuwde energie. Hij steekt zijn hand uit. 'Als... je... blieft...'

Zijn vingers zijn stijf en wit van de kou. Zijn blik is smekend, maar vastberaden.

'Elettra...' fluistert Mistral achter haar. 'Laat nu maar.'

De liggende man klemt het koffertje tegen zijn borst aan en blijft haar maar aankijken. Het is net alsof hij haar ook herkend heeft.

'Wie ben jij?' mompelt Elettra zachtjes.

Met paarse lippen van de kou begint hij stilletjes steeds hetzelfde woord te stamelen.

'Zo is het wel genoeg!' besluit Harvey. 'We gaan hier weg!'

De man blijft hardnekkig steeds hetzelfde woord prevelen.

'Wat... wat zegt hij?' mompelt Elettra.

Ze zweet. Wat is het warm. Heeft niemand dan door hoe warm het is?

'Jongens!' dringt Harvey aan.

'We smeren 'm!' beaamt Sheng.

Mistral heeft Elettra bijna weten over te halen om ervandoor te gaan, maar dan verstaat ze eindelijk het woord dat de man voortdurend herhaalt.

Ineens rent ze op hem af.

'Kom mee!' roept ze tegen de anderen. 'We moeten hem helpen!'

Als ze bij hem is, gaat de man op zijn zij liggen en probeert hij overeind te komen. Elettra grijpt hem bij de arm en wil hem overeind helpen, maar hij is te zwaar. Zijn kleren zijn doorweekt. En hij beeft.

Elettra schudt de sneeuw uit haar haren en wacht tot iemand haar komt helpen.

Daar is Harvey. 'Jij bent gek,' zegt hij tegen haar. 'Weet je eigenlijk wel waar je mee bezig bent?'

'Nee,' moet Elettra toegeven.

Ze grijpt de man onder zijn ene schouder vast, en Harvey doet hetzelfde bij de andere schouder. Met zijn tweeën weten ze de man overeind te trekken.

Hij wankelt, hoest, en zoekt steun tegen de balustrade.

'Dankjewel...' mompelt hij. 'Jullie... jullie...'

Zijn handen trillen aan één stuk door. Ter hoogte van zijn knieën is zijn broek gescheurd.

'Wie ben jij?' vraagt Elettra. 'En waarom zei je dat woord tegen me?'

De man schudt zijn hoofd. 'Het is begonnen! Het is begonnen!' schreeuwt hij, wijzend op iets achter hem.

Door de sneeuw kunnen ze niet zien wat dat is. Ze zien alleen het Tibereiland, half verlicht en half donker.

'Wat is er begonnen?' vraagt Harvey.

De man kijkt hem doordringend aan. 'Jij weet het. Jullie weten het allemaal! Het komt eraan! *Zij* weten het. En *zij* zijn ook gekomen!'

'Wie komt eraan?' dringt Elettra aan. 'En wie ben jij?'

De man kijkt achter zich. '*Zij*, ze zijn nu al te dichtbij.' Hij klemt het leren koffertje tegen zijn borst aan, alsof hij het wil platdrukken.

'Waar zijn ze dicht bij?' vraagt Elettra.

'Kom, wegwezen,' besluit Harvey resoluut.

De man ziet iemand aankomen achter de twee kinderen en brult: '*Zij!*'

Elettra en Harvey draaien zich om, maar het zijn alleen Mistral en Sheng, die nog steeds die gekke badmuts op heeft.

'Rustig maar,' zegt Elettra opgelucht. 'Alleen wij vieren zijn er.'

'Vier. Vier. Vier,' begint de man te herhalen.

'Jongens...' mompelt Sheng terwijl hij een stap dichterbij komt. 'Weten jullie zeker dat het goed gaat?'

'Wat denk jij?' antwoordt Harvey sarcastisch.

De man trekt met zijn handen aan zijn baard en zijn haren.

Elettra vraagt hem voor de zoveelste keer: 'Wie ben je? En waarom zei je de hele tijd dat woord?'

Hij kijkt haar met wijdopen ogen aan. 'Ik weet het niet,' mompelt hij, ineens rustig. 'Maar jij moet me helpen, voordat *zij* komen.'

'Ik snap je niet.'

'Je hoeft het niet te snappen. Je moet alleen...' De man reikt haar trillend het bruinleren koffertje aan. 'Pak aan.'

'Dat wil ik niet!' roept Elettra. 'Wat is het? En waarom...? Ik weet niet eens wie je bent!'

'Alsjeblieft,' dringt de man aan. '*Zij* zijn naar me op zoek. Ik heb geen tijd om het uit te leggen. Niemand heeft tijd. Niemand.'

Elettra kijkt naar Harvey, die zijn hoofd schudt. Mistral is lijkbleek geworden en Sheng lijkt op het punt te staan om het op een hollen te zetten. De sneeuw wervelt om hen heen, als dansende zoutkorrels. Er siddert een vreemde energie door haar vingertoppen.

Er valt niks te begrijpen. Alleen haar intuïtie telt. En haar intuïtie zegt dat ze het koffertje van die onbekende moet aannemen. 'Wat moet ik ermee doen?' vraagt ze terwijl ze het aanpakt.

'Breng het in veiligheid,' zegt de man.

Zijn gezicht lijkt nu meer ontspannen, alsof hij zich van een ondraaglijke last heeft ontdaan. 'Ik kom het zo snel mogelijk weer ophalen.'

Elettra knikt. 'Wanneer?'

De man heft zijn hand op om over haar wang te aaien, en volkomen tegen haar gewoonte in laat ze hem begaan.

'Gauw. En dankjewel.' Hij kijkt met een ongewoon droevige blik naar Harvey, Mistral en Sheng. 'Ga er gauw vandoor,' voegt hij eraan toe. 'Voordat *zij* komen.'

Hij kijkt achter zich.

En hij zet het weer op een rennen.

De kinderen verdringen zich rondom Elettra en het leren koffertje.

'Is het zwaar?' vraagt Sheng.

'Nee.'

'Nee maar!' roept hij, terwijl hij de badmuts van zijn hoofd trekt. 'Gebeuren er altijd dit soort dingen in Rome?'

Elettra probeert rustig adem te halen.

'Waarom deed je dat?' vraagt Harvey haar, op bijna beschuldigende toon.

'Ik weet het niet,' antwoordt Elettra. 'Hij had hulp nodig. Hij was doodsbang... en toen... toen herhaalde hij steeds hetzelfde woord.'

'Welk woord?'

'Hij lag op de grond... Hij keek me aan en hij prevelde het aan één stuk door... Eerst verstond ik het niet. Maar toen... toen ik het wel verstond... was het alsof er iets werd losgemaakt in mijn hoofd.'

'Wat zei hij dan?'

'Een getal,' antwoordt Elettra. De sneeuwvlokken zijn duizenden witte insecten. 'Negenentwintig. De dag waarop wij jarig zijn.'

De man met de regenjas rent ver weg van de Ponte Quattro Capi.

Hij rent.

En hij blijft rennen.

Hij daalt de trap naar de oever van de Tiber af en rent hard door, zonder om te kijken. Zonder het koffertje voelt hij zich licht en ongewoon voldaan. Hij heeft zich in geen dagen, geen weken, geen maanden zo verheugd gevoeld.

Hij lacht, hij struikelt op de oever, hervindt zijn evenwicht en kan niet ophouden met lachen.

Rechts van hem verheft de zwarte muur van de Lungotevere zich naar de wolken waarvan het lijkt of er geen eind aan komt. Links van hem, op minder dan een meter afstand, stroomt de hoge, onstuimige rivier. Al het andere is ver weg, stil, onwerkelijk. Het is alsof de wereld enkel bestaat uit die eindeloze muur en door die vloeibare slang van de rivier.

Hij voelt zich nu euforisch.

Hij blijft staan om op adem te komen en kijkt om zich heen. Hij is bij een paar donkere bogen aangekomen. De lage struiken op de grond houden repen stof en flarden plastic vast op hun doornige takken.

Door het kabaal van de rivier heen, heeft hij het idee dat hij een soort muziek hoort. Een trage, ongelooflijk treurige melodie. Een klaagzang die iets verbergt wat verloren en weemoedig ver weg is, en die zich lieflijk tussen de donkere bogen uitstrekt en zich vermengt met het geluid van de vallende sneeuw.

De muziek klinkt zacht. Warm. Uitnodigend.

De man knippert met zijn ogen, veegt het natte haar van zijn voorhoofd en vraagt zich af of die melodie echt bestaat, of dat hij het zich alleen maar inbeeldt omdat hij zo in de war is. Hij haalt diep adem, zuigt de koude lucht in zijn keel, zet een paar stappen, wankelt, blijft weer staan. En eindelijk is hij ervan overtuigd dat de klanken echt zijn. Dat ze echt bestaan. Ze klinken vanuit het duister onder de bogen, onder het niveau van de wereld, onder de straat waarop het wemelt van de nerveuze auto's die vastzitten in het verkeer.

Het is een hevig, doordringend geluid, levendig en klaaglijk.

'Een viool,' begrijpt de man dan, terwijl hij onder een boog door loopt, in de richting waar de muziek vandaan komt.

Hij legt een hand tegen de muur en voelt de glibberige kou van de oude stenen. Hij schuifelt voorzichtig verder naar het donkere gedeelte, enkel geleid door de roep van de viool.

Hij is doodmoe. Maar hij kan niet stoppen. Hij loopt in de vochtige duisternis van de boog als een wesp die in een fles gevangen zit.

En hoe verder hij loopt, hoe intenser en verlokkender de melodie klinkt. Hij wordt erdoor geroepen.

Tot de muziek, op het hoogtepunt van de spanning, ineens helemaal stopt.

De man kijkt verward om zich heen. Waar ben ik? Waarom ben ik hier naar binnen gegaan? Wat is hier?

Achter hem stroomt nog steeds de rivier, maar die is nu in een diepe duisternis gehuld.

Voor hem staat een violist met spierwit haar.

Jacob Mahler haalt de strijkstok van zijn viool en laat zijn armen zakken.

'Welkom, Alfred...' sist hij met ijselijke kalmte. 'Je bent niet makkelijk te vinden.'

De man staat erbij als een zoutpilaar. 'Hoe...?'

'*Gesang ist Dasein*,' reciteert Jacob Mahler met een blik op zijn viool. 'Het zijn niet mijn woorden, maar die van een Duitse dichter, Rilke. "Gezang is er zijn". Hij wist heel goed dat geen zinnig mens de roep van muziek kan weerstaan.'

'Wat is dit voor spelletje? Wat wil je?'

Jacob Mahler zet twee stappen in zijn richting. De man die hij met Alfred heeft aangesproken, blijft in het donker staan wankelen.

'Ik wil de Ring van Vuur,' sist Mahler.

Een lange stilte. Druppelend water.

Rome klinkt in de verte.

'Ik weet niet waar je het over hebt.'

'Jij bent de Bewaker,' fluistert Jacob Mahler. 'En een Bewaker heeft altijd iets te bewaken. Ik ben gekomen om dat te halen.'

'Je vergist je. Ik ben niet de Bewaker.'

'Ik weet wie je bent. En ik weet heel goed wat het geheim is dat je bewaakt. Ik heb negenentwintigduizend kilometer gevlogen om hier te komen.'

De Bewaker spert zijn ogen wijdopen. 'Jij bent een van *hen*.'

De lach van Jacob Mahler gaat door merg en been. 'Natuurlijk ben ik een van *hen*. Wie die "*hen*" dan ook mogen zijn, Bewaker... ik hoor erbij. En nu, vertel op... waar is hij? Waar is de Ring van Vuur?'

'Ik weet niet waar je het over hebt.'

De strijkstok van de viool suist door de lucht als het lemmet van een mes. Er vliegen vlijmscherpe vonken vanaf.

'Pas op!' roept Jacob Mahler. 'Geen geintjes!'

De Bewaker slikt, en en dan verschijnt er een zwak lachje op zijn gezicht.

'Wat valt er te lachen?'

'Niks. Ik bedacht alleen dat jij negenentwintigduizend kilometer heb afgelegd om iets te komen halen wat ik niet heb. En waarvan we geen van beiden weten wat het is. Vind je dat niet... grappig?'

'Nee. Waar is de Ring van Vuur?'

'Goeie vraag. Maar die kan ik net zo min beantwoorden als vragen als "Is er orde in de wereld? Is er leven na de dood?"'

'Geen geintjes. Niet nu. Niet vanavond.'

'Dan zal ik dat niet doen. Zeg maar tegen *hen* dat ze de Ring van Vuur niet zullen vinden. Want vanavond is alles begonnen,' antwoordt de bewaker op ernstige toon.

'Waar is hij?'

'Dat weet ik niet.'

Jacob Mahler grijpt hem bij de schouders. Zijn greep is stevig en ferm. De strijkstok glijdt één keer langs de keel van de man, vlak onder zijn adamsappel. Hij stribbelt niet tegen. Hij voelt helemaal geen pijn.

Hij glijdt leeggelopen op de grond.

Licht.

Het laatste wat hij ziet zijn groene dameslaarzen.

Het laatste wat hij hoort is de stem van de violist, die beveelt: 'Maak een foto van hem. En stuur die naar alle kranten... Hij moet op de voorpagina komen. Zorg dat het eerste wat de mensen morgen lezen dit is.'

Dit is.

Wit is.

Er is overal sneeuw.

Alles is wit.

Daarna wordt alles donker.

'Hallo?'

'Met wie spreek ik?'

'Ik ben het. Ik was benieuwd...'

'De kinderen hebben elkaar ontmoet.'

'Zijn ze er allevier?'

'Ja.'

'En toen?'

'Toen zijn ze samen naar buiten gegaan.'

'Hoe laat is het?'

'Het is nacht. En het sneeuwt.'

'Gaat alles... zoals het zou moeten gaan?'

'Volgens mij wel. Als het goed is, heeft Alfred ze op dit moment al ontmoet.'

'Hoe zijn ze?'

'Nieuwsgierig genoeg. En, mocht het je interesseren, Harvey lijkt heel veel op jou.'

'Laten we het niet hopen.'

'Harvey redt het wel. En dat geldt ook voor de anderen.'

'Je bent nogal optimistisch.'

'Dat moet ook. Als ze het koffertje eenmaal hebben opengemaakt, kan ik ze niet meer helpen.'

'En als ze een fout maken...'

'Ze maken heus geen fout. Er gaat niet nog iets fout.'

---

1 Het 'stasimon' is een term die afkomstig is uit de Oud-Griekse toneelcultuur. Het staat voor het intermezzo dat twee aktes in een toneelstuk van elkaar scheidde.

8
DE KRANT

'Dus hij is dood?' fluistert Sheng tegen Harvey.

De Amerikaanse jongen drinkt met een somber gezicht een slok van zijn cappuccino. 'Wat denk jij?'

'Ik zou het niet weten,' antwoordt Sheng, en hij neemt een hap van zijn roombroodje.

Hij wacht zwijgend tot de anderen komen. Het is de ochtend van 30 december, in de eetzaal van Hotel Domus Quintilia. Tante Linda heeft een geweldig assortiment gebak bereid: marmertaart met chocolade en slagroom, appeltaart, sinaasappelvlaai en een roomkrans. Ze loopt vrolijk neuriënd tussen de tafeltjes door en schenkt bloedhete, inktzwarte koffie.

'Hebben jullie goed geslapen, jongens?' vraagt ze opgewekt, terwijl ze gedachteloos een haar van Harvey's trui plukt.

'Uitstekend, dankuwel.'

De volwassenen van het hotel zijn ontspannen en rustig: geen van hen lijkt ook maar enig vermoeden te hebben van wat er die nacht is gebeurd.

De vader van Elettra zit kalmpjes te lezen in de sportkrant *La Gazzetta dello Sport*. Die van Sheng wrijft zijn slaapogen uit. De ouders van Harvey daarentegen bladeren door het foldertje van de lopende tentoonstellingen, nadat ze vergeefs hebben geprobeerd hun zoon over te halen om met hen mee te gaan naar het Capitolijns Museum.

Elettra en Mistral komen als laatsten de eetzaal binnen. Aan Mistrals ogen kun je zien dat ze een zware nacht heeft gehad, maar ze forceert zich te glimlachen en zich te houden aan de gelofte om niemand iets te vertellen. Naast haar loopt Elettra, een stuk ongedwongener.

Ze gaan bij de jongens aan tafel zitten en vragen: 'Nog nieuws?'

'Ik kan niet zo best Italiaans lezen,' antwoordt Harvey, terwijl hij haar de krant aanreikt. 'Maar volgens mij is het niet zulk goed nieuws.'

Op de voorpagina staat een foto van een man die achterover in de sneeuw ligt. Zijn gezicht gaat schuil achter een donkere vlek, die zich uitbreidt over zijn chique regenjas.

'O, nee!' roept Elettra, en ze slaat haar hand voor de mond.

'Wat staat erbij geschreven?' vraagt Sheng.

'Dat hij is gevonden... dood... langs de Tiber. Gisternacht, tijdens de sneeuwbui.'

'Hoe is hij gestorven?'

'Ze hebben hem de keel doorgesneden.'

Het roombroodje van Sheng valt met een plons in zijn koffie verkeerd.

'Verder staat er niet zo veel meer...' zegt Elettra. 'Er wordt nog onderzocht wat er gebeurd is, maar ze weten nog niet eens hoe hij heette. Ze vragen iedereen die over informatie beschikt om zich tot de carabinieri te wenden en...'

Elettra vertaalt het artikel in het Engels voor de andere kinderen.

'Staat er verder niks?' dringt Harvey aan.

Elettra schudt haar hoofd. 'Het bericht is op het laatste moment binnengekomen. Ze weten er nog niks over.'

'En over de stroomuitval?'

'Ja...' Ze slaat een paar bladzijden om. 'Ze zeggen dat alleen bepaalde wijken erdoor getroffen zijn. Rond zonsopgang is de elektriciteit weer op gang gekomen en lijkt het probleem opgelost. Maar het is nog niet duidelijk wat de oorzaak is geweest.'

'Dat is wat je noemt een raadselachtige avond...' mompelt Sheng.

'Laten we aan de slag gaan,' stelt Elettra voor.

Met tegenzin werken de kinderen hun ontbijt naar binnen en overleggen even met hun ouders of ze vandaag hun eigen gang kunnen gaan. De vader van Sheng en de moeder van Mistral hebben er niets op tegen, integendeel: de eerste zal ervan profiteren door uit te rusten van zijn jetlag, en de Franse dame heeft zo de gelegenheid om meer aandacht te schenken aan enkele belangrijke klanten van haar. De ouders van Harvey beginnen echter een lange discussie, waar de jongen weliswaar als winnaar uit komt, maar wel met een vreselijk humeur.

'Laat maar zitten...' bromt hij als Elettra vraagt wat het probleem was. 'De relatie met mijn ouders is nogal ingewikkeld.'

Het lijkt alsof hij er nog iets aan wil toevoegen, maar dan schudt hij zijn hoofd en doet er het zwijgen toe.

Elettra dringt niet aan.

Ze loopt met hem naar de kelderdeur, verschuift de tuinplanten waarmee tante Linda die probeert te camoufleren, en doet hem open. Ze wachten tot ook Mistral en Sheng er zijn en lopen dan de trap af die naar dat onderaardse rijk voert.

'Hier beneden is het lekker warm,' verklaart Elettra, terwijl ze de deur achter zich dicht doet. 'En niemand zal ons hier lastigvallen.'

'Je bent nogal optimistisch,' bromt Harvey. 'Dan ken je mijn ouders nog niet.'

'Het lijken me leuke lui!' zegt Sheng.

'Welja...' Harvey's gezicht staat op onweer.

'Doen ze moeilijk?'

'Ja. Dat wil zeggen... vooral nadat... Laat maar. Mijn vader vraagt zich de hele tijd af hoe hij in godsnaam aan zo'n onnozele zoon is gekomen. En mijn moeder zou het liefst de hele dag mijn hand vasthouden.'

Hoe verder ze de trap afdalen, hoe meer de kelder zijn labyrint van oude meubels en lege lijsten aan hen openbaart.

'Voor mij geldt hetzelfde. Mijn moeder heeft een week lang gehuild toen ze hoorde dat we op reis zouden gaan...' zegt Sheng.

'Dat betekent gewoon dat ze van je houdt,' zegt Mistral, terwijl ze zich uitstrekt als een flamingo.

'Slaap?' informeert Harvey als hij in kleermakerszit op de grond gaat zitten.

'Dat kun je wel zeggen. Ik heb geen oog dichtgedaan.'

'Waarom niet?'

'Ik was bang,' antwoordt Mistral, nerveus in haar handen wrijvend. 'Net zoals jullie allemaal.'

Het leren koffertje staat op de grond, verscholen onder een oud wit laken.

'We kunnen ons nog bedenken,' zegt Elettra. 'Ten slotte hoeven we het niet open te maken.'

Hun blikken schieten door het donker.

'Ik zeg dat we moeten doorgaan,' oppert Sheng.

'Ik ben het met je eens,' zegt Harvey.

'Het kan gevaarlijk zijn,' waarschuwt Mistral zachtjes. 'Per slot van rekening... is die man wel vermoord.'

'En misschien wel vanwege dit koffertje,' voegt Elettra eraan toe. 'Hij werd achtervolgd. Hij was bang. En hij zei dat *alles is begonnen.*'

'Het is niet echt een goed begin geweest voor hem...'

'Hij zei ook "negenentwintig". Zoals onze verjaardag.'

'En vergeet niet dat het gisteren negenentwintig december was,' zegt Sheng nagelbijtend.

Het licht van de peertjes aan het plafond wordt plotseling gedempt.

'Wil je die lampen nu ook laten ontploffen, Sheng?' zegt Harvey spottend.

'Hoor eens, daar kon ik niks aan doen!'

'O nee? Dus ik heb alles gedroomd?'

'Sheng heeft gelijk,' beweert Elettra, terwijl het licht in de kelder weer feller wordt. 'We zitten onder de straat, en elke keer als er een vrachtwagen langsrijdt wordt het licht gedempt.'

'Snap je het nu?' zegt Sheng.

'En trouwens, gisteren...' vervolgt Elettra. 'Ik denk dat dat door mij kwam.'

Ze glijdt met een vinger over het laken waaronder het koffertje verborgen is, en dwingt zichzelf te glimlachen: 'Ik kan het jullie net zo goed vertellen. Het was niet de eerste keer dat me zoiets overkwam... Maar het is nog nooit zo sterk geweest als gisteravond.'

Mistral werpt haar een samenzweerderige blik toe.

Harvey gaat op zijn rug liggen, steunend op zijn ellebogen. 'Dat wát je overkomt, als ik vragen mag?'

'Dat ik lampen laat ontploffen... zonder ze aan te raken.'

'Hao!' roept Sheng.

'Hoe doe je dat dan?'

'Ik weet het niet. Soms voel ik me heel erg... geladen en... Je kunt erom lachen... maar als ik me zo voel, slaan zelfs computers op tilt.'

'Als een soort virus?'

'Nee. Ik blokkeer het elektronicagedeelte. Dat denk ik tenminste. Soms hoef ik maar langs een printer te lopen of het papier loopt vast, of langs een pc-scherm dat aanstaat en dan branden er al een paar pixels door. En... ik laat spiegels dof worden.' Elettra vervolgt: 'Sommige spiegels verliezen hun glans als ik ze een tijdje gebruikt heb. Ze worden mat en... wazig. Ze spiegelen niet meer zo goed. Ik weet niet goed hoe ik het moet uitleggen, maar dat is wat er gebeurt.'

'En wat is je gisteren dan overkomen?'

'Ik begon me *geladen* te voelen toen we over onze verjaardagen begonnen te praten. Ik had het warm en ik kreeg haast geen adem. Op het laatst was de warmte bijna onverdraaglijk en raakte ik Sheng zijn schouder aan en...'

'Ik zat met mijn handen aan jouw lamp...'

'Je bracht er alle energie op over en...'

'En de lamp ontplofte.'

Er valt een lange stilte in de kelder.

'Zoiets, denk ik,' zegt Elettra gegeneerd.

'Ik heb nog nooit zoiets gehoord,' kapt Harvey het af. 'Hoe dan ook, dat heeft niks met dit koffertje te maken.'

'Eerlijk gezegd had ik het daarna nog een keer,' bekent Elettra.

'Op de brug, toen we die man tegenkwamen. Ik voelde me warm. Dezelfde energie.'

'En nu?'

Het meisje schudt haar hoofd. 'Nee. Nu is alles normaal, geloof ik.'

'Wat zullen we doen? Openmaken?' vraagt Sheng ongeduldig.

'En als we het hebben opengemaakt?' vraagt Harvey.

Sheng streelt het koffertje, gefascineerd en bevreesd tegelijk. 'Dan kijken we wat erin zit.'

'En daarna?'

'Dan houden we het geheim: we hebben gezworen om tegen niemand iets te zeggen.'

'Misschien moeten we het juist naar de politie brengen en de hele zaak vergeten,' stelt Harvey voor.

Elettra denkt terug aan de woorden die de man in de sneeuwbui stond te schreeuwen. Ze herhaalt het hardop: 'Alles is begonnen.'

'Dit koffertje wordt door niemand meer opgehaald,' zegt Sheng. 'Dus we kunnen net zo goed kijken wat erin zit.'

'Het blijft ons geheim.'

'Zoals jullie willen.'

'Wie maakt het open?'

Harvey, Sheng en Mistral kijken naar Elettra. 'Hij heeft het aan jou gegeven. Maak jij het maar open.'

Ze knikt, legt haar handen op het koffertje en laat het vergulde slotje openspringen.

Klak.

Een bleek zonnetje breekt door het wolkendek. De sneeuw die 's nachts is gevallen rust opeengehoopt langs de randen van de straten.

Beatrice loopt nerveus, glibberend op haar groene laarzen.

Het is elf uur.

Ze heeft niet geslapen.

Ze heeft het lampje bij haar bed de hele nacht aangehouden en de weinige foto's bekeken van haar gelukkige verleden, toen haar kleine zusje nog leefde. Maar toch heeft ze de slaap niet kunnen vatten: elke keer als ze haar ogen dichtdeed, zag ze het beeld van Jacob Mahler met zijn viool voor zich. Ze voelde nog steeds de duisternis van de Tiber om zich heen. En de duisternis van die ondoorgrondelijke man.

Ze hoorde voortdurend zijn laatste woorden.

Voor hij die man vermoordde, had Mahler hem de Bewaker genoemd.

De bewaker van wat?

Beatrice kan amper geloven wat er gebeurd is, ze is ervan geschrokken en ze vindt het eigenlijk ook afschuwelijk. Joe Vinyl had haar niet verteld dat ze medeplichtig aan moord zou worden. En hij had haar ook niets verteld over Bewakers. Of over vlijmscherpe strijkstokken.

Hij had haar verteld dat er een belangrijke missie moest worden uitgevoerd, en dat ze er rijkelijk voor betaald zou worden, meer dan ze ooit eerder had verdiend. Hij had haar verteld dat Jacob Mahler in de misdaadwereld wordt beschouwd als een legende. En dat je helemaal meetelt als je met een legende hebt gewerkt, al is maar één keer. Dan zit je voor de rest van je leven gebakken.

Hij had haar verteld dat Jacob Mahler op zoek was naar iemand. En dat zij diegene voor hem zouden vinden, dat ze die man zouden volgen zodat Mahler hem te pakken kon krijgen.

Maar hij had er niet bij gezegd dat Mahler die man, als hij hem eenmaal te pakken had, zou vermoorden door hem de keel door te snijden met de strijkstok van zijn viool.

Ze is nog altijd in gedachten verzonken als ze aankomt op de Piazza Sant'Eustachio, bij het gelijknamige café.

Joe Vinyl en Little Lynx zitten al aan een tafeltje. Beatrice gaat bij hen zitten zonder hen zelfs maar te groeten. Joe draagt een zonnebril die zijn halve gezicht bedekt en een zwart jack waaronder zijn eeuwige Vasco Rossi-shirt prijkt, de stoere zanger van wie hij denkt dat hij er als twee druppels water op lijkt.

Joe Vinyl heet eigenlijk gewoon Giovanni. Hij is vijftig jaar en hij is geworden wat hij is geworden dankzij een bloeiende handel in illegale muziek.

Naast hem lijkt Little Lynx een walrus die verstrikt is geraakt tussen de armleuningen van de stoel. Hij heeft een enorm gezicht, een gedrongen, vormeloos lijf, grote paardentanden. Beatrice weet niet hoe hij echt heet. In het criminele circuit van Rome noemt iedereen hem Little Lynx, omdat hij als jongeman als figurant in de filmstudio's van Cinecittà heeft gewerkt, waarbij hij het hoogtepunt van zijn carrière bereikte toen hij een halfblind personage speelde dat de Lynx werd genoemd.

Hij is de eerste die tegen haar praat: 'We dachten dat jij met je vriend Jacob zou komen...' begint hij, en hij probeert een zweterige hand op haar arm te leggen.

'De afspraak is om elf over elf,' antwoordt ze met een blik op haar horloge. 'Dat is pas over twee minuten.'

'Weet je zeker dat hij komt?'

Joe Vinyl haalt een vierkant apparaatje uit zijn zak. Hij houdt het tegen zijn keel aan om te kunnen praten, en dan klinkt er een rauwe, blikkerige stem uit het apparaatje: 'Dit is... *rrr*... de goede plek... *rrr*... Wil je koffie... *rrr*...?'

Beatrice knikt en Joe bestelt met een eenvoudig handgebaar. De obers maken de koffie klaar achter een paar kamerschermen, zodat het geheim van hun befaamde melange verborgen blijft voor de blikken van de klanten. Daarom beschouwen veel mensen Sant'Eustachio als het beste café van Rome.

De koffie wordt kokendheet geserveerd in nog kokendhetere kopjes, die als ze eenmaal op het tafeltje staan een doordringende viooltjesgeur verspreiden.

'Goedemorgen,' begroet Jacob Mahler hen op dat moment, terwijl hij plaatsneemt op de enige stoel die nog vrij is.

Little Lynx schrikt zich rot.

Het is elf minuten over elf.

En geen van drieën hebben ze hem zien aankomen.

'Ik ben heel boos,' begint hij, zonder iemand in het bijzonder aan te kijken.

Joe Vinyl plaatst het apparaatje tegen zijn keel en kraakt: 'En mogen we weten... *rrr*... waarom dat is... *rrr*...?'

'Om hoe het gisteravond gegaan is. Heel slecht, zou ik zeggen.'

'Ik hoor van de jongelui... *rrr*... het tegendeel... *rrr*...' werpt Joe tegen. 'Nietwaar... *rrr*... Lynx?'

Little Lynx blijft maar met het lepeltje in zijn kopje roeren. 'Ik heb gedaan wat me was gevraagd. Ik heb onze man gevonden in de Via del Babbuino en ik ben hem gaan volgen, waarbij ik hem stukje bij beetje in de richting van de Tiber drong.'

'En je hebt hem geen moment uit het oog verloren?'

'Nee,' liegt Little Lynx terwijl hij het lepeltje op het bordje legt, met zijn hand die onmerkbaar trilt. 'Behalve misschien voor een paar minuten... toen we bij de rivier aankwamen,' geeft hij even later toe. 'Maar dat kwam door de stroomuitval.'

Joe Vinyl knikt. 'Een zeer... *rrr*... ongewone kwestie,' beaamt hij. 'Die echter niet heeft kunnen voorkomen... *rrr*... dat we hem even later... *rrr*... te pakken hebben genomen... *rrr*..., als ik me niet vergis... *rrr*...'

Jacob Mahler leunt met zijn volle gewicht op het tafeltje.

'De Bewaker had een koffertje bij zich.'

Little Lynx knikt instemmend. 'Dat klopt.'

'Maar toen wij hem tegenkwamen,' komt Beatrice tussenbeide, 'had hij géén koffertje bij zich.'

Joe Vinyl spreidt zijn handen uit in een gebaar van overmacht. 'Tja, dan zal hij het wel aan iemand hebben afgegeven... *rrr*... of in de rivier hebben gegooid. Hoe moeten wij... *rrr*... dat weten?'

Op het gezicht van de moordenaar verschijnt een harde grijns. 'Óf we vinden dat koffertje, óf het is afgelopen.'

'Maar dat is niet te doen!' protesteert Little Lynx.

'Jij bent hem uit het oog verloren,' sist de moordenaar. 'En geloof me, het is stukken makkelijker om dat koffertje te vinden op de bodem van de rivier, dan om aan mijn baas te vertellen dat we het zijn kwijtgeraakt.'

Beatrice werpt een bezorgde blik op Joe Vinyl en vervolgens op Little Lynx.

En Jacob Mahler voegt er boosaardig aan toe: 'Het is vooral ook een stuk minder pijnlijk.'

Joe Vinyl verschuift ongemakkelijk op zijn stoel en vraagt: 'Wat zat er... *rrr*... in dat... *rrr*... koffertje?'

9
HET KOFFERTJE

Het eerste voorwerp dat Elettra uit het koffertje haalt is een kleine, zwart-witgeblokte paraplu. Ze legt hem op de vloer en constateert een beetje teleurgesteld: 'Dat lijkt me gewoon een paraplu.'

Op een metalen plaatje aan een van de uiteinden van de stof staat:

ANTICO CAFFÈ GRECO
VIA CONDOTTI
ROME

'Gelukkig zit er nog meer in...' mompelt Elettra.

Nu haalt ze een voorwerp tevoorschijn ter grootte van een appel, dat in een donkere doek gewikkeld zit.

Er verspreidt zich een sterke kamfergeur door de ruimte.

'Wat is het?' vraagt Harvey.

'Wacht even...' en langzaam haalt Elettra de doek eraf.

Er zit een oud speeltje in. Een rond voorwerp bestaande uit zwarte houten ringen van verschillend formaat, met aan één uiteinde een metalen punt.

'Hao,' mompelt Sheng. 'Ligt het aan mij of is dat een tol?'

'Er staan allemaal teksten op...' zegt Elettra terwijl ze hem rond-draait in haar hand.

Ze geeft hem aan Harvey, die hem aandachtig bekijkt.

'Dat zijn geen teksten. Het zijn tekeningen.'

'Echt waar?' mengt Sheng zich erin, terwijl hij achter hem opduikt. 'Wat voor tekeningen?'

'Dit lijkt me een soort... wolf?'

Sheng grijpt de tol geestdriftig vast. 'Een wolf,' bevestigt hij.

'Of een hond,' vervolgt Harvey.

'Een hond,' bevestigt Sheng weer.

Terwijl de Chinese jongen de tol laat ronddraaien op de kelder-vloer, zegt Elettra: 'Er zijn er nog meer.'

Ze haalt drie identieke wikkels uit het koffertje, waarin evenveel tollen blijken te zitten. De kinderen fronsen hun wenkbrauwen.

'Op deze staan allemaal spiralen getekend,' zegt Harvey terwijl hij de eerste tol bekijkt. 'En op deze... tja? Misschien een soort toren, een afgekapte piramide, een tempel...'

Op de laatste tol zijn gestileerde ogen getekend.

Mistral bekijkt hem aandachtig.

Harvey sneert: 'Ja, maar... sorry hoor: het kan toch niet waar zijn dat die man werd achtervolgd voor een paraplu en een paar tollen?'

'Weet ik veel?' zegt Sheng, terwijl hij ze alle vier op de vloer laat draaien.

'Dit is er ook nog,' mompelt Elettra, terwijl ze een laatste voorwerp uit het koffertje haalt, dat eveneens in een doek is gewikkeld.

Het is zo groot als een pak papier. Terwijl Elettra de doek eraf haalt,
blijkt het een afgesleten, donker houten kistje te zijn. De hele buitenkant is vol gekerfd met teksten en gelaagde tekeningen, als de namen
van generaties leerlingen die op een schoolbankje zijn achtergelaten.

'Wat is dat in vredesnaam?' vraagt Sheng.

'Ik heb geen flauw idee.'

Het vreemde voorwerp lijkt een kruising tussen een schrijn en een
dubbelgeklapte houten lijst, die is vastgezet met enkele vergulde sluitingen. Elettra legt het op de doek en klikt de sluitingen open.

Het oppervlak aan de binnenkant is een rechthoek bedekt met een
dicht raster van groeven, die doen denken aan de lijnen in een hand-
palm.

'Wat zijn dat nu weer?'

'Het lijkt helemaal gekrast, of ingekerfd...'

'Spinnenwebben,' zegt Mistral. 'Concentrische kringen op het
water.'

'Mij doet het denken aan een labyrint,' zegt Harvey.

De groeven aan de binnenkant van het voorwerp doorsnijden
elkaar op onuitwarbare wijze en komen allemaal bij elkaar in één sterk
gestileerde tekening in het midden.

'Het is een vrouw omringd door asterisken,' zegt Harvey, terwijl
hij zijn vinger eroverheen laat glijden.

'Nee. Het zijn sterren,' beweert Mistral.

'Ze heeft gelijk,' zegt Elettra. 'Het is een vrouw omringd door sterren.'

'Eén, twee...' telt Sheng. 'Zeven sterren. Hao!' roept hij. 'En dus?'

'Dus ik heb geen idee. Maar dit ziet er wel heel oud uit.'

'En heel veel gebruikt.'

'Volgens mij is dit wat die man wilde beschermen.'

'Denken jullie dat het kostbaar is?'

'Ik denk van wel...' zegt Mistral terwijl ze het met een kritisch oog bekijkt. 'Het lijkt me heel oud.'

Sheng ziet een tekst op de buitenrand van het voorwerp en vraagt de anderen of ze die kunnen lezen.

Harvey schudt zijn hoofd. 'Het zijn geen letters uit ons alfabet. Het lijken wel Chinese tekens.'

'Maar dat zijn het niet,' antwoordt Sheng gepikeerd. 'Het is een andere taal.'

'Grieks,' concludeert Mistral. 'Maar ik ken geen Grieks.' Dan vraagt ze: 'Zit er verder niks meer in het koffertje?'

Elettra kijkt nog eens goed. 'Volgens mij niet. Of... wacht eens!'

Er liggen nog een blaadje uit een ruitjesschrift in en een laatste, piepklein voorwerp, beschermd door zwart velijnpapier.

Elettra kijkt meteen wat het is.

Het is een mensentand.

'Jasses!' roept Mistral. 'Is dat een echte tand?'

Harvey pakt de tand tussen duim en wijsvinger en houdt hem tegen het licht. 'Volgens mij wel. Een hoektand, om precies te zijn. En... verdorie! Hier staat ook al iets in gegraveerd.'

'Laat zien! Laat zien!' schreeuwt Sheng.

'Een cirkel,' zegt Harvey snel, terwijl hij hem stevig tussen zijn vingers klemt. 'Een rondje... een nul, een ring, een O...'

Hij haalt zijn schouders op. 'Ik geef het op. Ik heb geen idee.'

'En wat staat er op dat blaadje?'

'Een paar zinnen,' zegt Elettra. 'Maar als jullie denken dat we daardoor meer te weten komen over al die voorwerpen, moet ik jullie teleurstellen.'

'Laat eens horen.'

Elettra haalt diep adem en vertaalt: *Elke honderd jaar is het tijd om de sterren te aanschouwen. Elke honderd jaar is het tijd om de wereld te leren kennen. Wat maakt het uit langs welke weg je de waarheid zoekt? Zo'n groot geheim ontrafel je niet langs één weg. Als je het onthult, moet je het zorgvuldig bewaren en voorkomen dat anderen het kunnen ontdekken.*

Een stomverbaasde stilte verspreidt zich door de kelder.

Elettra controleert het hele koffertje nog eens om zeker te weten dat er niks meer in zit. De kinderen zetten nog eens op een rijtje wat ze hebben gevonden: een vreemde, dubbelgeklapte houten schrijn, vier tollen, een tand waarin een rondje is gegraveerd, een blaadje waarop een paar geheimzinnige zinnen staan en een zwart-wit geblokte paraplu.

'Wat zullen we doen?' vraagt Mistral een beetje bezorgd. Haar lange wenkbrauwen lijken net vraagtekens.

'Ik vind dat we die hele krankzinnige verzameling terug moeten stoppen in het koffertje,' zegt Harvey terwijl hij aan zijn haren frunnikt. 'En het dan in de Tiber gooien.'

'De man die het ons heeft gegeven...'

'Was knettergek.'

'Maar hij was op de vlucht,' roept Elettra. 'En hij was bang dat... *zij* zouden komen.'

'Precies: een gek.'

'Een gek, denk je? Intussen is hij anders wel vermoord.'

'En niet zomaar doodgeschoten, maar... ik bedoel...' Sheng glijdt met zijn hand over zijn hals.

'Een geheim... dat je niet door anderen mag laten ontdekken.'

'Misschien kende hij het?'

'Maar over welk geheim hebben we het, als ik vragen mag?'

'*Elke honderd jaar...*' leest Elettra nog eens van het blaadje.

'*Is het tijd om de sterren te aanschouwen...*' voegt Mistral eraan toe en ze glijdt met haar vinger over de groeven in het hout.

'Er staat dat degene die het geheim onthult, moet voorkómen dat anderen het ontdekken.'

'*Zij!*' roept Sheng. 'Ik snap het!'

'Ach, hou toch op!' protesteert Harvey. 'Wat denk je nu te snappen? We weten er veel te weinig van. We weten niet eens hoe die gek heet, en ook niet wie... die anderen zijn, *zij*, of hoe je ze ook wilt noemen.'

'We weten alleen dat ze heel gevaarlijk zijn.'

'En dat de man op de brug deze dingen wilde beschermen,' zegt Elettra. 'Alsof ze heel belangrijk zijn.'

'Raadselachtig,' oordeelt Mistral, terwijl ze opstaat om haar benen te strekken. 'Heel raadselachtig.'

'Maar het is wel intrigerend,' zegt Sheng. 'Ik bedoel, het is écht heel vreemd allemaal.'

'*Zo'n groot geheim ontrafel je niet langs één weg,*' leest Elettra van het blaadje. 'Misschien is er echt een groot geheim te ontdekken. En misschien was die man juist zo bang omdat hij het ontdekt had.'

'En vergeet die negenentwintig niet,' zegt Mistral.

'Hoe bedoel je?'

'Ik bedoel dat het niet echt normaal is dat iemand die halfdood op een brug ligt voortdurend "Negenentwintig, negenentwintig," prevelt, als hij niet zou denken dat dat belangrijk is.'

'Dan ga je er dus vanuit dat die vent nog kon dénken. En dat hij niet gewoon hartstikke gek was,' sneert Harvey.

'Gisteren was het negenentwintig december,' helpt Sheng hen voor de zoveelste keer herinneren. 'En hij was ervan overtuigd dat er iets begonnen was.'

'Dat wát begonnen was?'

'Dat weten we niet. Maar op negenentwintig december... is het begonnen. Daarom zei hij de hele tijd negenentwintig.'

'Denken jullie dan niet dat die negenentwintig te maken heeft met onze verjaardagen?'

Harvey briest: 'Wat krijgen we nu?'

'Uiteraard!' antwoordt Sheng. 'Gisteren was de supernacht van de negenentwintig...'

'En van de stroomstoring...'

'Denken jullie dat het allemaal met elkaar te maken heeft?' mompelt Mistral.

'Misschien was dat wat er gisteravond gebeurd is...' oppert Elettra, 'wel nodig om ervoor te zorgen dat we naar buiten gingen, en naar de Ponte Quattro Capi liepen?'

Harvey schudt zijn hoofd. 'Kom nu toch! We zijn toch geen marionetten? Wat we hebben gedaan, deden we omdat we dat zelf hadden besloten. En we zouden hier nu niet over die dingen zitten te praten als één van ons vieren, een wel héél... nieuwsgierig Aagje... niet een koffertje met prullaria had aangenomen van een of andere ouwe gek die het nu niet meer kan komen ophalen.'

'Wij vieren. De Brug met de Vier Hoofden. Vier tollen,' mijmert Sheng. 'Misschien heeft ook de vier er iets mee te maken?'

Elettra woelt met haar handen door haar haren. 'Ik snap er niks van! Ik... ik weet niet waarom ik dat koffertje heb aangepakt, maar ik voelde gewoon dat ik het moest doen. En nu ik weet wat erin zat... ben ik nog nieuwsgieriger om de betekenis te achterhalen.' Ze grijpt de zwart-wit geblokte paraplu vast. 'Ik wil erheen gaan,' zegt ze, terwijl ze het koperen plaatje laat zien. 'Naar het Antico Caffè Greco.'

'En dat is?' vraagt Harvey.

'Een oud café in het centrum van Rome.'

'Goed idee,' stemt Mistral in. 'Misschien is die paraplu een weg die we moeten volgen.'

Sheng ontbloot zijn tandvlees in een enorme glimlach: 'Waarom niet? Immers, wat staat er ook alweer geschreven? *Het grote geheim... ontrafel je niet langs één weg,* toch?'

Alleen Harvey lijkt helemaal niet enthousiast over het plan. 'Volgens mij is het pure tijdverspilling.'

'Heb jij dan iets beters te doen?'

'Wel... ik zou naar een museum kunnen gaan,' grapt hij.

Beatrice en Little Lynx lopen langs de rechteroever van de Tiber. Na het gesprek met Jacob Mahler in café Sant'Eustachio zijn ze allebei in een heel slecht humeur. Little Lynx kijkt grimmig. Beatrice is zwijgzaam.

'Kijk. Hier ongeveer ben ik hem uit het oog verloren,' zegt hij. 'Het gebeurde toen alle lichten uitgingen en hij begon te rennen. Het was een kwestie van seconden... toen zag ik hem al niet meer. Ik bedacht dat hij waarschijnlijk langs de Tiber was teruggerend om hem over te steken... Dus toen ben ik ook die kant op gegaan om hem te zoeken.'

'Ben je niet naar het eiland gegaan?' vraagt Beatrice met een blik op de Ponte Cestio die naar het Tibereiland voert.

'Nee,' geeft Little Lynx toe.

Beatrice probeert de scène in haar hoofd te reconstrueren: als de man richting het zuiden was gerend, zou het kunnen dat hij bij de Ponte Cestio was gekomen, die was overgestoken naar het eiland, het pleintje over en vervolgens via de Ponte Quattro Capi weer terug naar de andere oever.

'Laten we even rondkijken op het eiland,' stelt ze voor.

De twee lopen over de oever, langs de balustrade. Een paar verkleumde duiven zitten koerend tussen de bakstenen.

'Dit heeft totaal geen zin...' roept Little Lynx terwijl hij tegen de balustrade aan leunt. Ondanks de koude decemberlucht staat hij te hijgen en te zweten, waardoor hij er weerzinwekkend uitziet. 'Wat denken we nu eigenlijk te vinden? Dat koffertje kan wel overal zijn. Als hij het in de rivier heeft gegooid, is het weg. Wat moeten we dan doen? Een duikbril en zwemvliezen aantrekken en in de modder gaan zoeken? Pff! Die Mahler weet niet wat hij zegt.'

Beatrice geeft geen antwoord. Ze loopt gewoon door. Dan vraagt ze ineens: 'Wat weet jij precies over die Mahler?'

Little Lynx schopt de natte sneeuw weg onder zijn cowboylaarzen. 'Ik weet dat hij een slang is. Een harde. Een duivel. Ze zeggen dat hij de beste is.'

'De beste in mensen vermoorden, ja...' mompelt Beatrice schamper.

'Joe beweert dat dit de opdracht is die ons leven kan veranderen. En dat we het als een eer moeten beschouwen dat we voor hem mogen werken.'

'Voor wie dan eigenlijk?'

Little Lynx schuifelt met zijn schoenen door de sneeuw, zonder te reageren.

'Je weet toch dat Mahler in opdracht van iemand anders in Italië is?'

'De heremiet,' mompelt Beatrice.

'Heremit,' verbetert Little Lynx. 'Het is geen bijnaam. Zo heet hij echt.'

'Heremit? Wat is dat voor naam? Engels?'

'Half Chinees en half Nederlands, voor zover ik weet. Maar zijn volledige naam is nog veel erger: Heremit Devil.'

'De duivelsheremiet?' Beatrice lacht zwakjes. 'Echt een fijne, geruststellende naam. En waar woont hij?'

'In Shanghai, in een ongelooflijke wolkenkrabber...' Little Lynx spuugt op de grond. 'Ze zeggen dat hij zo krankzinnig is dat hij nog nooit zijn huis uit is gekomen.'

'Hoe bedoel je?'

'Ik bedoel dat hij nog nooit zijn huis uit is gekomen. Hij heeft zijn hele leven daar binnen georganiseerd. Als een reusachtig rijk van glas en beton. Ik geloof dat hij zo'n maniak is die bang is voor ziektes, en voor vergiftigde lucht, en bang om mensen aan te raken... weet ik veel? Hij is gewoon gek. Gewoon stapelgek.'

'En toch wil een intelligente moordenaar als Jacob Mahler...'

'Ssst!' snoert Little Lynx haar de mond, en hij gebaart dat ze zachter moet praten. 'Ben je niet goed wijs? Dat soort dingen kun je toch niet hardop zeggen? Straks hoort iemand je!'

'En toch wil die *geweldige* Jacob Mahler,' verbetert Beatrice zich, 'die slang, die duivel, de allerbeste... werken voor een gek als Heremit Devil. Waar het dus op neerkomt is dat wij werken voor twee gekken die koste wat kost een koffertje willen vinden, al moeten we er de hele Tiber voor uitkammen. Nu ja, is daar soms iets mis mee?'

De twee lopen snel het Tibereiland over, terwijl ze afwezig om zich heen turen of er misschien een aanwijzing is dat hun man hier langs is gekomen. En omdat ze er natuurlijk geen vinden, lopen ze aan de andere kant de Ponte Quattro Capi op.

'Joe heeft ons op het hart gedrukt om niet te veel vragen te stellen,' bromt Little Lynx. 'En dat doe ik dus liever niet. Ook omdat we met vuur spelen, jongedame. Met een heleboel vuur. En ik ben absoluut niet van plan om mijn vingers daaraan te branden.'

'Hij heeft me aangeraden om zijn naam niet eens hardop te zeggen.'

'Wat?'

'Mahler. Gisteren, in de auto. Hij wilde niet eens dat ik de naam "Heremit" hardop zei.'

Little Lynx haalt zijn schouders op. 'Zeg hem dan maar niet.'

'Is hij zo angstaanjagend?'

'Hij is degene die de regels bepaalt. En de regel is: geen woord te veel.'

Beatrice blijft staan. Ze bukt zich om iets te bekijken wat half onder de sneeuw ligt.

'Wat is dat?' vraagt de ander.

Beatrice houdt het in haar vingers. Het is een badmuts, met het opschrift: *Hotel Domus Quintilia.*

10
CAFFÈ GRECO

De Via Condotti ziet zwart van de mensen. De sneeuw ligt opgehoopt op de trottoirs en boven de straat hangen kleurige slierten kerstverlichting die vrolijk knipperende lijnen tekenen. De Spaanse Trappen voor de kerk Trinità dei Monti lichten wit op, en het is er een gekrioel van gekleurde jacks, bontjassen en excentrieke kleren.

Het Caffè Greco ligt niet ver van het Piazza di Spagna, met aan weerszijden opzichtige etalages. Buiten wordt de onopvallende ingang aangegeven met een bord van donker marmer. Eenmaal binnen loop je door een chique reeks zaaltjes en ronde tafeltjes. Aan de wanden hangen schilderijen in gouden lijsten, negentiende-eeuwse gravures, portretten, oude krantenartikelen, in de schede gestoken zwaarden en glanzende salonspiegels.

Een zwerm obers in het zwart glijdt tussen de tafeltjes door met dienbladen vol warme dranken en stomende punch, terwijl de stamgasten geanimeerd zitten te kletsen in tien verschillende talen, in de schaduw van standbeelden en gigantische vazen die tussen de zuilen opduiken als tropische planten.

'Wat een prachtige plek...' mompelt Mistral, terwijl ze het tasje tegen zich aan klemt waarin ze haar schetsblok en haar zachte potloden heeft gedaan.

'Waar zijn we precies naar op zoek?' vraagt Harvey.

'Iets, wat dan ook,' antwoordt Elettra terwijl ze haar donzen jack open knoopt.

'Eindelijk warmte,' zegt Sheng, balancerend met de rugzak om zijn schouders, die rakelings langs een standbeeld gaat.

'Voorzichtig met dat ding,' zegt Elettra verwijtend.

Voor ze weggingen uit het hotel, hebben ze de complete inhoud van het koffertje overgeheveld naar de rugzak.

De kinderen lopen zigzaggend om de obers en de dik ingepakte dames heen door de zaaltjes. Ze kijken nieuwsgierig om zich heen tot ze helemaal achterin zijn beland: een stil, rustig zaaltje, afgesloten door een rood koord dat de toegang tot een laatste ruimte belemmert, die is ingericht met antieke meubels.

'Ze zeggen dat dit het zaaltje was waar veel belangrijke mensen bijeenkwamen...' legt Elettra uit, terwijl ze voor het koord gaat staan. 'Politici, schrijvers, kunstenaars, dichters. Ze zeggen dat er in dit zaaltje van het café veel grote ideeën zijn bedacht.'

'En waarom mag je er niet in?' vraagt Sheng.

'Om het niet te bederven,' antwoordt Elettra. 'Tegenwoordig is het praktisch een museum.'

Harvey kijkt afwezig naar de schilderijen aan de muren. Een jacht-

tafereel, het portret van een paus, een romantisch aandoend land-schap, een krantenartikel van twee eeuwen geleden... Allemaal heel boeiend, zeker... Maar lichtjaren verwijderd van de dingen die hém boeien.

'Oké, wat zijn we hier nu komen doen?' vraagt hij voor de tweede keer.

'Ik weet het niet,' geeft Elettra toe. 'We hebben alleen deze para-plu. En deze paraplu heeft gezegd dat we hierheen moesten gaan.'

'Warme chocolademelk?' stelt Sheng voor, terwijl hij de lucht opsnuift.

Ze gaan aan het eerste het beste vrije tafeltje zitten, kibbelend over wie er op de gemakkelijkste bankjes mag zitten, en ze bestellen vier choco-lademelk. Mistral haalt haar schetsblok te voorschijn en begint wat te schetsen.

'Jij kunt goed tekenen...' zegt Elettra, terwijl ze toekijkt hoe de punt van het potlood een leeg vel papier stukje bij beetje omtovert tot een weergave van de ruimte om hen heen.

Mistral geeft geen antwoord. Ze is geconcentreerd op haar schets.

Sheng zucht. Hij zet de rugzak onder de tafel, stevig tussen zijn knieën geklemd.

'Ik stel voor dat we het aan iemand vragen...' oppert Elettra even later. 'Anders komen we helemaal niks te weten.'

'Wat denk je dan te weten te komen, als ik vragen mag?' antwoordt Harvey droog. 'We zitten op een doodlopend spoor.'

'Neem me niet kwalijk...' begint Elettra in het Engels tegen de ober die hun chocolademelk komt brengen.

'Elettra, nee...' mompelt Harvey in een poging om haar tegen te houden.

Maar het is al te laat.

Het meisje laat de geblokte paraplu zien en vervolgt: 'Deze heeft een meneer ons gegeven. Is hij van u?'

Bij het zien van de paraplu lijkt de ober allesbehalve verbaasd.

'Inderdaad, ja,' antwoordt hij. 'Dat noemen wij de "noodpara-plu's". Heeft die meneer jullie ook verteld hoe hij heette?'

'Eerlijk gezegd niet,' geeft Elettra toe. 'Maar ik hoopte dat u dat zou weten.'

'Het was een apart figuur,' mengt Sheng zich in het gesprek. 'Met een witte baard en een verwilderde blik.'

Mistral draait het blaadje van haar schetsblok om en begint razendsnel een nieuwe tekening te maken.

De ober steekt de paraplu onder zijn arm. 'Wanneer hebben jullie hem ontmoet?'

'Gisteren.'

'Het was een tamelijk lange man, met een witte baard en grijze kleren, en met een lange regenjas aan...' gaat Sheng door, terwijl hij allerlei vormen in de lucht tekent.

'Ongeveer... zo,' besluit Mistral, en ze laat hem een schets zien.

'O!' roept de ober. 'Maar dan is het de professor!'

'De professor?'

De ober knikt heftig.

'Een van onze trouwste klanten. Gisteren werd hij overvallen door de sneeuwbui en wist hij niet hoe hij thuis moest komen. Het is een beste man, maar heel erg verstrooid. Het verbaast me niets dat hij jullie heeft gevraagd om die paraplu voor hem terug te brengen. Het is al een wonder dat hij hem niet ergens is kwijtgeraakt. Zijn jullie leerlingen van hem?'

'Niet echt...' mompelt Sheng.

'Is hij gisteren hier geweest?' informeert Elettra.

'Natuurlijk. Hij komt hier elke dag. Trouwens...' De ober kijkt op zijn horloge. 'O nee, het is nog vroeg. Maar laten we hopen dat er vóór vier uur niemand aan zijn tafel gaat zitten.'

'Welke tafel?'

'Die daar achteraan links, vlak voor het koord.'

De kinderen kijken om naar de tafel, en de ober vervolgt: 'De professor komt elke middag en gaat dan daar op zijn vaste plek zitten. En als daar toevallig al iemand zit... dan is hij in staat om er zonder iets te zeggen naast te blijven staan, net zolang tot degene die op zijn plek zit er niet meer tegen kan en weggaat.'

'En waarin geeft hij les?'

'Dat zou ik echt niet weten. Trouwens, misschien is hij niet eens echt professor. Wij noemen hem zo omdat hij altijd minimaal twee boeken bij zich heeft. Het ene nog stoffiger dan het andere.'

'En dan?'

'Dan blijft hij rustig een paar uur aan zijn tafeltje zitten lezen. Als er te veel mensen zijn, gaat hij onrustig zitten snuiven en draaien om ze weg te jagen... behalve als er kinderen bij zijn.'

'Hoezo? Wat gebeurt er dan als er kinderen bij zijn?'

'Dan gaat hij verhalen vertellen. Verhalen over het oude Rome en de keizers. Over Caesar en Nero...'

'Wie is Nero?' vraagt Sheng.

'Als je tot halfvijf wacht, kun je het de professor zelf vragen,' antwoordt de ober.

'Dat lijkt me sterk,' zegt Harvey cynisch.

'Nero was de vervloekte keizer van Rome,' legt Elettra uit. 'Hij is de geschiedenis ingegaan als degene die de stad in brand heeft gestoken... ook al is dat misschien alleen maar een legende.'

'Klinkt sympathiek,' zegt Sheng.

'Nee. Niemand vond hem sympathiek,' zegt Elettra. 'Na zijn dood werd zijn villa verwoest, zijn standbeelden stukgeslagen en zijn gezicht uit alle monumenten gehakt.'

'Dat klopt. *La Damnatio Memoriae*, zoals de professor altijd zegt,' beaamt de ober, die zich zelf kennelijk ook in het onderwerp verdiept heeft.

'Dat is Latijn, het betekent dat hij uit het geheugen is gewist,' legt Elettra haar vrienden uit. 'Oftewel... alsof hij nooit bestaan heeft.'

'Net als de professor eigenlijk,' fluistert Sheng.

De ober gaat weer verder met het bedienen van de andere klanten. Zodra ze hem in een ander zaaltje zien verdwijnen schieten de kinderen naar het tafeltje van de professor.

Het bestaat uit een rond blad van licht marmer ondersteund door drie houten pootjes. Er staan twee stoeltjes van rood fluweel bij.

'Zou er een reden zijn waarom hij altijd hier ging zitten?' vraagt Harvey zich af terwijl hij om zich heen kijkt. 'Wel: je hebt van hieruit een goed overzicht van het café en van de ingang...'

'Je kunt niet van achteren verrast worden.'

'En het is een van de rustigste zaaltjes...'

'Maar afgezien daarvan zie ik er niks bijzonders aan.'

'En aan de muren hangt ook niks waar we iets aan hebben...' merkt Elettra op.

'Tenminste... volgens mij niet.'

Mistral kijkt zoekend rond of ze een aanwijzing ziet.

'Laat mij eens op jouw stoel zitten,' zegt Sheng terwijl hij onhandig opstaat van zijn stoeltje. Daarbij stoot hij tegen Mistrals arm, zodat haar schetsblok en potloden op de grond vallen.

'O, sorry!' Sheng bukt zich om ze op te rapen, maar blijft dan als verstijfd gebukt staan. 'Hao!' roept hij uit. En dan nog een keer: 'Hao!'

Hij geeft het schetsblok aan Mistral, knielt dan onder het tafeltje neer en zegt: 'Kijk nu! Hieronder staan allemaal teksten en... en wat is dit dan?'

'Wat?' vraagt Harvey, terwijl hij naast hem neerknielt. 'Nee maar...'

Het houten blad waarop het marmer ligt is aan de onderkant helemaal bedekt met reeksen cijfers en onbegrijpelijke letters, zo dicht op elkaar dat er vrijwel geen plekje meer vrij is. Te midden van die hele wirwar van tekens zit met twee stukken plakband een dun, rechthoekig dingetje vastgeplakt.

Sheng trekt eerst het ene en dan het andere stuk plakband los.

'Kijk,' zegt hij voldaan. En hij legt een plastic magneetpasje op de marmeren tafel, waarop staat geschreven:

BIBLIOTHEEK HERTZIANA
Via Gregoriana 30

Onderzoekersingang - Kamer 4
Alfred van der Berger
Rome

'Bingo...' mompelt Harvey verbaasd.

Elettra voelt aan het plastic pasje, alsof ze zeker wil weten dat het echt bestaat.

'Dus de professor heette Alfred van der Berger?' mompelt ze.

'Aangenaam kennis te maken,' zegt Sheng.

'Misschien moeten we het aan de politie vertellen.'

'Of misschien... is dit weer een aanwijzing die hij voor ons heeft achtergelaten,' waagt Elettra. 'En moeten we die volgen voordat er iemand anders komt.'

'Iemand van... *hen*?' zegt Harvey, met enige scepsis.

Elettra kijkt hem aan. 'Precies.'

'Weet jij waar die bibliotheek is?'

Elettra draait een haarlok om haar vingers. 'Nee. Maar ik weet wel waar de Via Gregoriana is.'

'En is die hier ver vandaan?' vraagt Sheng benieuwd.

'Tien minuten, als we gaan rennen tenminste.'

11
DE BIBLIOTHEEK

Op nummer 30 van de Via Gregoriana worden ze opgewacht door een angstaanjagende toegangspoort. Het is de wijd opengesperde bek van een monster, met een neus van travertijn die als sluitsteen dient voor de boog van de bovenlip, onder twee reusachtige ramen als ogen.

'O, o,' mompelt Sheng bij het zien van de poort. 'En daar moeten wij door naar binnen?'

'Ik peins er niet over,' zegt Mistral. 'Als jullie per se naar binnen willen, wacht ik hier wel.'

Elettra vindt het gebouw en dat monster juist heel grappig: 'Het is toch maar een poort!' roept ze geamuseerd.

'Het is een helse poort, zal je bedoelen,' vult Harvey aan, terwijl hij met zijn vingers door zijn haren strijkt. 'Precies wat we nodig hebben om moed te vatten: een mooi monsterlijk gebouw.'

Elettra houdt het pasje van de professor omhoog en loopt onder de boog door. 'Hierbinnen is gewoon een bibliotheek, als het goed is.'

Sheng stapt over de drempel. 'Ik zie alleen maar heel hoge steigers.'

Harvey geeft hem een klap op zijn schouders en loopt samen met hem naar binnen.

Mistral blijft buiten staan kijken naar die duivelse grijns van het gebouw en de verlatenheid van de weg waar het aan ligt: het lijkt net of de mensen hier liever niet langs lopen.

'Je komt niet zo heel sympathiek op me over...' zegt ze tegen het monster. 'Wacht, ik kom er ook aan!' gilt ze dan, en ze volgt haar vrienden naar binnen.

Aan de andere kant van de poort ligt het hele gebouw overhoop. Bijna het hele zicht wordt ontnomen door steigerpalen en planken, en daarboven prijkt een hoge stalen hijskraan. Een glanzende koperen plaat duidt de ingang van de bibliotheek aan, maar de deur is afgesloten met een magnetisch slot en er hangt een bordje op met de tekst:

GESLOTEN

'En hier eindigt onze zoektocht dan,' zegt Harvey sarcastisch. 'Wat we ook hadden moeten ontdekken, het gaat ons niet lukken.'

Elettra voelt een steek van teleurstelling in haar buik. Ze klopt aan, maar er reageert niemand.

'Deze plek lijkt helemaal uitgestorven...' zegt Mistral met een blik op de steigers.

'Kom, we gaan naar huis!' dringt Harvey aan.

Sheng probeert de deur open te duwen, en dan valt zijn oog op het magnetische slot. Hij pakt het pasje van de professor en haalt het door de gleuf.

De deur springt met een nogal geruststellende klik open.

Sheng duwt hem net ver genoeg open om naar binnen te kunnen kijken.

Een lange, verlaten gang.

'Nu is hij open, jongens,' mompelt hij, en hij geeft het pasje terug aan Elettra.

Bij de eerste bocht van de gang horen ze het geluid van een koffieautomaat. Plastic bekertje, gezoem van het apparaat, water dat in het bekertje loopt en een lage pieptoon waarmee de hele operatie wordt afgerond.

Meteen daarna komt er een vrouw van middelbare leeftijd aanlopen met haar koffie in de hand. Ze drinkt er een slok van, en net als ze een tweede slok wil nemen ziet ze de vier kinderen en stopt abrupt. 'Hoe komen jullie hier binnen?'

Elettra loopt voor de anderen uit naar haar toe, zonder haar pas te vertragen. 'Met het pasje van onze... oom,' antwoordt ze in het Engels.

De vrouw werpt een vluchtige blik op het toegangspasje van de professor. Ze ziet er nogal mager en benig uit. 'Hebben jullie het bordje niet gezien?'

'Jawel, maar... we wilden toch proberen om binnen te komen.'

'Enneh... sorry dat ik het vraag...' Ze neemt een slok koffie. 'Maar waarom eigenlijk? In de twintig jaar dat ik hier werk is het me nog nooit overkomen dat er vier kinderen kwamen die per se de bibliotheek in wilden.'

'We moeten...' begint Elettra.

'En kom me niet aanzetten met het smoesje van een werkstuk voor school.'

Elettra stopt abrupt: het lijkt wel of de bibliothecaresse haar gedachten heeft gelezen.

In de korte stilte die volgt zet Mistral een stap naar voren en haalt haar schetsblok tevoorschijn. 'We komen voor het notitieboekje van onze oom,' legt ze uit, terwijl ze haar hoofd op haar lange hals opzij buigt. 'Hij wordt echt gek zonder zijn aantekeningen en... hij bedacht dat hij het misschien op zijn werktafel had laten liggen. Dus hebben we een deal gesloten: wij halen zijn notitieboekje voor hem op en hij trakteert ons op vier warme chocolademelk.'

De bibliothecaresse keurt het meisje alsof ze een verse vis staat uit te kiezen bij een marktkraampje.

'Vier chocolademelk is nog altijd vier chocolademelk...' zegt ze nadat de keuring is beëindigd.

'Zo is het maar net,' beaamt Mistral.

'Dat lijkt me een goede deal,' besluit de vrouw, terwijl ze een laatste slok van haar koffie neemt. 'Weten jullie waar je moet zijn?'

'Onze oom heeft het ons wel verteld... kamer vier,' antwoordt Mistral, die een rozige kleur op haar wangen heeft gekregen. 'Maar als u het ons nog een keer kunt uitleggen, gaat het vast een stuk sneller.'

'Ik loop wel met jullie mee,' biedt de vrouw aan.

'Dat hoeft niet hoor...' zegt Elettra geschrokken, en ze stoot Mistral aan alsof ze wil zeggen: we weten niet eens wat we zoeken.

'We zijn vandaag toch eigenlijk dicht, er is niet veel te doen,' houdt de bibliothecaresse vol. 'Kom maar mee, dan breng ik jullie naar de onderzoekskamers.'

Terwijl ze door grote zalen met beschilderde plafonds lopen, waarin labyrintische rijen vol handschriften en architectuurboeken staan, vertelt de bibliothecaresse hen over de eindeloze restauratiewerkzaamheden die al jaren de toegang tot ruim de helft van de collectie in de bibliotheek belemmeren. Elettra voelt de spanning met iedere stap stijgen. Harvey loopt nors links van haar, opgesloten in zijn cocon van grimmige gedachten. Het is alsof er onaangename herinneringen in hem zijn opgeroepen toen ze de bibliotheek binnengingen. Sheng blijft om de haverklap staan, aangetrokken door een of ander eeuwenoud boek, door een of ander raam of half openstaande deur. De rugzak met de tollen, de tand en het vreemde houten voorwerp deint heen en weer op zijn rug. Mistral loopt naast hun begeleidster en laat alle uitleg over de staat van verval van de bibliotheek gelaten over zich heen komen.

De kamers met fresco's maken plaats voor een kleinere ruimte, met een steile trap. Het groepje gaat met een lift naar boven, naar een zonovergoten zolderruimte.

De ruimte die onder de balken is gecreëerd is verdeeld in allemaal kleine werkkamers, met tussenwanden van gipsplaat. De dakkapelletjes bieden een adembenemend uitzicht over de daken en dakterrassen van Rome, glinsterend in de sneeuw. De houten vloer kraakt onder hun voeten.

'Dit zijn de werkkamers die we pas hebben opgeknapt...' legt de bibliothecaresse uit. 'Hier zijn we al. Kamer nummer 4. Dit is de privéstudeerkamer van jullie oom.'

Ze duwt de deur zachtjes open en blijft dan als aan de grond genageld staan.

Het lijkt alsof er een tornado door de kamer heen is gegaan.

'O, o...' mompelt Mistral bezorgd.

In de kamer ligt de grote houten tafel vol met boeken op slordige stapels die her en der tussen de bergen papier liggen opgetast. Tussen de vergeelde bladzijden uit steken boekenleggers, krantenpagina's en gele plakkertjes vol gekrabbeld met aantekeningen. Ook de vloer gaat letterlijk schuil onder de paperassen. Het lijkt wel of iemand ze in het wilde weg heeft uitgescheurd en onder de stoelen heeft gesmeten. Veel blaadjes zijn vol gekliederd met neurotische pentekeningetjes: gestileerde spiralen, cirkels en vlammen.

'Nee maar...' mompelt Sheng.

De ramen van het dakkapelletje staan wijdopen en onthullen een sombere, theekleurige lucht.

'Ik wist niet dat het hier zo'n chaos was...' mompelt de bibliothecaresse hoofdschuddend.

'Wegwezen...' fluistert Harvey in Elettra's oor. 'Nu meteen.'

Het meisje knikt en zet een stap achteruit, ze weigert een voet in die kamer te zetten.

Mistral loopt de studeerkamer echter gewoon binnen, en ze probeert niet op de blaadjes te trappen waarmee de vloer bezaaid ligt. Zonder een woord te zeggen loopt ze naar het raam en doet het dicht.

'Het was open blijven staan,' zegt ze. 'Misschien heeft de wind er zo'n zooitje van gemaakt...'

De bibliothecaresse knikt, maar ze lijkt niet erg overtuigd. 'Dit zit me niet helemaal lekker,' zegt ze. 'Willen jullie hier even op me wachten? Ik ga een telefoon zoeken.'

Mistral bukt zich om een blaadje op te rapen.

Harvey en Sheng gaan bij haar staan. 'Wat doe je nu?' fluistert de Amerikaanse jongen. 'Laten we maken dat we hier wegkomen...'

'Ik wil heel even snel rondkijken,' stelt ze voor.

Op de tafel van de professor liggen de meest uiteenlopende boeken opgestapeld. Oude uitgaven van Griekse en Latijnse schrijvers: Seneca, Plutarchus, Apulejus, Plinius, Lucretius. En allerlei boeken over wetenschap en astronomie, helemaal vol gele plakkertjes.

Harvey loopt om de tafel heen en pakt het boek dat nog opengeslagen voor de stoel ligt. 'Oké, maar wel snel dan! Wat denken jullie, is dit misschien iets voor ons? Dit is waarschijnlijk het laatste boek dat de professor aan het lezen was.'

Het is een boek met een omslag van donker leer, met een geel plakkertje erop waarop de professor heeft geschreven: *Kore Kosmou - De maagd van het universum.*

Het boek ruikt oud. Het papier is dun en vergeeld. Het is in het Grieks geschreven, met de letters in diepzwarte inkt.

Harvey bladert erdoorheen tot hij een bladzijde vindt waar een ruitjesblaadje tussen is gelegd, net zo een als ze in het koffertje hebben gevonden.

'Hier hebben we het tweede blaadje,' zegt hij.

'Wat staat erop?' fluistert Sheng.

'Ik weet het niet,' antwoordt hij. 'Het lijkt wel een soort vertaling.'

Hij kijkt op naar Elettra, die nog steeds onbeweeglijk in de deuropening staat. 'Wil je even komen lezen wat er staat?'

Het meisje schudt langzaam haar hoofd. 'Nee... daar heb ik geen zin in.'

'Jij was degene die per se hiernaartoe wilde,' spoort Harvey haar aan. 'En dit is een ruitjesblaadje van de professor. Kijk gewoon even of we er iets aan hebben en dan maken we dat we wegkomen.'

'Misschien is het weer een aanwijzing,' voegt Sheng eraan toe.

'Ik voel me net zoals... gisteren...' verklaart Elettra met haar handen omhoog. 'Ik voel me... warm.'

'Dat betekent dus dat we op de goede plek zijn...' roept Mistral, die op haar knieën op de grond zit en handenvol uitgescheurde bladzijden opraapt.

Op elk ervan zijn honderden cirkels getekend.

Elettra haalt diep adem en stapt dan de kamer binnen.

Sheng deinst overdreven ver achteruit om haar erdoor te laten.

'Als je net zo'n gevoel hebt als gisteren, raak mij dan niet aan, oké?' mompelt hij met een goedmoedige grijns.

Elettra glimlacht zwakjes en pakt dan het ruitjesblaadje van Harvey aan. Het handschrift van de professor is puntiger dan normaal. Maar het lijkt wel duidelijk zijn handschrift, haastig en onrustig.

Langzaam vertaalt Elettra wat er staat: *Als het vuur eenmaal ontdekt is, zullen de mensen de planten er met wortel en al uittrekken om de kwaliteit van het sap te onderzoeken. Ze zullen de aard van stenen observeren en hun gelijken opensnijden omdat ze zo graag willen weten hoe ze in elkaar zitten. Ze zullen naar het eind van de wereld gaan, ze zullen omhoog gaan naar de sterren. Ze zullen worden verteerd door het verlangen om hun plannen te verwezenlijken, en wanneer die mislukken zullen ze vergaan van smart en verdriet...'*

'Verder niks?' vraagt Harvey ten slotte.

'Nee. Alleen deze zin staat er.'

'Klinkt gezellig, hè?' mompelt Sheng.

'En dat daar onderaan... die doorgestreepte woorden?' dringt Harvey aan, wijzend op de onderste twee regels.

Elettra houdt het blaadje tegen het licht en vertaalt, heel langzaam: *'Prometheus had het vuur niet moeten stelen. Dat was een fout, waardoor hij de woede der goden heeft opgeroepen. En nu willen de goden zich wreken.'*

'Wie heeft wat gestolen?' vraagt Sheng verbaasd.

'Dat is een mythologisch verhaal,' legt Harvey uit. 'Prometheus is een titaan die het vuur van de goden steelt om het aan de mensen te geven...'

'En dan?' vraagt de Chinese jongen.

'Vanaf dat moment voelen de mensen zich vrij omdat ze vuur kunnen gebruiken, maar de goden worden kwaad en ze binden Prometheus vast op een rots, waar een adelaar voor de rest van zijn leven elke dag opnieuw zijn lever komt uitpikken.'

Sheng vertrekt zijn gezicht van walging. 'Bah!' Dan voelt hij aan zijn lichaam en vraagt: 'Waar zit je lever eigenlijk?'

'Hé, ik heb iets gevonden!' roept Mistral op dat moment uit, waardoor de anderen opschrikken. 'Tenminste, dat denk ik,' voegt ze eraan toe, als ze naar haar omkijken.

Ze heeft een zwart opschrijfboekje in de hand, dat wordt bijeengehouden door een elastiek.

'Zou dit zijn notitieboekje zijn?'

Mistral krijgt niet eens de kans om het open te maken; buiten de kamer horen ze voetstappen en twee stemmen die samen smoezen.

'Ze zijn hier binnen,' mompelt die van de bibliothecaresse. 'Ze zeiden dat ze familie van hem waren, maar daar ben ik niet zo zeker van...'

'We zullen eens kijken,' antwoordt een mannenstem.

'O nee!' roept Harvey geschrokken. 'We gaan helemaal nergens naar kijken!'

Hij draait Sheng met een ruk om en pakt de rugzak, waar hij het boek in propt, het blaadje met de vertaling, het notitieboekje dat Mistral heeft gevonden en een stapel blaadjes die ze van de grond heeft opgeraapt.

'Wegwezen!' roept hij tegen de anderen, en hij loopt naar de deur.

'Harvey!' schreeuwt Elettra.

Een dreigende gestalte is in de deuropening verschenen. Het is een man in een zwart uniform, met een spiegelbril en een pet met het opschrift SECURITY.

'Waar gaat dat heen, jongeman?' vraagt hij, terwijl hij een hand uitsteekt om Harvey vast te grijpen.

'Hé!' gilt Sheng. 'Laat mijn vriend met rust!'

Achter de agent roept de bibliothecaresse: 'Rustig allemaal, alsjeblieft! Er is niks aan de hand. Agent Gianni wil jullie alleen maar een paar vragen stellen.'

De agent spreidt zijn armen uit, zodat hij de hele deur verspert. 'Mag ik alsjeblieft even in je rugzak kijken?' vraagt hij aan Harvey.

De Amerikaanse jongen deinst achteruit. 'Waarom?'

'Ik wil zien wat je erin hebt gestopt. Mag ik?'

'Ik denk er niet over,' antwoordt Harvey. 'En trouwens, hij is niet van mij.'

'Hij is van mij,' preciseert Sheng.

De agent kijkt de hele kamer rond. 'Wat zijn jullie hier komen doen?'

'Niks!' protesteert Mistral. 'Waarom stelt u al die vragen?'

'Jongens, alsjeblieft...' komt de vrouw tussenbeide. 'Er is niks ernstigs. We willen alleen graag begrijpen wat hier binnen gebeurd is.'

'Hoor jij bij hen?' vraagt Mistral aan de agent.

De man laat een kort lachje horen. 'Bij wie bedoel je, meisje?'

'Wij gaan ervandoor,' besluit Elettra. 'Het notitieboekje van onze oom ligt hier toch niet.'

'Laat zien die rugzak.'

'Vergeet het maar,' antwoordt Harvey, die hem op zijn rug torst. 'Daar blijf je mooi van af.'

'O ja?' De man drukt met zijn vingers tegen het oortje in zijn lin- keroor en zegt: 'Beveiliging? Stuur Mauro ter assistentie. Bovenste verdieping.'

'Wat bent u van plan?' komt de bibliothecaresse tussenbeide.

De agent gebaart dat ze achteruit moet gaan. 'Ik neem die snot- neuzen wel voor mijn rekening, mevrouw.'

Dan loopt hij op Harvey af en zet zijn spiegelbril recht. 'Dus jij dacht dat je me te slim af was, hè?'

De man zet een stap naar voren, Harvey een naar achteren.

'Laat ons alstublieft gaan...' mompelt Mistral.

'Laat zien wat je hebt gestolen.'

'Ik heb niks gestolen!' antwoordt Harvey.

Het was een fout om het vuur van de goden te stelen... denkt Elettra.

De agent grijpt naar de rugzak, maar Harvey gooit hem de lucht in en schreeuwt: 'Sheng, vangen!'

De Chinese jongen vangt hem op en wil net de kamer uit rennen, maar de beveiligingsagent heeft Harvey bij zijn shirt vastgegrepen.

'Nu hebben jullie me echt kwaad gemaakt!' zegt hij.

Prometheus heeft de woede van de goden opgewekt, denkt Elettra.

'Laat hem met rust!' gilt Sheng. 'Als je die rugzak wilt hebben, hier is hij!'

Harvey probeert zich vergeefs los te worstelen en trapt om zich heen zonder iets te raken.

'Dit zet ik jullie alletwee betaald!' schreeuwt agent Gianni, terwijl hij Harvey door de kamer heen sleept.

En nu willen de goden zich wreken.

Elettra schudt haar hoofd. Er klopt hier iets niet... Die man heeft geen reden om zo kwaad te zijn: het is niet hun schuld dat de kamer zo'n zooitje is. En ook al hebben ze een list gebruikt om hier binnen te komen, ze hadden geen kwaad in de zin. Net als Prometheus, die een list gebruikte om het vuur van de goden te stelen. Je gebruikt niet altijd een list omdat je kwaad in de zin hebt: soms is het de enige mogelijke weg.

Wat maakt het uit langs welke weg je de waarheid zoekt? stond er op het blaadje in het koffertje. Zo'n groot geheim ontrafel je niet langs één weg.

Ineens schrikt Elettra op uit haar gedachten. Haar handen beginnen opnieuw te gloeien.

Harvey bijt de agent in zijn pols, en als enige reactie tilt die hem als een veertje tegen de muur aan. 'Rotjoch!'

'Doe hem geen pijn!' gilt de bibliothecaresse vanuit de deuropening.

Sheng deinst achteruit in de richting van het raam. Mistral is een schim in de hoek van de kamer.

Elettra loopt naar agent Gianni en heft haar hand op.

'Mag ik even...' zegt ze.

'Wat ben jij van plan?' gromt de man met de spiegelbril.

Elettra's hand reikt naar het oortje dat de agent in heeft.

'Ik wil je iets laten horen...' mompelt het meisje, en ze raakt hem aan.

De agent spert zijn ogen wijdopen. Dan zijn mond. En ten slotte begint hij te schreeuwen van pijn, doordat het dingetje in zijn oor ter plekke is gesmolten door de hitte van Elettra's aanraking. Hij laat Harvey los en houdt zijn hoofd met beide handen vast, versuft van de pijn.

Sheng glipt langs hem heen, hij omzeilt hem als een hindernis. Hij pakt Elettra bij de hand en sleurt haar mee naar de deur.

Harvey komt overeind, voelt of zijn hoofd nog wel aan zijn hals vastzit en roept tegen Mistral: 'Wegwezen!'

De bibliothecaresse gaat instinctief aan de kant om hen erdoor te laten.

'Sorry!' lacht Sheng nerveus. 'Maar we hebben echt haast!'

'Deze kant op!' beslist Harvey terwijl hij zomaar een richting kiest.

Achter hen staat agent Gianni nog steeds te brullen van de pijn.

De vier hollen buiten adem de trap af, rennen door de met fresco's versierde zalen, duiken de hal van het monstergebouw in en stappen onder de openstaande poort door.

Eindelijk zijn ze buiten.

In Hotel Domus Quintilia gaat de ochtend snel voorbij.

Linda fluit een oud liedje van Renato Zero, terwijl ze keurend door alle kamers van het hotel loopt met dweilen en stofdoeken in allerlei soorten en maten. Ze is blij met de zon, met de stralen die door de ramen binnenvallen en weerkaatsen op de sneeuw en de prikkelende decemberlucht.

Als de eetzaal en de trap gedaan zijn, loopt ze naar de slaapkamer die ze momenteel met haar zus deelt.

Irene zit naast haar rozenplant te lezen, in het licht dat door de balkondeuren binnenstroomt. Er ligt een deken over haar benen.

'Boeken, boeken, boeken!' roept Linda zodra ze haar ziet zitten. 'Krijg jij nu nooit eens genoeg van lezen?'

Irene laat het boek met een glimlach zakken. 'Hallo, Linda.'

'Hou toch op, al die woorden! Ik krijg er koppijn van! Heb je niks beters te doen? Er is op dit moment een heel leuk programma op tv.'

'Geef mij maar Lucretius.'

'O, dat is toch oersaai!'

'Heb jij dan ooit iets van hem gelezen?'

Linda geeft het op, en ze heft haar kleurige stofdoeken hoog op om zelfs de laatste flinter stof die in de kamer nestelt weg te vegen. 'Waag het niet! Ik wil niet eens weten waar het over gaat! Mag ik de radio aanzetten? Jij hebt muziek nodig, zusje. Een beetje leven in de brouwerij! Niet al dat gezever van Lucretius en weet ik veel wie nog meer!'

Irene wijst op haar verlamde benen en zegt: 'Muziek? Ach ja, waarom niet? Dan kunnen we misschien even een rondje dansen...'

'Gekkie,' grinnikt Linda. In een opwelling slaat ze haar armen om haar heen, en zo houden ze elkaar even stevig vast, zonder een woord te zeggen.

'Heb je Elettra gezien?' vraagt Irene terwijl ze zich voorzichtig losmaakt uit de omhelzing.

'Ze ging de stad laten zien aan de andere kinderen.'

'Hoe kwamen ze op je over?'

'Volgens mij hadden ze het wel naar hun zin. Alleen die Chinees...'

'Linda...'

'Je had eens moeten zien wat een smerige schoenen hij had! Twee gigantische sportschoenen vol modder.'

'Het zijn kinderen.'

'Maar dat Franse meisje...' vervolgt Linda. 'Dat is zo'n enige meid. Fragiel, lief, met parfum op. Zo vrouwelijk. Als Elettra ook maar iets van haar zou leren, zouden we tenminste iets minder met haar te stellen hebben.'

'Elettra is gewoon precies zoals haar moeder,' zegt Irene. 'Eén brok energie.'

'En haren,' voegt Linda eraan toe. 'Ik ben meer tijd kwijt met al die haren van de banken plukken dan met de kamers schoonmaken. Het lijken net giftige slangen.'

Irene laat zich tegen de rugleuning van haar rolstoel zakken, geamuseerd en geïrriteerd tegelijk. 'Maar dat zijn het niet. En trouwens, giftige slangen hebben ook hun nut. Is het je weleens opgevallen dat apotheken als symbool een stok hebben waar twee slangen omheen kronkelen?'

'Dat geloof ik meteen! Medicijnen zijn zo duur dat je je beter gratis kunt laten vergiftigen!'

Irene grinnikt. 'Dat is niet de reden. Vroeger gebruikten de mensen slangengif om geneesmiddelen van te maken.'

'Gelukkig hebben ze naderhand de antibiotica uitgevonden,' schampert Linda Melodia, en ze gooit de balkondeuren van de kamer open om de frisse lucht binnen te laten.

Later loopt de onvermoeibare dame des huizes naar beneden om door het raam naar de binnenplaats te kijken. Het hotel is stil en netjes. De gasten zijn allemaal de deur uit, en alleen hun lelijke voetsporen zijn achtergebleven in de sneeuw. De bandensporen van Fernando's busje zijn twee lange vuile strepen.

Maar dan is er iets in de gang waar Linda Melodia's onderzoekende blik naartoe wordt getrokken: enkele modderige voetsporen die naar de kelderdeur leiden. En nog meer sporen, inmiddels opgedroogd, die van daaruit naar de slaapkamer van Elettra voeren. De positie van de hakken laat geen ruimte voor twijfel: degene van wie die voetsporen zijn, kwam vanaf de binnenplaats. Ze loopt naar buiten om het beter te bekijken. Het busje van Fernando heeft zo'n beetje overal in de sneeuw sporen achtergelaten, maar Linda vindt toch nog een hoekje van de binnenplaats met de sporen van vier paar schoenen die het hotel uitgaan, van de binnenplaats af lopen... en dan weer terugkomen.

Daar is maar één verklaring voor: vannacht zijn Elettra en de andere kinderen stiekem naar buiten gegaan. Waarschijnlijk om een sneeuwballengevecht te houden.

'En dat zou verklaren waarom ze vanmorgen zo vermoeid waren...' grinnikt Linda, terwijl ze met de dweil over de modderige voetsporen gaat die van de gang naar Elettra's kamer voeren.

'O, wat een ramp...' mompelt ze dan, als ze de deur van de kamer opendoet. Overal liggen koffers en rondslingerende kleren. 'Het lijkt wel of ze hier met dertig man slapen, in plaats van met z'n vieren!'

Ze stapt over een aantal truien heen in een poging om het raam te bereiken en wat frisse lucht binnen te laten. Intussen raapt ze nieuwe bewijsstukken op van het uitje dat de kinderen de vorige avond hebben gehad: een doorweekte overjas, de spijkerbroek van de Amerikaan die tot aan de knieën onder de sneeuw zit, de trui van Elettra die op de verwarming te drogen is gehangen.

Dan vindt ze echter iets vreemds. Op de vloer liggen allemaal glassplinters. En in de afvalbak op de badkamer nog meer.

'Mijn lamp!' kreunt Linda Melodia, terwijl ze zoekend om zich heen kijkt of ze de zonnebloemlamp ergens ziet. 'Wat hebben ze in godsnaam uitgespookt?'

Het duurt niet lang voor ze de restanten van de lamp vindt. Linda raapt de scherven van de vloer op, en wat er over is van het onderstuk van de paardenbloem. Dan loopt ze met de afvalzak de kamer uit.

'Die ellendige meid is nog niet van me af!' buldert ze terwijl ze naar de straat loopt.

Buiten ligt nog steeds een dik pak sneeuw. Linda Melodia beent resoluut in de richting van de afvalcontainers terwijl ze de afvalzak hoog voor zich uit houdt, alsof ze bang is dat ze zal worden beroofd.

'Mijn lamp!' roept ze opnieuw, terwijl ze de scherven laat rinkelen.

Ze omzeilt een jonge vrouw met kastanjekleurig haar die haar goededag wenst.

'Jaja, een goede dag, u hebt makkelijk praten!' antwoordt Linda. 'Kijk toch eens wat een ramp! Mijn lamp! En dat is niet het enige! Vannacht zijn ze zonder toestemming te vragen naar buiten gegaan!'

De jonge vrouw glimlacht. 'Kan ik u helpen?' vraagt ze als ze beseft dat Linda in haar eentje de zware container het hoofd wil bieden.

'Ja, bedankt. Hou deze even vast! Of doe dat deksel omhoog! Wat een griet, echt waar... Wat een griet!' De vrouw komt pas tot bedaren als de zak met de restanten van de lamp door de container wordt opgeslokt. 'Ziezo...' zegt ze tegen de jonge vrouw die haar met mooie donkere ogen aankijkt. 'Bedankt voor de hulp. Ik weet niet wat lastiger is: een hotel bestieren of een meisje van veertien!'

'Bent u de eigenares van Hotel Domus Quintilia?'

Linda Melodia slaakt een diepe zucht en antwoordt: 'In zekere zin wel.'

'Dat is boffen! Mag ik u een paar vragen stellen?' De jonge vrouw steekt haar hand uit. 'Ik heet Beatrice.'

12
HET NOTITIEBOEKJE

'Hao! Hoe deed je dat?!' roept Sheng enthousiast. 'Zoiets heb ik nog nooit gezien! Je was net... net een superheld uit een tekenfilm!' Hij steekt zijn rechterwijsvinger op, doet het geluid van een ontploffing na en roept: 'Nu zal ik je eens wat laten horen!'

Mistral geeft hem een por met haar elleboog omdat hij moet stoppen: Elettra vindt het zo te zien helemaal niet leuk. Ze loopt met haar hoofd gebogen en haar ogen halfdicht. Haar lange zwarte haren lijken net droge, doornige takken.

'Hoe gaat het?' vraagt Harvey.

'Ik ben moe,' antwoordt ze. 'En heel erg in de war.'

'Je bent niet de enige. Er gebeuren rare dingen. En eerlijk gezegd...' Harvey bladert door het notitieboekje van de professor. 'Ik denk dat het hiermee alleen nog maar onduidelijker wordt.'

'We zijn allemaal van streek,' zegt Mistral. 'Het was wel even schrikken, met die vent...'

'Ach, meen je dat nu?' roept Sheng verbaasd, druk gebarend. 'Het was juist te gek! We sloegen op de vlucht als vier roekeloze inbrekers en toen... de trap af... wooeei! En hup, door de voordeur, *béng!* En toen waren we eindelijk... buiten! Te gek!'

'Misschien moeten we even ergens gaan zitten,' stelt Mistral voor.

'Ja,' zegt Elettra.

Harvey schudt zijn hoofd. 'Ik denk dat we beter eerst wat verder weg kunnen gaan van... die bibliotheek.'

'Ik zou wel wat te eten lusten,' stelt Sheng voor terwijl hij om zich heen kijkt. 'Hoe laat is het? Zullen we ergens een hamburger eten?'

'Of zullen we teruggaan naar het Caffè Greco?'

'Een hamburger!' dringt Sheng aan. 'Ik wil een reusachtige hamburger... een hamburger "Agent Gianni"!'

Mistral trekt hem aan zijn rugzak: 'Hou toch eens op met die stomme grapjes!'

'Weet je hoe ze die grapjes in Rome noemen?' komt Elettra tussenbeide, met een flauw glimlachje. *'Pasquinate.'*

'Pasqui-wat?'

'Pasquinate, oftewel paskwillen.'

'Wat betekent dat dan?'

'Pasquino is de bijnaam van een standbeeld waar de Romeinen satirische teksten op plakten om de machthebbers voor de gek te houden.'

Harvey houdt het notitieboekje van de professor in de lucht. 'Laten we dit er dan op plakken.'

Elettra kijkt ineens op. 'Dat is een goed idee...' denkt ze hardop.

'Wat, als ik vragen mag?'

'Pasquino is hier niet zo ver vandaan,' verklaart Elettra, wijzend naar een met kinderkopjes geplaveide weg.

'Ja, en?'

'Vlakbij Pasquino,' vervolgt Elettra, 'is een rustig tentje waar je de *coppetta incredibile* kunt krijgen; een heerlijk dessert met slagroom, pistache, aardbeien, schuimgebak en vanilleroom. Wat denken jullie daarvan?'

'Goedgekeurd!' oordeelt Sheng, die zijn hamburgerplan meteen laat varen.

Het middaglicht begint af te zwakken, maar dat geldt niet voor de nieuwsgierigheid van de kinderen. Gezeten aan een tafeltje achter in restaurant Cul de Sac, achter de restanten van vier *coppette incredibili*, luisteren de kinderen aandachtig naar wat Elettra voorleest uit het notitieboekje van de professor.

De eerste bladzijden zijn niet bijster interessant, het lijken de aantekeningen van een college over Nero; kennelijk zijn favoriete onderwerp.

'Hij heeft een voorliefde voor gekken,' zegt Harvey.

Elettra slaat de ene na de andere bladzijde om. 'Daar lijkt het wel op. Nero als keizer, Nero in de strijd, Nero als kind... Kennelijk had hij als leermeester een heel belangrijke filosoof genaamd Seneca, een van de grootste denkers uit de Oudheid. *Vaak hebben grote leermeesters krankzinnige leerlingen voortgebracht. Aristoteles gaf les aan Alexander de Grote. Seneca aan Nero,*' leest ze dan voor.

'En welke grote leermeester heb jij gehad?' vraagt Sheng aan Harvey, waarop hij een elleboogstoot krijgt.

'Seneca gaf Nero les over de geheimen van de wereld der natuur. Hij vertelde hem over de aarde, de planeten, de maan en de zon. Hij beschreef

de vier elementen waar alle andere dingen uit bestaan: Water, Lucht, Aarde en Vuur. Nero was vooral geboeid door het vuur, het element van het leven en van de vernietiging.' Met moeite leest Elettra de volgende bladzijden voor: *'Seneca beweerde dat het mensen maar tot op zekere hoogte vergund is om de geheimen van de kosmos te ontdekken. En dat er geheimen zijn die niet onthuld mogen worden.'*

'Dat stond ook op het blaadje in het koffertje!' constateert Mistral.

'Hier heeft de professor iets bij geschreven: *Dat is waar ik naar op zoek ben. En een van die geheimen is verborgen in Rome.'*

Sheng slaat met zijn hand op tafel. 'Wat zei ik jullie? Lees verder! Lees verder!'

'Hier staat nog een aantekening...' zegt Elettra terwijl ze het notitieboekje ondersteboven draait. *'De tollen en de houten kaart bestuderen. Uitzoeken hoe je ze moet gebruiken. Ermete.'*

'Wie is Ermete?' vraagt Mistral, en ze legt haar potlood neer naast haar schetsblok waarin ze de dingen noteert die haar het belangrijkst lijken.

'De professor noemt het dus de "houten kaart"...' mijmert Harvey intussen. 'En verder?'

Elettra slaat een paar lege bladzijden om, en een paar andere waarop tekeningen zijn geschetst. 'Hij kon zo te zien niet zo goed tekenen als jij, Mistral. Wat zou dit kunnen zijn, denk je?'

Het meisje bekijkt de schetsen in het notitieboekje en zegt: 'Zo te zien heeft hij geprobeerd om de afbeeldingen op de tollen na te tekenen.'

Elettra knikt en slaat de bladzijde om: 'Hier begint hij weer over Nero.'

'Wat saai!' moppert Sheng. 'Ik wil meer te weten komen over het geheim!'

'Kennelijk wilde Nero dat ook te weten komen...' merkt Elettra op. '*Toen Seneca hem voor het eerst vertelde over een geheim waarvoor de mens moet stoppen, kwam Nero in verzet. Hij vroeg hem wat dat geheim was, en Seneca antwoordde: "Het is het allergrootste geheim, maar de tijd is nog niet gekomen om het te onthullen".*'

'Typisch een antwoord voor een leermeester,' zegt Mistral.

'En hoe reageert Nero?' vraagt Harvey.

'Ik wed dat hij kwaad wordt,' zegt Sheng.

Elettra grinnikt. 'Dat zou ik wel zeggen. *Hij stopte met de lessen van Seneca en begon andere leermeesters te volgen, die afkomstig waren uit het Oosten, en die hem ervan overtuigden om het Vuur en de Zonnegod te vereren.*'

'Zeus?' probeert Sheng.

'Nee. Hij heet... Mithra,' leest Elettra.

'Nooit van gehoord.'

'Ik wel,' zegt Sheng ineens, tot ieders stomme verbazing. 'Volgens mij wordt hij in India nog steeds vereerd. Of daar ergens...'

'De professor schrijft dat Mithra de Zonnegod is: een god die na de dood opstaat, net zoals de zon na iedere zonsondergang weer opkomt en... hé, dat is typisch: in Rome is zijn feestdag op 25 december.'

'Op Eerste Kerstdag?' vraagt Mistral.

'Toen bestond Kerstmis natuurlijk nog niet,' zegt Harvey.

'En wanneer kregen ze toen dan cadeautjes?'

'Nero krijgt het idee dat hij een god is,' leest Elettra verder. 'En hij denkt dat hij de zonnegod is. Eigenlijk wordt hij hartstikke gek. *"Dwaze man, je bent verder gegaan dan je was toegestaan. Je hebt geheimen gezocht die je niet had mogen zoeken. Je hebt antwoorden gehad op vragen die je niet had mogen stellen."* Dat is Seneca weer, geloof ik.'

'En hoe reageert Nero?' vraagt Harvey.

'Hij geeft opdracht om de Colossus te bouwen: het grootste bronzen standbeeld dat ooit gegoten is, waarmee hij wordt afgebeeld als de zonnegod, omringd door stralen van vuur...'

'Hij was hartstikke getikt...'

'Zeg dat wel. En later zet hij ook nog de hele stad in brand. Alsof hij een god is verwoest hij datgene wat hem macht geeft. En daarvoor maakt hij gebruik van...' Elettra kan de volgende woorden maar moeizaam onderscheiden: 'Van de Ring van Vuur.'

'En dat is?'

Het meisje schudt haar hoofd. Ze laat het notitieboekje zien, waarin de professor een ring omringd door vlammen heeft getekend. De volgende bladzijden zijn woest uitgerukt, en op de stukjes die nog zijn overgebleven zijn vlammende cirkels en spiralen getekend.

Bij het zien daarvan haalt Mistral de blaadjes die ze van de vloer van de bibliotheek heeft opgeraapt tevoorschijn: ook daarop staan talloze cirkels en spiralen, in een waanzinnige herhaling.

'Eerlijk gezegd maak ik ook dat soort krabbels als ik me verveel...' zegt Sheng. 'Misschien heeft de professor heel veel aan de telefoon gezeten.'

'Ik stem voor de waanzin,' bromt Harvey.

'Inderdaad...' mompelt Elettra, terwijl ze de overgebleven bladzijden van het notitieboekje doorbladert. 'Dit is allemaal helemaal niet meer te lezen. Behalve misschien nog... dit stukje: *De Ring van Vuur is het geheim van Seneca. Hij is laag verborgen en hoog verborgen. Zoek laag, dan vind je hem hoog. Voor de weg, gebruik de kaart.*'

'Wat heeft dat te betekenen?' vraagt Sheng.

'Niks,' schampert Harvey. 'Net zo min als al die andere onzin die we tot nu toe gelezen hebben iets te betekenen heeft.'

'Maar er staat dat je de kaart moet gebruiken om de weg te weten te komen... en hij heeft ons wél een kaart gegeven,' zegt Mistral.

'Wat is dat nu voor kaart, als ik vragen mag? Het is gewoon een houten plank,' zegt Harvey.

'Staat er verder niets meer in dat notitieboekje?'

Elettra schudt haar hoofd. 'Volgens mij niet. Of... misschien... Dit lijken twee telefoonnummers die half zijn doorgestreept... *Ilda, nieuws, 06543804 - Orsenigo, tandarts, 18671903.*' Vervolgens geeft ze het notitieboekje aan Sheng.

'Verder niks, volgens mij.'

Sheng schrijft de telefoonnummers over op een servet en tuurt aandachtig naar de laatste bladzijden van het boekje. 'Mag ik een potlood van je?' vraagt hij aan Mistral.

Ze geeft hem er een. Dan vraagt ze aan de anderen: 'Wat doen we?'

Elettra en Harvey kijken elkaar aan.

'Nog even en het is donker...' merkt de Amerikaanse jongen op. 'En we zijn al sinds vanmorgen de hort op. Misschien moeten we maar eens terug naar het hotel.'

'Ben je moe?' vraagt Elettra.

'Jij?'

'Ja, maar ik ben ook heel nieuwsgierig...'

Op dat moment klinkt er een romantisch melodietje uit het tasje van Mistral. De ringtune op haar mobieltje is het refrein van *You're Beautiful*, het nummer van James Blunt.

'Blèh!' grinnikt Sheng, die intussen met het potlood over de binnenkant van de kaft van het boekje krast.

Mistral vist haar mobieltje uit haar tasje en neemt op: 'Hé! Hoi, mam.'

Het gesprek neemt al vlug de vorm aan van een monoloog in de trant van: 'ja, natuurlijk, ik snap het, nee, nee, geen probleem, stel je voor,' en wordt snel beëindigd. Het mobieltje ploft weer in het tasje en Mistral trekt een teleurgesteld gezicht.

'Slecht nieuws?' vraagt Elettra.

'Ach ja...' antwoordt Mistral. 'Mama moet weg uit Rome voor haar werk, en ze komt morgenavond pas terug. Ik mag op haar kamer. Maar... misschien... als het niet te lastig is, wil ik liever op jouw kamer blijven.'

'Natuurlijk, geen probleem,' zegt Elettra.

'Moet je terug naar het hotel om afscheid te nemen?' vraagt Harvey.

Mistral roffelt met haar ijslepel op het bordje. 'Ik weet het eigenlijk niet...' antwoordt ze. 'Maar ik denk het niet.'

'Dan kunnen we dus nog een tijdje in de stad blijven,' oppert Elettra. 'Ik weet een geweldige pizzeria.'

'Ik moet het mijn ouders even laten weten,' zegt Harvey.

'En jij, Sheng?'

'Wat?' De Chinese jongen zit nog steeds met de potloodpunt over de laatste bladzijde van het boekje te krassen. 'Ik vind het best... Ik moet alleen even mijn vader bellen.'

Mistral pakt haar mobieltje weer en geeft het aan Elettra. 'Bel jij?'

Het meisje kiest het nummer van Hotel Domus Quintilia, maar voordat ze daadwerkelijk belt, zegt ze: 'Wacht eens.' Ze werpt een blik op het servet van Sheng en tikt een ander nummer in. Na een paar keer overgaan antwoordt er een vrouwenstem.

'Mevrouw Ilda? Ja, goedenavond,' roept Elettra luid.

Harvey springt met een ruk op van zijn stoel. Sheng laat zijn mond openvallen. Mistral glimlacht.

Elettra vervolgt onverstoorbaar: 'Ik ben het nichtje van de professor. Ja, van oom... Alfred. O, wist u dat niet? En toch is het zo. We zijn met vier neven en nichten. Ja. Natuurlijk... Wat denkt u dan? Het gaat... het gaat heel goed met hem... Maar... precies... dat dacht ik al. Ja... dat zei hij ook al tegen ons. We weten dat hij al heel lang niet meer is langs geweest. Voor... voor het nieuws. Natuurlijk. Maar u hebt het wel? Al het nieuws, bedoel ik?'

Harvey steekt zijn handen in zijn haar en loopt zenuwachtig rondjes om de tafel.

'U hebt het apart gehouden,' zegt Elettra. 'Zoals altijd. Ge... geweldig. Kunnen wij dat dan komen ophalen? Dan... dan kunnen we onze oom verrassen. Is het zwaar, zegt u? Dat maakt niet uit...' Elettra gebaart naar Sheng dat hij een adres moet opschrijven. 'De kiosk op Largo Argentina. Dat is prima. Over een kwartier. Perfect!' En ze hangt op.

'Ben je gek geworden?!' roept Harvey meteen verwijtend. 'Waarom heb je dat nummer gebeld?'

'Waarom niet?' werpt ze tegen, terwijl ze hem het mobieltje geeft. 'Wat had jij dan willen doen?'

'Ja, ik weet het niet, hoor!' zucht Harvey. 'Trouwens... verdorie! Dat moeten we toch samen beslissen?'

'En?' vraagt Mistral.

'Het was de eigenares van de kiosk op Largo Argentina. Ze zei dat ze heel veel apart heeft gehouden voor onze oom,' antwoordt Elettra. 'En dat gaan wij nu ophalen.'

'Geweldig! Nu we toch bezig zijn, zullen we de tandarts dan ook maar even bellen om een afspraak te maken?' moppert Harvey. 'Sterker nog: misschien was die tand die we in het koffertje hebben gevonden wel van hem!'

'Waarom doe je nu zo boos?' reageert Mistral, want Harvey's negatieve houding begint haar op de zenuwen te werken.

'Hao!' roept Sheng op dat moment.

'Wat is er?'

De Chinese jongen laat de binnenkant van de kaft zien, die hij helemaal zwart heeft gekleurd met het potlood.

'Kijk! Dat heb ik iemand op tv zien doen: zo kun je tekst te voorschijn toveren die is doorgedrukt van de bladzijde ervoor...' legt hij uit. 'En het werkt!'

Op de zwartgekleurde bladzijde is in het wit een grote cirkel verschenen waarin in het kleine, hoekige handschrift van de professor een tekst is geschreven. Elettra vertaalt hem voor de rest:

Ik heb ontdekt & ik ben ontdekt
De Ring van Vuur
Zij zitten achter me aan
Ze lopen en graven
Kijken
Mompelen
Sluipen
Moorden
Ik hoor hun
woorden woorden woorden woorden WOORDEN
Het is begonnen
Wat verborgen is kan elk moment te voorschijn komen
Niemand kan zich
VOORGOED VERSTOPPEN

Het is al laat in de middag als de telefoon rinkelt in Hotel Domus Quintilia. Fernando Melodia vouwt met een ritselend geluid de *Gazzetta dello Sport* dicht, grijpt de hoorn en zegt: 'Hallo? O, ha Elettra.'

'Wie is dat, Fernando?' vraagt een schelle stem ogenblikkelijk. Tante Linda verschijnt in de deuropening en haar broer gebaart dat ze stil moet zijn.

'Nee, dat is prima, stel je voor...' zegt hij intussen. 'Het lijkt me een uitstekend idee om ze mee te nemen naar restaurant Montecarlo voor een pizza!'

'Is dat Elettra?' valt Linda hem in de rede, en haar stem klinkt nog indringender. 'Als het Elettra is, geef haar dan onmiddellijk aan mij.'

Fernando keert haar de rug toe, zodat de telefoondraad om hem heen wordt gewikkeld.

'Natuurlijk, ik zal het ze wel laten weten... De vader van Sheng is nog niet terug, maar de ouders van Harvey... Wat zeg je?'

Tante Linda ploft op de bank neer en beveelt hem streng dat hij haar de hoorn moet geven.

'Elettra, hier is je tante...' kan Fernando nog net uitbrengen, voor hij de telefoon kwijt is.

'Elettra!' roept Linda Melodia woest. 'Ik wil maar één ding weten: wat hebben jullie vannacht uitgespookt? Ik heb jullie voetsporen gezien!'

Fernando trekt zich terug achter de balie en moppert: 'O, ze zei dat ze wat tijdschriften waren gaan kopen op Largo Argentina. En dat ze niet terugkomen om hier te eten.'

Hij werpt een beschaamde glimlach naar de jonge vrouw met de donkere ogen die nu vanuit de eetzaal naar hem zit te kijken, en hij verdiept zich weer in zijn sportkrant.

'Zeg op, wat hebben jullie gisteravond gedaan?!' roept tante Linda nog een keer.

Er volgt een stilte.

'Elettra!' buldert Linda Melodia ongelovig. 'Hoe haal je het in je hoofd?!'

En ze hangt op.

'Wat hebben ze gisteravond gedaan?' vraagt Fernando geamuseerd, zonder op te kijken van zijn krant.

'Die dochter van jou leest veel te veel boeken!' zucht tante Linda. 'Weet je wat ze me wilde wijsmaken? Dat ze gisteravond op de Ponte Quattro Capi een man zijn tegengekomen bij wie later de keel is doorgesneden!'

'Potverdrie!' roept Fernando, en hij kan een zweem van bewondering voor de ongelooflijke smoesjes van zijn dochter niet verbergen.

'Ze zei ook dat het bericht op de voorpagina van de krant staat,' vervolgt Linda, terwijl ze terugloopt naar haar gast. 'Waanzin is het! Kinderen bedenken tegenwoordig de gruwelijkste dingen...'

Nieuwsgierig vouwt Fernando de *Gazzetta* weer dicht en werpt een blik op de voorpagina van de *Messaggero*: 'Wel, hier staat anders inderdaad dat ze iemand hebben gevonden langs de Tiber...'

'Fernando! Ga jij nu niet ook nog eens beginnen!'

De man haalt zijn schouders op en doet er waardig het zwijgen toe.

Een paar minuten later verlaat Beatrice opgetogen Hotel Domus Quintilia.

Haastig tikt ze een telefoonnummer in.

'Little Lynx? Misschien heb ik iets gevonden,' zegt ze in haar mobiel. 'We zien elkaar op Largo Argentina. Bij de kiosk.'

CENTURY

I G N I S

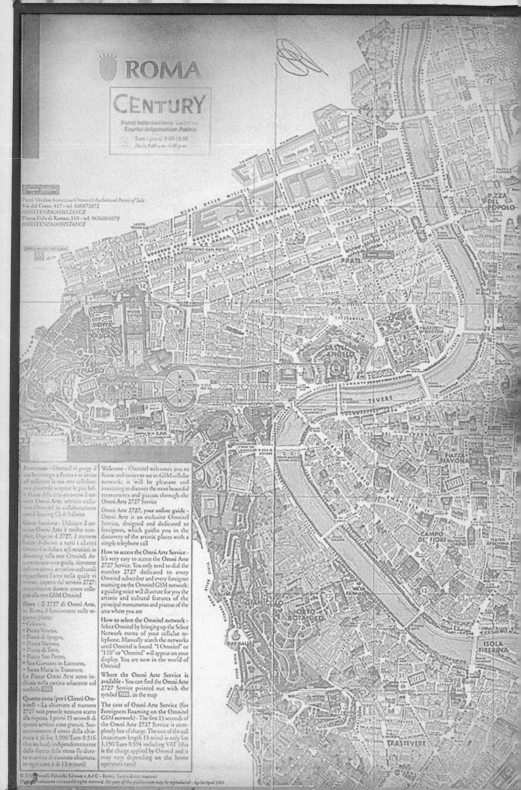

Liefste Vladimir,

Ik stuur je dit materiaal in de hoop
dat je er misschien iets aan hebt.
Ik heb de plekken in de stad opgezocht
waar het Pact is begonnen. De plekken
waar de vier kinderen, ónze vier
kinderen, het pad van Century zijn gaan
volgen. Wat je hier aantreft, is het
resultaat van een lange zoektocht. Het
is een ondankbare en vermoeiende taak
die we op ons hebben genomen. Ik smeek
je, let goed op hen. Elettra is mijn
enige nichtje. Ze heeft de roep
gehoord. En dat is het enige wat ik
weet. De rest behoort ons niet toe, en
noch ik, noch jij zullen ooit kunnen
ontdekken hoe het Pact heeft besloten
met hen te communiceren.
Na vele jaren, en na langdurig onderzoek, is het moment gekomen.

Irene

HOTEL ★★★ DOMUS QUINTILIA

Il Bed & Breakfast nel cuore di Roma

A Trastevere
a due passi da Santa Cecilia
e dall'Isola Tiberina

①

②

HOTEL
Domus Qui...

...ggero

i ROMA

...asa, abiterà nell'Am...

l'Agenzia per il Turismo, in via Giulia l'A...

COMITATI DI QUARTIERE

Stop anche a tavolino

...tizia che la storica scuola
...l Mai di piazza Madonna
...Monti non diventrà un cen-
...commerciale è stata accol-
...foria dalla Rete Sociale
...che da un anno e mezzo
...intrapreso una vera e pro-
...battaglia per preservare un
...di storia del rione. «Questa
...a - commenta Riccardo
... della Rete - dimostra che
...itorio può organizzarsi dal
...divenire un ottimo interlo-
...per risolvere dei conflitti.
...n villaggio nella città». E
... va alle manifestazioni,
... firme raccolte, alle ini-

...ziative in piazza, tutte pacifiche,
che hanno portato alla vittoria.
«Siamo le torri d'ascolto del no-
stro rione - prosegue - e continue-
remo su questa strada. Ci sono in-
fatti tanti spazi da riqualificare e
riconsegnare ai cittadini, come Villa Aldobrandini che ha una gran-
de quantità di spazi e padiglioni
inutilizzati e che potrebbe diventa-
re un punto di aggregazione». Ma
...Troisi parla anche di progetti di
pedonalizzazione e della lotta da
intraprendere contro i tavolini sel-
vaggi, perché «Monti ormai è un
tavolino ambulante». E soddisfat-
...anche Marisa de Iorio: «Vende-
...re un immobile a cui tutto il no-

In delizioso B&B a Trasteve...

Il B&B Hotel Domus Quintilia (Traste...

③

④

ANTICO CAFFE' GRECO
SRL VIA CONDOTTI 86
ROMA
PART.IVA 06369221004
TELEFONO 06/6791700

                              EURO

OPER.   4
CAPPUCCINO   5,20
BEVANDE   4,20

TOTALE   9,40

N.PZ   2   CASS. 1
07-01-2004 17:10 SC. 195

    ✓F AE 49401202

    ARRIVEDERCI E GRAZIE

⑤

⑥

Domus Quintilia
Caffè Greco

'liotheek
rs & lopers
Argentina
la Gatta

San Clemente

(7)

BIBLIOTHECA HERTZIANA
MAX-PLANCK-INSTITUT FÜR KUNSTGESCHICHTE

Prof. Alfred Van Der Berger
Wissenschaftlicher Assistent/Assistente scientifico

MAX-PLANCK-GESELLSCHAFT

Via Gregoriana, 28
00187 Roma

(8)

(9)

⑩

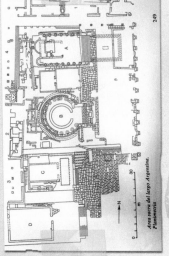

⑪

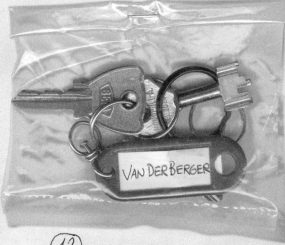

VAN DER BERGER

Bibliotheek rs & lopers San Clemente
Largo Argentina lla Gatta de metro
Professor

⑫

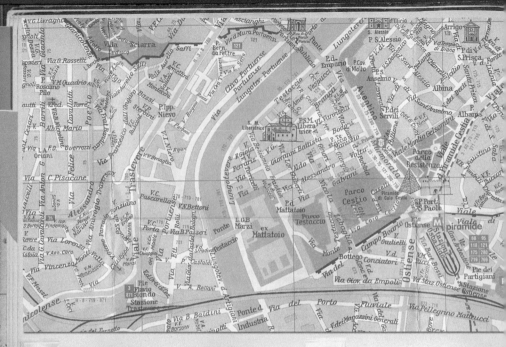

RIONE DEL TESTACCIO

(15)

(16)

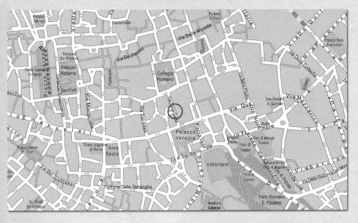

RAD VAN FORTUIN

17

19

VAN DER BERGER

20

21

(23)

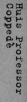

22

24

25

26

RETE URBANA METROPOLITANA E FERROVIARIA

ROMA NORD **F** VITERBO — FIRENZE

A Metro A (Anagnina - Battistini)
B Metro B (Rebibbia - Laurentina)
E F G Tranvie e ferrovie urbane COTRAL
FR1 FR2 FR3 FR4 FR5 FR6 FR7 Tratti urbani delle Ferrovie dello Stato
P Parcheggio

San Clemente de metro

Sant' Eustachio il Caffè

SANT' EUSTACCHIO
IL CAFFE' S.R.L.
P.ZA S.EUSTACCHIO 82 RM
P.I. 00936071000
TELEFONO 06/68802048

EURO
CAPPUCCINO 1,30
PASTICCERA (28) 0,90
PASTICCERA 0,90
TOTALE 3,10

05/09/2006 10-00
SCONTR. FISCALE 105
MFMR 42000670
ARRIVEDERCI E GRAZIE

(29)

Cica Cica Boom
Gelateria artigianale
Via Liguria, 38 - tel. 06. 4884745

PERCORSO da a
FIRMA
TAXI N
Importo corsa € 6,70
Data 5/5/06
Ore

(30)

da BUCATINO
taverna testaccio
TAVOLO RISERVATO

2 BIG Biglietto Integrato Giornaliero

Metrebus Roma
P. IVA 0634 1981006
Euro 4,00
Vale fino alle ore 24,00

(31)

INHOUDSOPGAVE

1   Visitekaartje Hotel Domus Quintilia

2   Foto ingang hotel

3   *Il Messaggero*, knipsel uit het katern van Rome

4   Interieur van Caffè Greco

5   Bonnetje van Caffè Greco

6   Portret van Prof. Van der Berger getekend door Mistral

7   Een opmerkelijk raam van de bibliotheek Hertziana

8   Visitekaartje van de bibliotheek

9   Een zaal van de bibliotheek

10   Heilig gebied van Largo Argentina

11   Huissleutels van Prof. Van der Berger

12   De kiosk van Largo Argentina

13   Ermete de Panfilis op zijn motor met zijspan

14   Lagers & Lopers

15   Het beeldje in de Via della Gatta

16   Tarotkaart op straat gevonden. Van de zigeunerin?

17   Potlood gevonden tussen het puin, misschien van Prof. Van der Berger geweest

18   Klein aantekenboekje gevonden tussen het puin

19   Polaroidfoto (het huis van Prof. Van der Berger voor de instorting)

20   Intercom (op een naamplaatje staat: Prof. A. van der Berger)

21   Fragment van de aantekeningen van de professor

22   Villa in de wijk Coppedè (Piazza Mincio)

23   Decoratief detail van de wijk Coppedè

24   Toegangsboog van de wijk Coppedè

25   Satellietfoto van Rome (Basiliek van San Clemente)

26   Het altaar van Mithra in de Basiliek van San Clemente.

27   Plattegrond van de metro

28   Bonnetje van café Sant'Eustachio

29   Betalingsbewijs taxi

30   Reservering restaurant Da Bucatino

31   Dagkaartjes voor metro en bus

32   De plattegrond waarop Prof. Van der Berger de wijken waar op 29 december de stroom uitviel, heeft aangegeven

33

34

35

36

37

38

39

40

41

42

43

44

45

46

47

48

De sterren, de lichtjes van de hemel, waken over de mensen, voor wier blik ze met hun rivalen wedijveren. Maar er is slechts één lot. Slechts één weg.

Alfred van der Berger

13
HET NIEUWS

Tussen de ruïnes van tempels op Largo Argentina wemelt het van de katten. Zonder zich iets aan te trekken van de sneeuw en het verkeer om hen heen kuieren ze kalmpjes rond, alsof de plek van hun is. Niet ver van hun en van de bushaltes waar hele hordes mensen staan te wachten staat een kleine kiosk die lijkt te zijn veroverd door reclameposters. Het gerimpelde gezicht van de eigenares is amper zichtbaar tussen de rijen tijdschriften die boven en naast elkaar zijn uitgestald.

Als de kinderen voor haar verschijnen, scheelt het weinig of de vrouw komt naar buiten om ze te omhelzen.

'Ik was zo bezorgd!' roept ze uit. Ze houdt de voorpagina van de Messaggero omhoog en zegt: 'Toen ik vanmorgen die foto zag, bleef ik er bijna in! Dit leek me precies de regenjas van jullie oom...'

Elettra, Sheng, Mistral en Harvey gaan er niet op in.

'Godzijdank! Godzijdank!' zucht Ilda opnieuw. 'Ik had hem al in geen dagen gezien, en als jullie me niet hadden gebeld was ik vanavond nog bij hem langs gegaan.'

'Dan is het maar goed dat we u hebben gebeld...' mompelt Elettra.

Ilda verdwijnt achter in de kiosk waar ze tussen kunststof bakken boordevol tijdschriften begint te rommelen, terwijl ze aan één stuk door blijft praten: 'Ik vond dat hij er doodsbang uitzag! Ik heb hem nog gevraagd of hij wel goed at, want hij was lijkbleek, en veel magerder dan normaal. Volgens mij woog hij nog geen zestig kilo, zonder dollen! "U leest te veel", zei ik tegen hem! "En u maakt zich veel te druk om alles".'

De kioskhoudster komt naar buiten schuifelen door een zijdeurtje. Het vrouwtje is een stuk kleiner dan de kinderen, maar ze heeft enorme schouders en armen: schijnbaar moeiteloos tilt ze vier plastic tassen volgepropt met leesvoer.

'Alles zit erin,' legt ze uit. 'In de eerste heb ik de belangrijkste tijdschriften gestopt... *Le Figaro*, *Le Monde*, *The New York Times*, de *Bombay Post*. Alleen de Pravda zit er niet bij, die wordt altijd te laat bezorgd. In deze tas heb ik de bladen van de Afrikaanse missionarissen gestopt, en de Argentijnse en Boliviaanse weekbladen. De Poolse en Finse maandbladen zitten in de derde tas, het komt immers allemaal uit het Noorden, nietwaar? In de laatste zitten dingen waarvan ik niet precies weet waar ze vandaan komen, want die taal herken ik niet.'

'Die neem ik wel!' biedt Sheng aan, en hij gluurt in de tas of er misschien Chinese bladen bij zitten.

Ilda bekijkt hem nieuwsgierig, verbaasd dat de professor ook een neefje met Oosterse trekken heeft, en zegt dan, alsof dat alles verklaart: 'Hij is echt een man van de wereld.'

De kinderen nemen elk een tas.

'Sorry, maar...' waagt Elettra. 'U zei net dat u vanavond naar onze oom zou zijn gegaan als wij niet gebeld hadden... Hebt u dan een sleutel van zijn huis?'

'Natuurlijk!' roept Ilda terwijl ze weer in de kiosk verdwijnt. Even later verschijnt haar gezicht weer tussen de kookbladen en overhandigt ze de kinderen een sleutelbos. 'Dit zijn de reservesleutels die de professor hier heeft achtergelaten. Hij vergat zijn sleutels vaak, en telkens als hij zich had buitengesloten kwam hij ze bij mij ophalen.'

Op de sleutelhanger zit een plaatje waarop met pen een adres is geschreven. Elettra heeft nog nooit van die straatnaam gehoord, maar ze wil niet nog meer vragen stellen.

Ze bedanken Ilda hartelijk en nemen afscheid van haar, waarna ze bij de eerste de beste metrohalte de trap af lopen en op zoek gaan naar een plattegrond van Rome.

'Lijn B,' zegt Harvey, die het adres als eerste gevonden heeft. 'Laatste halte.'

'Zijn we dan nog op tijd terug voor de pizza?' vraagt Sheng zich af, met de tas vol kranten en de rugzak op zijn rug.

De anderen geven geen antwoord.

Als ze uit de metro komen is het al donker.

De zon is achter de heuvel gezakt en de gebouwen lijken net mierennesten die langs de weg zijn ontstaan. De auto's razen voorbij en verlichten een stukje van de nacht met hun koplampen. Veel straatlantaarns zijn uit, andere knipperen voortdurend, alsof ze uitgeput zijn. Het asfalt stinkt naar vuil en zwerfhonden.

Elettra, Harvey, Mistral en Sheng lopen langzaam, de vier plastic tassen vol kranten met zich mee slepend.

'Denken jullie dat de professor dat allemaal las?' vraagt Sheng. 'En in al die talen?'

'Ik weet het niet,' antwoordt Elettra, die de sleutels in haar hand klemt. 'Maar daar zullen we waarschijnlijk snel genoeg achter komen.'

'Wat een akelig buurtje,' zegt Harvey. 'Nog erger dan de Bronx.'

De kinderen lopen langs muren vol grote, felgekleurde graffiti.

'Hier is het...' mompelt Elettra even later.

Ze staan stil voor de haveloze voordeur van een flatgebouw van vier verdiepingen, dat lijkt te worden platgedrukt tussen de andere betonnen gebouwen: een heel woud aan schotelantennes deint heen en weer op de aangrenzende balkons. Achter de ramen knippert het schijnsel van tv-schermen.

De straat is donker, smal, en het asfalt zit vol gaten. Het wrak van een brommer zit nog met een ketting vastgeklonken aan de enige straatlantaarn die het doet.

'Niet echt een gezellige wijk...' mompelt Mistral, en ze kijkt bezorgd om zich heen.

Harvey laat een somber kuchje horen. 'Dat gebouw ziet eruit alsof het elk moment kan instorten.'

'Weten we zeker dat dit het goede adres is?' vraagt Sheng. 'Volgens mij woont hier namelijk helemaal niemand...'

Alle ramen van het gebouw zijn afgesloten met aluminium rolluiken. Meer nog dan afgesloten, ze lijken wel gebarricadeerd.

Een auto schiet met knetterende uitlaat een zijstraat in.

'Laten we in elk geval niet op straat blijven staan...' stelt Elettra voor.

Ze beklimt de treetjes die naar de voordeur leiden. Bij de intercom zit maar één naamplaatje, handgeschreven op een stuk plakband.

'Het adres klopt...' mompelt Elettra. 'Kijk hier.'

Op het naamplaatje staat een ring getekend.

De intercom klinkt twee keer vergeefs.

Dan pakt Elettra de sleutels en draait de voordeur van het slot. Krakend gaat hij open. In de stoffige hal liggen tientallen enveloppen, die over de oude, kapotte tegels tot aan de trap zijn gegleden. De leuning is zwart, van oud hout. Er ligt een verwaarloosde fiets op de grond.

En er hangt een bedompte lucht.

Elettra zoekt het lichtknopje en drukt het in.

Een scheve hanglamp aan het plafond begint te sputteren, en gaat moeizaam aan. Een veel te fel licht schijnt genadeloos op de muren vol vochtplekken. Een hele verzameling metalen buizen van verschillende afmetingen loopt langs de trap en verdwijnt onder de grond. De elektriciteitsmeters lijken net plastic paddestoelen die op de pleisterkalk zijn gegroeid.

'Ik ga niet naar boven...' zegt Mistral.

'Ik ga liever naar boven dan dat ik hier blijf...' mompelt Sheng.

'Zou de trap het wel houden?'

'Ik heb nog nooit zoiets treurigs gezien.'

'Kom een keer naar Shanghai, dan laat ik je de huizen op de jonken zien.'

'Is er iemand?' roept Elettra vergeefs naar boven.

Omdat ze geen antwoord hoort, pakt ze de leuning vast en kijkt omhoog. 'Op welke verdieping zou het zijn?'

'Aangezien we al die tassen bij ons hebben en er geen lift is,' zegt Sheng, 'durf ik te wedden dat het op de bovenste verdieping is.'

'Ik denk dat je gelijk hebt,' antwoordt het meisje terwijl ze de trap oploopt.

Harvey trekt de voordeur achter zich dicht.

'Maar wel opschieten.'

'Pizza,' houdt Sheng hen voor, alsof dat een soort beloning is.

Zwijgend lopen ze de trap op, zonder al te veel om zich heen te kijken.

Als ze de eerste overloop bereiken, laat de lamp een soort elektrisch gekrijs horen.

En dan gaat hij uit.

'Er zijn hier geen lichtknopjes,' klaagt Elettra terwijl ze de muur aftast.

'En ook geen ramen,' zegt Harvey, die achteraan loopt.

'Alweer in het donker!' moppert Sheng. 'Het lijkt wel of we daarop geabonneerd zijn.'

'Hoorden jullie dat?' mompelt Mistral.

'Wat bedoel je?' vraagt Harvey.

'Dat geluid dat die lamp maakte! Dat was echt... heel griezelig.'

'Het was gewoon een lamp.'

Mistral balt haar vuisten. 'Het is niet normaal,' houdt ze vol. 'Het licht in het trapportaal hoort niet zomaar na een paar tellen uit te gaan.'

'Het is een oude elektriciteitsinstallatie in een oud gebouw,' zegt Harvey. De sombere maar nuchtere Harvey lijkt het rustigst van allemaal.

'Wacht hier op me...' zegt Sheng. Hij zet de tas met de kranten op de grond en doet de rugzak af. Hij loopt de trap af, terug naar de hal om opnieuw het eerste lichtknopje in te drukken.

'Er woont hier echt niemand...' zegt Elettra.

Behalve de voetstappen van Sheng op de trap is er geen enkel geluid te horen, geen stemmen, geen water dat door de leidingen stroomt. Het trapportaal is kil, kaal en verlaten.

'Barst!' klinkt de stem van Sheng even later. Hij worstelt met de lichtknop in de hal en geeft het dan op: 'Hij doet het niet.'

'Houston, we hebben een probleem...' zegt "astronaut" Harvey.

Elettra draait zich om in het donker, ze heeft het idee dat ze de ogen van de Amerikaanse jongen in het duister ziet glinsteren, alsof hij ook naar haar staat te kijken. 'Het licht is ons blijkbaar niet goed gezind...' fluistert ze.

'Vandaag niet in elk geval,' antwoordt Harvey. 'Zullen we het toch maar proberen?'

'Het is tenslotte maar gewoon een trap.'

En ze gaan verder omhoog, langzaam, in het donker.

Op de vierde verdieping laat een piepklein raampje dat uitkijkt op de straat een straaltje licht door. Net genoeg om het naamplaatje op de enige aanwezige deur te kunnen lezen: *Professor Alfred van der Berger.*

'Hij was dus toch echt een professor,' zegt Sheng.

Elettra belt aan. Een vol geluid galmt door het verlaten gebouw. Een paar tellen later steekt het meisje de sleutel in het slot en maakt de deur open.

Er komt een doordringende geur van tabak en papier uit het appartement.

Het lichtknopje werkt.

'Gelukkig,' verzucht Elettra.

Maar haar zucht van verlichting stokt in haar keel zodra ze naar binnen stapt.

Het is huiveringwekkend.

'Hallo? Vladimir, ze hebben Alfred vermoord.'

'Hou je me voor de gek? Dat... dat kan niet.'

'Het is toch echt waar. Het staat in de krant, op de voorpagina.'

'Hij hoefde alleen maar de voorbereidingen te treffen. Dat was de allermakkelijkste taak! Ook al was hij... de zwakste van allemaal.'

'Alfred was niet de zwakste.'

'Wel waar. En dat weet jij ook heel goed. Weet je nog van die wolven? Hij was ervan overtuigd dat hij werd achtervolgd. Hij was geobsedeerd door het idee dat hij werd achtervolgd.'

'Kennelijk had hij gelijk.'

'Is het hem in elk geval nog wel gelukt om...?'

'Hij heeft het koffertje afgeleverd en vlak daarna is hij vermoord.'

'Denk je dat ze daar juist naar op zoek waren?'

'Ik weet het zeker. Iemand is het koffertje op het spoor. Maar wie?'

'Ik ben het niet. En jij bent het niet.'

'We zijn met z'n drieën, Vladimir...'

'Je hebt zelf het antwoord gegeven.'

'Kunnen we haar niet opsporen?'

'De laatste keer dat ik haar sprak was ze in China. Twee jaar geleden.'

'Als het waar is wat je zegt, betekent het dat zij heeft gepraat.'

'Ja, ze heeft gepraat.'

'Maar met wie? En waarom? Zij wist toch ook dat je niet tussenbeide mag komen als het eenmaal begonnen is... Wie zit daarachter, Vladimir?'

'Geloof me, dat weet ik niet. We hebben het allemaal niet meer onder controle...'

'Zijn de kinderen in gevaar?'

'Ik weet het niet. Ik moet het... controleren. Misschien kan ik wel een telefoontje plegen.'

'Pleeg er dan maar honderd. Anders bedenk ik een manier om alles stop te zetten.'

14
HET APPARTEMENT

Er zijn geen meubels, geen schilderijen, geen tapijten.

Achter de voordeur van het appartement van Alfred van der Berger is alleen een gang, met aan beide zijden hele muren van boeken, zo hoog als het plafond. En midden in de gang liggen nog meer boeken, boven op elkaar gestapeld tot pilaren, krukjes, tafeltjes, verhogingen. Bladen, kranten, mappen en schriften beslaan elke vierkante centimeter van het appartement. Sommige pilaren zijn laag, andere hoger dan een meter, en sommige reiken tot aan het plafond. De bouwwerken van boeken laten enkel een nauwe doorgang over, waar je maar net doorheen kunt.

'Nee maar...' mompelt Sheng.

Er is niet eens ruimte om de tassen die ze bij de kiosk hebben gekregen neer te zetten. De lucht is muf en zwaar. Het licht van de luchter lijkt absoluut niet in staat om heel die wanordelijke papier-massa te verlichten.

'Zo te zien had hij dringend een boekenkast nodig...' zegt Sheng.

'Hij was hartstikke gek,' mompelt Harvey.

Mistral schudt volkomen verbluft haar hoofd.

Elettra zet een paar stappen in de gang, ze voelt de vloer trillen onder haar voeten.

'Jeetje...' mompelt ze terwijl ze naar die zee van boeken kijkt. 'Dit zijn wel echt héél veel boeken.'

Overal ligt stof.

Ze strijkt met haar handen over de ruggen van de boeken. Oude, in leer gebonden exemplaren, goedkope boeken, pocketuitgaven, Ita-liaanse titels maar ook boeken in het Engels, Russisch, Portugees. Lichte en donkere omslagen, fotoboeken, vergulde letters en letters zo zwart als de nacht.

'Niet te geloven...' mompelt ze terwijl ze verder doordringt in het papieren woud. 'Het hele appartement is zo.'

De gang leidt naar twee kamers die allebei volledig zijn bekleed met boeken. Er staat niet één meubelstuk, er zijn alleen maar nauwe doorgangen tussen de boeken, die samen een uniek labyrint vormen.

Mistral loopt langzaam achter haar vriendin aan. Overal hangt een geur van stof vermengd met papier en tabak.

'Raak niets aan...' fluistert ze. 'Raak niets aan.'

Ze is bang dat dat hele wankele bouwwerk van blaadjes van het ene op het andere moment op haar neer kan storten.

Harvey wil net de voordeur achter zich dichtdoen als Mistral hem toe-roept: 'Nee! Laat open, anders stikken we nog!'

Harvey knikt.

'Laten we de tassen maar buiten zetten,' stelt Sheng voor. 'Ik ben niet echt bang dat ze zullen worden gestolen...'

'Wat zou dit zijn?' vraagt Harvey terwijl hij de gang in loopt.

Aan de binnenkant van de voordeur hangt een klein schoolbord, waarop iemand twee kolommen getallen heeft genoteerd, en vervolgens steeds weer iets heeft uitgeveegd.

$$1000 - 70$$
$$915 - 68$$
$$560 - 69$$
$$452 - 70$$
$$390 - 69$$
$$345 - 65$$
$$230 - 60$$
$$142 - 58$$

'Het lijkt het handschrift van de professor...' zegt Sheng. 'Maar wat betekent het?'

'Ik heb geen flauw idee,' mompelt Harvey. 'Misschien de rekeningen die hij moet betalen? Of misschien het aantal boeken dat hier binnen is?'

'Het lijken twee omgekeerde optelsommen.'

'Maar de tweede kolom gaat eerst omhoog en dan weer omlaag.'

'Misschien een soort dieet,' oppert Mistral terwijl ze langzaam terug komt lopen. 'Mijn moeder houdt ook zo'n soort tabel bij op de koelkast.'

'Denk je dan dat de professor op dieet was?' bromt Harvey weifelachtig.

'De mevrouw van de kiosk zei dat hij heel mager was...' zegt Sheng. 'Zo mager als een lijk. Ik bedoel, ook toen hij nog leefde.'

'Als ik me niet vergis zei ze zelfs dat hij nog geen zestig kilo woog,' herinnert Mistral zich, terwijl ze naar het laatste getal op het bord wijst.

'En eerst woog hij zestig, vijfenzestig...' Harvey controleert de hele kolom. 'Op z'n zwaarst woog hij zeventig kilo.'

'Maar wat betekent die eerste kolom dan?'

Mistral schudt haar hoofd. 'Ik weet het niet, maar...' Ze haalt haar schetsblok tevoorschijn en schrijft de twee getallenkolommen geduldig over.

'Ik geloof dat ik de keuken heb gevonden!' roept Elettra intussen vanuit de wirwar van het appartement.

'Kom, we gaan kijken,' oppert Sheng.

Elettra loopt op haar tenen om niet het onaangename gevoel te hebben dat ze in het niets loopt. Ze is door een vertrek gekomen dat de eetkamer zou kunnen zijn, eveneens vol stapels boeken en kranten.

De keuken is een krappe, benauwde ruimte. Er staan borden opgestapeld in de gootsteen en het hele aanrecht ligt bezaaid met tijdschriften, met vochtige pagina's. Op de koelkast hangt een plattegrond van Rome die is opgehangen met vier magneetjes in de vorm van ruimteschepen. Met een rode stift heeft de professor cirkels getekend om bepaalde plekken op de kaart. Hij heeft erbij geschreven:

Het zal beginnen op 29 december!
Honderd jaar later.

Mistral komt als een spook opduiken uit het donker van de eetkamer. Zodra ze een voet in de keuken zet, krijgt ze het al benauwd.

'Wat heb je gevonden?' vraagt ze aan Elettra.

'Alleen deze plattegrond,' antwoordt ze. 'Rome. De professor heeft geschreven dat het op 29 december zou beginnen. Hij wist het dus heel nauwkeurig.'

Mistral schudt haar hoofd. 'Kunnen we hier niet weggaan? Ik vind het een doodenge plek.'

Elettra staat echter nog steeds naar de plattegrond te kijken. 'Hij heeft Trastevere omcirkeld...' zegt ze, wijzend op de plek waar haar hotel zich bevindt. 'En ook de wijken Parioli en Esquilino. Dat zijn drie van de wijken waar gisteren, de 29e, de stroom is uitgevallen... Wist de professor dat van tevoren? Had hij dat voorzien? Was dat het teken van het begin?'

In Mistrals blik vindt ze geen enkel antwoord op haar vragen.

'Elettra? Mistral?' roept Sheng intussen vanuit een andere ruimte in het appartement. 'Kom eens...'

'Ik heb misschien iets gevonden!' roept Elettra, en ze haalt de plattegrond van Rome van de koelkast af.

'Wij ook!' roept Sheng terug. 'Kom eens kijken!'

Dat laat Mistral zich geen twee keer zeggen. Ze pakt Elettra's hand vast en sleept haar de keuken uit. 'Wat hebben jullie gevonden?'

'Sterren,' antwoordt Harvey. 'Overal sterren.'

Het plafond van de slaapkamer van de professor is bedekt met een kaart van de sterrenhemel, bestaande uit tientallen blaadjes die zorgvuldig naast elkaar zijn geplakt. Gearceerde lijnen verbinden de helderste sterren en vormen zo lichtende sterrenbeelden die eeuwenoude namen dragen: de Draak, de Riem van Orion, Hercules, de Hondsster, Auriga, de Kleine Beer, de Poolster, de Grote Beer. Sommige sterren zijn gemerk met rode cirkels, als de bootjes bij een potje Zeeslag.

'Zo te zien bestudeerde de professor de sterren,' zegt Harvey terwijl hij op het matras gaat zitten om het plafond te bekijken.

Rondom het bed is wat meer lucht, en lijken de boeken minder drukkend.

'En nog miljoenen andere dingen,' voegt Elettra eraan toe.

'Heeft iemand van jullie verstand van astronomie?' vraagt Sheng.

'Totaal niet,' zucht Harvey. 'Maar ik kan het wel aan mijn vader vragen. Hij doceert astronomie aan de universiteit.'

'De professor bestudeerde de sterren om te ontdekken... tja, wat eigenlijk?'

'Dat... geheim, denk ik. Die Ring van Vuur. Om die te vinden moet je de kaart gebruiken en... als je laag zoekt zal je hem hoog vinden... of iets dergelijks,' zegt Mistral terwijl ze door haar schetsblok bladert op zoek naar haar aantekeningen.

'Heel simpel!' roept Sheng cynisch.

'Wat kan er nu zo belangrijk zijn?' vraagt Mistral zich af.

'Iets waar ook anderen naar op zoek zijn... een geheim dat ze niet mogen ontdekken... maar waarvoor ze bereid zijn een moord te plegen...' komt Sheng haar te hulp.

'Als je laag zoekt, vind je het hoog...' herhaalt Elettra. 'Hoog, daar zijn de sterren, toch?'

'En laag?'

'De vloer,' zegt Sheng.

'En op de vloer?'

'Wij. En duizenden kilo's boeken.'

'En diezelfde rode cirkels...' zegt Elettra, wijzend naar enkele cirkels die op de weinige lege plekken waar geen boeken liggen zijn getekend.

'Wat zou dat betekenen?'

'Ik weet het niet,' geeft ze toe. Ze loopt de slaapkamer uit om het te onderzoeken. 'Maar in de gang zijn er nog meer.'

'Het lijken wel de cirkels op een schatkaart,' zegt Sheng. 'Je weet wel, zo van: hier graven!'

'Ik snap het niet,' zegt Harvey. 'Ik snap er niks van. Misschien... misschien gaan we veel te snel. Misschien hadden we eerst eens het boek uit het Grieks moeten laten vertalen, dat we in de bibliotheek hebben gevonden. Of het notitieboekje van de professor nog eens heel aandachtig moeten doorlezen.'

Sheng schudt met zijn rugzak. 'Het zit allemaal veilig en wel hier in.'

Mistral wijst Harvey op een boek dat op het nachtkastje ligt. 'Kijk eens wat hij aan het lezen was.'

De jongen strekt zich uit over het bed om het te pakken. Hij veegt het stof eraf en zegt: 'Zo te zien is het lang geleden sinds hij dit voor het laatst heeft opengeslagen. Het heet: *Naturales Quaestiones - De Cometis*. Over kometen. En het is van Seneca.'

Sheng knipt met zijn vingers: 'De leermeester van Nero!'

'Precies,' beaamt Harvey al bladerend. 'Het is helemaal in het Latijn geschreven, als iemand dat zou kunnen vertalen...'

'Even alles op een rijtje zetten,' zegt Sheng. 'We hebben een tand, een ding dat de professor de "houten kaart" noemt, vier tollen, een onbegrijpelijk boek in het Grieks en een onbegrijpelijk boek in het Latijn.'

'Gefeliciteerd met deze heldere uiteenzetting,' grinnikt Harvey.

'En dan hebben we ook nog die geheimzinnige *zij* die de enige persoon die ons had kunnen uitleggen hoe al die dingen in elkaar passen, hebben vermoord. Ben ik nog iets vergeten?' besluit Sheng.

'Afgezien van de buitenaardse wezens, de Amerikaanse geheime dienst en een eiland waar het wemelt van de dinosauriërs... verder niets, professor Sheng,' antwoordt Harvey en hij geeft hem met een theatraal gebaar een hand.

'Goed,' zegt Elettra. 'Wat we weten is dat we op het spoor zijn gekomen van iets wat de Ring van Vuur wordt genoemd, en dat die kennelijk eeuwenoud is... En dat hij in Rome verborgen ligt. We weten dat de professor er al jaren naar op zoek was, en misschien had hij hem op een van deze plekken gevonden.'

Ze wijst naar de plattegrond van Rome met de rood omcirkelde wijken.

Precies op dat moment rinkelt de telefoon.

Sheng slaakt een kreet van schrik. Mistral slaat haar schetsblok met een klap dicht en laat het op het bed ploffen.

En de kinderen voelen een ijskoude rilling over hun rug lopen.

'Hier moet het zijn...' zegt Beatrice terwijl ze haar Mini langs de kant van de weg parkeert.

Jacob Mahler glijdt in één vloeiende beweging uit de auto.

'Hé! Wacht even!' protesteert Little Lynx, die nog op de achterbank geperst zit. Hij grijpt zich vast aan de hoofdsteun en het dakje van de auto om zich eruit te hijsen. Als hij eenmaal op straat staat, probeert hij vergeefs zijn kleren glad te strijken.

'Had je niet een echte auto kunnen kopen?' klaagt hij tegen Beatrice.

'Wees blij dat ik deze nog terug heb gekregen,' antwoordt ze.

Jacob Mahler staat naar een grijs gebouw van vier verdiepingen te kijken. Hij wijst naar de bovenste verdieping, waar licht brandt. 'Er is nog iemand...' zegt hij. 'Perfect.' Hij haalt de strijkstok van zijn viool uit de vioolkist en zwaait ermee alsof het een zwaard is.

Beatrice bekijkt het gebouw snel. De kioskhoudster van Largo Argentina heeft hen verteld over de neven en nichten van de professor, en waar ze naar op weg waren. Kennelijk was het een tweede huis, als je Little Lynx moest geloven, want die volgde Alfred van der Berger al een paar weken en hij had hem nooit in deze wijk gezien. De professor sliep in een eenkamerappartement in het centrum, niet ver van het Caffè Greco. Een eenkamerappartement dat naderhand volkomen leeg was gebleken, afgezien van wat kleren.

'Wat een plek!' moppert Little Lynx, die ergens in is getrapt met een van zijn cowboylaarzen. Hij probeert de zool schoon te vegen aan een hoop sneeuw, maar geeft het uiteindelijk op. 'Echt een smerige plek.'

Beatrice zet de alarmlichten aan. 'Zullen we boven gaan kijken?'

Jacob Mahler schudt zijn hoofd. 'Wij gaan.' Hij gebaart naar Little Lynx, die als een everzwijn achter hem aan dribbelt.

Beatrice geeft geen kik, maar staart vol haat naar Mahlers rug.

'Jij blijft hier met draaiende motor wachten,' beveelt de moordenaar.

Dan steekt hij de strijkstok in de gleuf van het slot, laat de voordeur openspringen en gaat het gebouw binnen.

Little Lynx gaat achter hem aan. Hij knipt een zaklamp aan en draait zich nog één keer om naar Beatrice. 'We zijn zo terug, schoonheid...'

Daarna is hij verdwenen.

15
DE TELEFOON

Elettra kijkt koortsachtig om zich heen, terwijl de telefoon van professor Alfred van der Berger maar blijft rinkelen.

Hij moet ergens in de buurt zijn, bedolven onder de tientallen krantenpagina's waarmee de slaapkamer bezaaid ligt.

Mistral duikt tussen een stapel vergeelde agenda's, tilt een opgevouwen landkaart van Kilmore Cove[2] op en grijpt een oud bakelieten telefoontoestel vast, dat ze de anderen voorhoudt. 'Hier is hij!'

'Neem op!' spoort Harvey haar aan.

'Dat kan toch niet!' protesteert ze. 'Het moet iemand met een mannenstem zijn.'

---

2   Wie de boeken van Ulysses Moore kent, weet waar Kilmore Cove ligt.

Sheng en Harvey kijken elkaar aan. Harvey grijpt de hoorn uit Mistrals handen, en houdt hem in een opwelling voor Shengs oor.

'Hé!' roept de Chinese jongen verbouwereerd. En meteen daarna in zijn beste Italiaans: 'H-hallo?'

'Professor, met Ermete!' Een mannenstem, tamelijk jeugdig. Tamelijk bezorgd. 'Bent u het, professor? Ik hoor u heel slecht! U moet dat stomme toestel toch echt eens vervangen.'

Sheng legt zijn hand over de hoorn en spert zijn ogen wijdopen, overvallen door paniek.

Elettra en de anderen gebaren dat hij moet doorgaan.

'G-goedenavond,' zegt Sheng in de hoorn.

'Alles goed? U klinkt vreemd. Wat is er aan de hand? Ik probeer u al de hele week te bereiken!'

'Alles goed,' fluistert Sheng, met een zo laag mogelijke stem. 'Weg. Ik was... weg.'

'Ik snap het. Luister naar me...' De geheimzinnige beller klinkt alsof hij door de duivel achterna wordt gezeten. Zijn stem wordt gedeeltelijk overstemd door een luid bulderende motorfiets. 'Ik denk dat ik weet hoe de kaart werkt.'

'De... kaart?'

'De kaart, professor! Die proberen we toch al maanden te door-gronden! Gisteren zat ik een stripverhaal te lezen en toen kreeg ik ineens een ingeving. Het is precies zoals u al zei, natuurlijk. Hij is absurd eenvoudig te gebruiken, en absurd oud. Begrijpt u me?'

'Absurd...' herhaalt Sheng, die geen idee heeft wat hij zou moeten antwoorden.

Elettra houdt haar oor in de buurt van de hoorn en luistert mee. 'Vraag wie hij is,' doet ze met haar lippen.

'Ik bedoel, eerlijk gezegd niet...' zegt Sheng. 'Ik begrijp er niet veel van.'

Motorgeronk.

'Luister,' vervolgt de man, 'ik heb nu geen tijd om in detail te treden. Maar één ding weet ik nu wel zeker: hij is niet Romeins en ook niet Grieks. De tekst op de zijkant is later aangebracht. En ik heb een paar inscripties op de achterkant ontcijferd: die zijn allemaal van later datum. Ik zeg u dat die kaart ver vóór Christoffel Columbus, vóór Seneca en vóór Alexander de Grote is gemaakt!'

'Hm... Dat is mooi...' mompelt Sheng.

'Mooi? Dat is fantastisch, zou ik zeggen! Luister: als ik het goed heb, moeten we hem zo snel mogelijk uitproberen. Wanneer kunnen we elkaar zien?'

'O... wel...' Elettra fluistert iets tegen Sheng. 'Morgen kan het,' antwoordt Sheng.

'Bij mij in de winkel, is dat goed?'

'Bij jou in de winkel,' knikt Sheng. Dan kijkt hij naar Elettra, die haar ogen wanhopig openspert. 'Hao!' roept hij dan. 'Maar waar is die winkel... precies?'

'In Testaccio natuurlijk! In Lagers & Lopers!'

Elettra herhaalt het zachtjes voor Mistral, die alles opschrijft in haar schetsblok.

'Geweldig,' bromt Sheng.

'Dan verwacht ik u. En neem alstublieft ook de tollen mee.'

Zodra de onbekende heeft opgehangen doet Sheng zijn ogen dicht, laat de telefoon uit zijn hand vallen en ploft achterover op de grond, waarbij de hele kamer dreunt als een grote trom.

Mistral knielt naast hem neer. 'Je was geweldig!'

Sheng strijkt over zijn voorhoofd. 'Nee maar! Hoe hebben jullie me zo ver gekregen om dat te doen?'

'Wat je ook gedaan hebt,' zegt Elettra, 'nu je eenmaal op die vloer bent gaan liggen, krijg je dat stof nooit meer uit je kleren.'

Sheng doet zijn ogen open. 'Denk je dat dat mij iets kan schelen?'

'Leg jij het dan maar uit aan tante Linda!' grinnikt Elettra.

'Dat was krankzinnig... hao!' roept Sheng terwijl hij Harvey aankijkt, die zijn handen in de lucht steekt om zich te verontschuldigen omdat hij zomaar de hoorn heeft doorgegeven aan Sheng.

De kinderen vatten snel samen wat er gezegd is, en dan krabbelt de Chinese jongen weer overeind, waarbij hij een wolk van stof doet opwaaien.

'En nu?' vraagt Harvey.

'En nu gaan we eindelijk die pizza eten,' antwoordt Sheng, terwijl hij over zijn buik wrijft. 'Dan gaan we lekker slapen en morgen gaan we naar die vent om te vragen wat hij heeft ontdekt over die kaart.'

'Denk je dat we hem kunnen vertrouwen?'

'Ik denk het wel.'

'En wat nu als hij... een van *hen* is?' houdt Harvey vol. 'Misschien is dat telefoontje wel een valstrik.'

'Ach, jij ziet overal valstrikken!' protesteert Sheng. 'Wat denken jullie ervan?'

Mistral is het met hem eens, maar Elettra twijfelt.

'Hoe dan ook...' zegt Harvey terwijl hij weer op het bed gaat zitten. 'Als we eenmaal weten hoe de kaart werkt, wat moeten we daar dan mee?'

'Dan gebruiken we hem om bij de Ring van Vuur te komen...' begint Sheng weer. 'De professor heeft geschreven dat je eerst moet weten hoe de kaart werkt om bij die ring te komen. En als die vent nu doorheeft hoe hij werkt... dan hebben we het probleem opgelost.'

'Dat tussen twee haakjes helemaal niet ons probleem is,' benadrukt Harvey. 'Ik bedoel, dat was het niet totdat jij, Elettra, zo nodig een koffertje van een onbekende meende te moeten aannemen.'

'Zo ging het niet helemaal,' protesteert ze. 'Of moet ik je er soms aan helpen herinneren hoe we elkaar hebben ontmoet?'

'Vanwege een vergissing van je vader met de reserveringen.'

'En onze verjaardagen dan? En de stroomuitval?'

'En mijn gele ogen?' voegt Sheng eraan toe.

Elettra wijst naar de plattegrond van Rome met de zeven cirkels. 'De professor wist het. Kijk hier! Hij heeft precies de wijken gemarkeerd waar het licht is uitgevallen. En luister eens wat hij heeft geschreven: *Het zal beginnen op 29 december!*'

Harvey bijt op zijn lip. 'En wat wil je daarmee zeggen?'

'Daarmee wil ze zeggen,' mengt Mistral zich in het gesprek, 'dat alles wat hier gebeurt met elkaar te maken lijkt te hebben...'

'We zijn immers allevier hier? En het is zeker geen toeval dat we hier zijn!' roept Elettra.

'O nee, wat is het dan wel?'

Sheng kijkt Mistral aan en snuift. 'Wat een eigenwijs ventje, hè?'

'Ik probeer alleen maar logisch te redeneren,' antwoordt Harvey. 'Kennelijk ben ik de enige hier die dat wil. Als we zo doorgaan, als kippen zonder kop, dan verliezen we nog alle contact met de werkelijkheid. Ik bedoel: dan riskeren we net zo te eindigen als de professor. En als Nero.' Hij draait met zijn wijsvinger rondjes tegen zijn slaap. 'Dan worden we gek. En misschien is dat wel precies wat *zij* doen. Dat ze je helemaal gek maken.'

'Zal ik eens wat zeggen?' kapt Mistral de discussie af. 'We maken dat we hier wegkomen en we gaan een pizza eten. Dan kunnen we het er later nog wel over hebben.'

En zonder af te wachten of de anderen met haar mee komen, loopt ze de kamer uit.

De andere drie treuzelen nog even. Harvey bladert door het schetsblok van Mistral dat op bed is blijven liggen, en hij is vol bewondering voor haar tekentalent. Er staan schetsen in van hun vieren in het Caffè Greco, van de bibliotheek Hertziana, van de zuilen op Largo Argentina.

'Ik hoef niet zo nodig zo'n geheim achterna te zitten, jongens...' besluit hij, terwijl hij het dichtklapt op zijn schoot. 'En ik wil niet achterna worden gezeten door een bende geheimzinnige... *zij*... die het op me gemunt hebben.'

Elettra's gezicht is een en al teleurstelling. 'Als je er zo over denkt... niemand kan je dwingen om bij ons te blijven.'

Harvey staat op van het bed. 'Precies. Ik vind dat we nu moeten stoppen, vanavond nog. Niks kaart, Lagers & Lopers, Ring van Vuur... Het is allemaal waanzin. Er is niks concreets...'

Ineens gaat Harvey zachter praten.

Er komt iemand de trap op lopen.

'Horen jullie dat ook?' fluistert hij tegen de rest.

'Waar is Mistral?' vraagt Sheng, om zich heen kijkend.

'Mistral?' sist Elettra.

Geen antwoord. Het drietal blijft naast het bed van de professor staan luisteren. Auto's in de verte. De roerloze lucht van het appartement. De koelkast in de keuken die staat te zoemen en zo nu en dan met een schok aanslaat.

'Mistral?' fluistert Elettra nog eens.

Een geluid. Harvey grijpt haar pols vast.

Elettra knikt. Zij heeft het ook gehoord: het was de trapleuning.

En dan voetstappen op de treden.

Er komt iemand naar boven.

Elettra loopt naar de deuropening van de slaapkamer en schrikt. Mistral staat aan het andere uiteinde van de gang, roerloos als een spook. Haar ronde ogen staan wijdopen, doodsbang.

Elettra gaat op de grond liggen en gluurt over de drempel naar de voordeur die ze open hebben laten staan.

Met bonzend hart ziet ze het licht van een zaklamp heen en weer schijnen over de trap.

Sheng komt naar haar toe kruipen. Harvey blijft op zijn hurken achter hen zitten.

'Er komt iemand naar boven...' fluistert Elettra.

'Wie?'

'Weet ik niet.'

Ze luisteren naar de voetstappen.

Het zijn minstens twee personen.

Wie het ook zijn mogen, ze zijn nu bijna boven. Elettra gebaart naar Mistral dat ze bij hen moet komen, maar het meisje schudt haar hoofd en wijst naar haar voeten. Ze staat in een van de rode cirkels op de vloer.

De zaklamp heeft de overloop bereikt.

De eerste persoon die in de deuropening verschijnt lijkt wel een vampier. Hij is in het zwart gekleed, lang, mager, met spierwit haar en een viool in zijn hand. Achter hem sjokt een soort walvis op poten, die de zaklamp in de hand heeft en zich hijgend aan de trapleuning vasthoudt.

'*Zij* zijn het,' fluistert Sheng. 'Ze zijn gekomen.'

De lange, magere man blijft voor de deur staan en tilt langzaam zijn viool op, die hij tussen zijn schouder en zijn kin vastzet. In zijn rechterhand blinkt nu een strijkstok. Hij plaatst hem voorzichtig op de snaren en begint een smartelijke, hypnotiserende melodie te spelen, die als honing het appartement van de professor binnenglijdt. Het zijn zoete, volmaakt ronde klanken. Traag en lieflijk dringen ze tussen de boeken door en strelen de oren van de kinderen.

Elettra voelt haar oogleden zwaar worden. Ze knippert een paar keer en laat ze dan dichtvallen.

Als ze haar ogen weer opent, stokt de vioolmuziek ineens. De man schopt tegen de deur, zodat die tegen de muur aan klapt.

Hij staat binnen.

De muziek danst samen met hem door de gang, verleidelijk. Het zijn klanken die vertellen van slaap, van rust, van kalmte. Elettra dwingt zichzelf haar ogen open te houden. Sheng, naast haar, is plotseling in slaap gevallen. Een vreselijk diepe slaap.

Harvey ligt op het bed van de professor, met zijn hoofd onder het kussen.

Ik wil niet... slapen, herhaalt Elettra voortdurend in zichzelf, en ze duwt haar nagels bijna tot bloedens toe in de vingertoppen van haar andere hand.

Haar polsen voelen zwak, alsof al het bloed eruit is weggetrokken, en haar oogleden voelen loodzwaar.

Jullie moeten openblijven... herhaalt ze koppig. Jullie moeten openblijven...

Wanneer haar krachten dreigen weg te ebben, houdt de muziek ineens op. Elettra kan Mistral zien, die een stap naar voren zet in de gang. Ze houdt haar handen tegen haar oren gedrukt, en ze roept: 'Hou op! Hou op!'

'Dag meisje,' fluistert Jacob Mahler.

Achter hem op de overloop staat Little Lynx te wankelen als een potvis die is gehypnotiseerd door het gezang van de sirenen.

Mistral haalt haar handen van haar oren en schudt haar hoofd. 'Hou op met die muziek, hou op,' mompelt ze.

Er verschijnt een gemene grijns op het gezicht van Jacob Mahler. Hij laat de viool en de strijkstok zakken. 'Dus jij bent de gevoeligste van het groepje... Ik zal niet meer spelen, dat beloof ik. Maar dan moet jij niet gaan huilen, oké? Want ik heb een gruwelijke hekel aan huilende mensen.' Hij zet twee stappen in haar richting en voegt eraan toe: 'Je hebt trouwens ook helemaal geen reden om te huilen.'

Aan het andere uiteinde van de gang ligt Elettra op de grond, haar ogen zwaar, gesloten, ze is helemaal versuft door de muziek die haar hoofd is binnengedrongen. Sheng ligt met zijn mond wijdopen, nog even en hij begint te snurken. Harvey ligt onbeweeglijk op het bed, als verlamd met zijn hoofd onder het kussen.

De vloer begint dreigend te trillen.

Elettra verstijft ineens, alsof ze in de diepte valt. Net als wanneer je in je slaap ineens je evenwicht verliest.

Ze doet haar ogen open.

Mistral staat te praten.

'Alstublieft...' zegt het Franse meisje, en ze kijkt Mahler aan terwijl hij dichterbij komt. 'Wat wilt u? We hebben niets gedaan...'

'Jullie hebben niets gedaan. Maar toch wil ik iets.' De ijskoude blik van Jacob Mahler bekijkt de wanden en pilaren van boeken zonder ook maar enige verbazing te verraden. 'Dus ik vraag het je maar één keer: hebben jullie het meegenomen?'

'Wat?' vraagt Mistral.

'Mijn koffertje.'

'N-nee.'

'Nee omdat jullie het niet hebben meegenomen, of nee omdat je me geen antwoord wilt geven?'

Mistral kijkt om zich heen. Ze ziet Elettra en Sheng op de vloer van de slaapkamer liggen. 'Nee omdat het niet jouw koffertje was,' antwoordt ze.

Elettra doet haar ogen weer dicht.

'Oké, goed dan...' sist Jacob Mahler terwijl hij de viool weer opheft.

'Nee!' kreunt Mistral, en instinctief doet ze haar handen weer voor haar oren. 'Hou op met die muziek!'

'Waar is mijn koffertje?' vraagt de man, terwijl hij nog twee stappen verder het appartement in zet.

Liggend op de grond merkt Elettra ineens dat ze beeft.

Maar meteen daarna beseft ze dat zij het niet is die beeft... Het is de vloer.

Jacob Mahler heeft iets vreemds gemerkt, en zijn stem klinkt uiterst gespannen.

'Luister...' zegt hij. 'Ik weet dat je het hebt, dat jullie het hebben... Dus roep je vriendjes er maar bij en geef me mijn koffertje terug.'

Mistral schudt koppig haar hoofd.

'Hoe is het mogelijk,' vervolgt de man, 'dat een lief, gevoelig meisje als jij zich op zo'n akelige plek bevindt als deze? Wat doe je hier eigenlijk, hm? Ik denk dat je ouders heel kwaad zouden worden als ze dit zouden weten...'

'Ik heb alleen mijn moeder nog...' antwoordt Mistral, terwijl ze achteruit deinst in de richting van de eetkamer. 'En die wordt nooit kwaad.'

Jacob Mahler glimlacht, maar het lijkt alsof zijn glimlach probeert een woedeaanval te onderdrukken die elk moment tot uitbarsting kan komen. 'Dan bof je. Ik wil je een voorstel doen: jij vertelt me nu waar je mijn koffertje hebt verstopt... en dan laat ik je terugkeren naar je moeder. Wat zeg je daarvan?'

'Dat ik dat koffertje niet heb...'

'En wie heeft het dan wel?'

'Nero,' zegt het meisje, en uitdagend werpt ze Jacob Mahler een ferme blik toe.

16
DE VLOER

De vloer van het appartement ondergaat een hevige schok, en er vallen een paar boeken op de grond.

Elettra komt ineens weer bij. Harvey zit naast haar, met zijn hand op haar schouder.

'Hoeveel weeg je?' fluistert hij.

'Hoezo?'

'Ik snap nu wat die getallen op de deur voorstellen... Het zijn...'

Een tweede schok, nog heviger dan de eerste, brengt hem uit zijn evenwicht zodat hij boven op haar valt.

De muren van het appartement laten een langgerekt gekreun horen, en er glijden nog meer boeken op de grond.

'Help!' schreeuwt Sheng die plotseling wakker wordt en beseft dat de vloer van de slaapkamer opzij helt.

Elettra kijkt naar de gang. De muren van boeken lijken op te bollen als zeilen. Een afschuwelijk geluid verspreidt zich onder hen, gevolgd door een metalig geknerp, als scheurende buizen.

'Het is een valstrik, snap je?' zegt Harvey terwijl hij weer overeind probeert te komen. 'De tweede kolom geeft het gewicht van de professor aan. En de eerste het gewicht dat de vloer van het appartement nog kon houden!'

Een derde schok.

'Hoeveel?' vraagt Elettra met grote ogen.

'142 kilo,' antwoordt Harvey, en hij helpt haar overeind.

Bij de derde schok kijkt Little Lynx om zich heen, op zoek naar zijn collega.

'Hé, Mahler!' roept hij, nog een beetje versuft van de muziek. 'Wat gebeurt hier?'

Hij ontwaart de witte haardos van de moordenaar in het appartement en zet een paar stappen in zijn richting. 'Wat zijn dat in godsnaam allemaal voor blaadjes die hier rondfladderen?' mompelt hij.

Hij is nog maar net over de drempel gestapt of Mahler ziet hem en brult: 'Blijf staan!'

'Wat?' mompelt Little Lynx, en zijn mond hangt open van verbazing.

Hij zet nog een halve stap, en dan opent zich ineens een afgrond onder zijn voeten, die hem opslokt.

'Hé!' kan hij nog net uitbrengen voordat hij in een wolk van stof verdwijnt.

De afgrond breidt zich uit over de hele gang. Bergen van boeken storten tegen elkaar aan als reusachtige dominostenen.

'Alles stort in!' schreeuwt Mistral.

In de slaapkamer klemt Elettra zich aan Harvey vast, die roept: 'De rode cirkels! Zoek een van de rode cirkels op de grond!'

'Sheng! Mistral! De rode cirkels!'

De vloer van de gang klapt met een enorm gedreun achterover en verdwijnt dan met een klap in een wolk van stof. De muren buigen door, de leidingen exploderen in een enorme waterval, de tegels verpulveren als zand.

Elettra houdt Harvey stevig vast, ze is zich nergens meer van bewust, alleen van het geluid.

Ze heeft geen idee waar ze is, of ze stilstaat of juist naar beneden stort.

Er is overal stof, alleen maar stof. Dan hoort ze een kreet, die van Mistral zou kunnen zijn, of misschien ook niet.

Ze probeert zich los te wurmen van Harvey, maar zijn arm verhindert dat, hij houdt haar stevig en beschermend vast. Tegen haar wang aan voelt ze de wang van Harvey. En zijn stem die haar toefluistert: 'Alles komt goed. Alles komt goed...' terwijl de wereld om hen heen instort.

De twee knielen neer en gaan op de grond zitten. Ze wachten. Nu horen ze water stromen. Ze zien knipperende lichten. Daar is Sheng, die hoest. Zijn rugzak die even opduikt uit een wolk van stof.

Elettra probeert haar benen te bewegen. Langzaam begint ze te beseffen dat ze op een soort vlot zit dat in het niets zweeft. En dat Sheng ook balanceert op een stuk vloer dat intact is gebleven.

En Mistral?

Elettra doet haar ogen dicht.

Haar benen bungelen in het niets, als die van een koorddanser.

Zittend in de Mini ziet Beatrice de voordeur van het gebouw de straat op vliegen, als de kurk van een champagnefles, gevolgd door een enorme stofwolk. Ze zet de autoradio af, gooit het portier open en springt uit de auto.

Dan pas hoort ze het geluid. Een dof, bulderend geraas dat opstijgt uit de oude muren van het gebouw.

Ze ziet mensen die door de ramen kijken. Ze hoort deuren slaan en de eerste kreten die herhalen: 'Een aardbeving!'

Maar het is geen aardbeving.

Beatrice slaat haar handen voor haar mond. 'Het stort in!'

Ze is nog niet uitgesproken of het gebouw helt achterover, wankelt, en klapt dan dubbel als een melkpak dat in de vuilnisbak wordt gepropt.

Beatrice zoekt dekking achter het portier van haar Mini. Het knipperende alarmlicht schittert in het stof.

De mensen komen uit de aangrenzende gebouwen rennen. Sommigen gaan er schreeuwend vandoor. Anderen blijven staan kijken.

Daar komt een man kalm op haar af lopen.

'Dat is onmogelijk...' mompelt Beatrice als ze Jacob Mahler herkent.

Hij zit van hoofd tot voeten onder het stof. Zijn kleren hebben dezelfde kleur als zijn haar, maar hij loopt onverstoorbaar, alsof er niets gebeurd is. In zijn ene hand houdt hij de viool vast. Met de andere sleept hij een meisje achter zich aan.

Beatrice heeft het idee dat ze een spook ziet.

'We gaan,' zegt het spook terwijl hij het meisje achter in de auto duwt en zelf voorin gaat zitten.

Zijn gezicht is een aarden masker.

Beatrice schakelt naar de achteruit en rijdt met piepende banden naar achteren. De auto raakt het trottoir. Ze schakelt naar de eerste versnelling, maakt een scherpe draai, toetert en kan nog net twee mensen ontwijken die midden op straat staan te kijken.

'Waar is Little Lynx?' vraagt ze.

'Dood,' zegt Mahler.

'Hoe kwam het?'

In de verte horen ze de eerste sirenes aankomen.

'Te veel gegeten,' grinnikt de moordenaar.

17
HET BED

Elettra doet haar ogen open. Ze ligt op een matras, met haar hoofd op een kussen en met een ander bed boven haar.

Het is haar eigen stapelbed.

Ze knippert met haar ogen en kijkt om zich heen. Ze ziet de meubels die in het donker gehuld zijn, het andere stapelbed, haar kamer.

Ze hoort de ademhaling van Sheng en Harvey die naast haar liggen te slapen.

Het is nacht.

Maar van welke dag?

Ze probeert haar armen te bewegen. Dan haar benen. Ze gaat overeind zitten en merkt dat alles pijn doet. Ze betast haar gezicht. Er zit een pleister op haar slaap.

Het was dus geen droom.

'Elettra?' fluistert op dat moment de stem van haar vader.

Het meisje had niet gemerkt dat hij op het voeteneind van haar bed zat. Hij was enkel een schaduw tussen de andere schaduwen.

Fernando komt naar haar toe om haar een kus te geven. 'Elettra, meisje van me... wat hebben jullie toch uitgehaald?'

Hij omhelst haar niet en kijkt haar alleen maar aan vanaf de rand van het bed. 'Je bent aardig toegetakeld...'

'Papa...' Elettra heeft een droge keel. 'Hoe laat is het? Hoe... hoe ben ik hier gekomen?'

De deur van de kamer gaat open en tante Linda komt binnen.

'Elettra!' gilt ze bijna. Dan slaat ze haar hand voor haar mond om de andere kinderen niet wakker te maken. 'God zij dank! Alles is goed met je!'

Tante Linda duikt op het stapelbed en verstikt haar nichtje bijna in een liefdevolle omhelzing. 'Jij bent ook helemaal gek, hè! Jij en die vrienden van je!'

'Tante, maar wat...?'

Linda pakt haar gezicht tussen haar handen en knijpt stevig in haar wangen. 'Wat een domme streek was dat! Echt een domme streek!'

'Papa... tante... ik weet niet wat ik moet zeggen: ik weet er niets meer van...'

Op dat moment herinnert Elettra zich de vloer die instort, de wolk van stof en de lampjes die in het donker dansen.

'Maak je geen zorgen, Harvey heeft ons alles al verteld...' fluistert Fernando Melodia, wijzend naar het andere stapelbed. 'Hij heeft je naar huis gedragen, je was buiten bewustzijn.'

'Heeft Harvey me naar huis gedragen?'

Tante Linda slaat haar handen ineen en zwaait er vlak voor haar neus mee. 'Nu zijn er zoveel plekken om naartoe te gaan, jongelui, en dan moeten jullie per se op een bouwplaats gaan spelen? En dan ook nog midden in de winter?'

Elettra schudt traag haar hoofd en probeert te begrijpen wat Harvey heeft verteld. 'Op een bouwplaats?'

Fernando gebaart geduldig naar tante Linda. 'We weten het. Harvey heeft ons verteld dat jullie daar alleen maar naartoe waren gegaan om naar de bulldozers te kijken, maar...'

'Dat is toch niet te geloven?' onderbreekt tante Linda hem ontzet. 'Er zijn zoveel dingen te zien in Rome... maar nee, bulldozers!'

'Omdat het zo donker was had je beter moeten uitkijken waar je liep,' vervolgt Fernando.

'Je bent in een afvoerput gevallen! In een afvoerput!' zegt haar tante met een theatrale zucht.

Haar vader streelt Elettra echter over haar voorhoofd. 'Je bent met je hoofd ergens tegenaan geklapt en toen raakte je buiten bewustzijn.'

Het meisje knikt, onder de indruk van het verhaal dat Harvey heeft verzonnen. En ook van het gevoel dat haar vader eigenlijk geen woord heeft geloofd van dat verhaal, maar het alleen maar navertelt om te voorkomen dat zij zich verraadt ten opzichte van tante Linda.

'Ook Sheng heeft zich pijn gedaan,' zegt haar tante. 'Ik heb hem een verband om zijn arm gegeven, maar morgen ga ik voor de zekerheid met jullie alledrie naar de Eerste Hulp. En het kan me niks schelen dat het de laatste dag van het jaar is!'

'Hoe laat is het nu?' vraagt Elettra aan haar vader.

'Bijna twee uur in de nacht.'

'Het was een valstrik...' mompelt Elettra half in zichzelf.

'Het was geen valstrik,' antwoordt Fernando, zo zachtjes dat tante hem niet kan horen. 'Jullie hebben je erin gewaagd, en jullie hebben het er goed vanaf gebracht.'

Elettra kijkt haar vader aan en probeert te doorgronden hoeveel hij eigenlijk weet.

'Papa, wij...'

'We hebben natuurlijk niets tegen de ouders van Harvey of tegen de vader van Sheng gezegd,' vervolgt hij. 'Maar...'

'Maar morgen moeten we eens even goed praten,' onderbreekt tante Linda hem. 'En denk maar niet dat je hier zo makkelijk mee wegkomt. Die kinderen waren aan jou toevertrouwd.'

Ineens schiet Elettra iets te binnen. 'En Mistral?'

Fernando Melodia verstijft.

'Die was toch naar haar moeder toegegaan?' antwoordt tante Linda in plaats van hem.

Fernando knikt: 'Harvey zei dat ze vanuit het centrum een taxi naar het station heeft genomen...'

'En dan te bedenken dat al hun bagage nog hier staat.'

Elettra kijkt naar het lichaam van Harvey, gehuld in het duister, en ze is hem dankbaar dat hij hen allemaal zo behendig heeft weten te beschermen, zodat hun geheim bewaard is gebleven.

'Ga nu maar slapen. De rest zien we morgen wel weer, oké?' stelt haar vader voor.

Bij de gedachte aan Mistral voelt Elettra de tranen in haar ogen prikken.

'We hadden daar niet naartoe moeten gaan,' mompelt ze.

Haar tante legt een hand op haar voorhoofd. 'Rust nu maar uit...'

Elettra knikt en valt weer in slaap. Ze hoort de deur van haar kamer dichtgaan, en haar vader die zegt: 'Het is allemaal prima gegaan.'

Harvey spert zijn ogen open. Hij is bezweet. Hij haalt hijgend adem en het beddengoed zit om hem heen gedraaid. Zijn horloge knelt om zijn pols. Hij kijkt hoe laat het is. Zes uur 's ochtends.

'Mijn bed valt niet naar beneden...' zegt hij om zichzelf gerust te stellen. 'Het was maar een droom.'

Langzaam slaat hij het laken en de dekens van zich af, om de anderen niet wakker te maken. Zijn benen zitten vol schaafwonden. Hij zet zijn voeten op de grond, op de koude vloer. Hij wil graag iets vasts voelen.

Als hij zijn ogen dichtdoet ziet hij pagina's uit boeken door de lucht dwarrelen. Verbrande blaadjes die omhoog vliegen. En een zee van stof. Hij ziet Elettra die buiten bewustzijn is, en met haar benen in het niets hangt, en Sheng die zich aan zijn rugzak vastklampt alsof het een parachute is.

Hij ziet wat er over is van de vloer van de vierde verdieping, en de trap die hij en Sheng zijn afgedaald met Elettra op hun rug. Hij ziet het zwaailicht van de brandweer, de rode brandweerwagens met hun lange aluminium schuifladders.

Ze waren het gebouw uit geglipt voordat iemand hen kon zien. Toen had Harvey Elettra op de grond neergelegd en was hij weer weggelopen.

'Waar ga je naartoe?' vroeg Sheng.

'Ik ga Mistral zoeken.' En toen schreeuwde hij: 'Er is nog een meisje in het gebouw!'

'We gaan haar zoeken,' antwoordde een brandweerman, waarna hij zo behendig als een gekko de uitschuifbare ladder beklom. Andere mannen gingen gewapend met bijlen naar binnen door het gat waar de voordeur had gezeten.

'Hebben jullie een meisje naar buiten zien komen?' vroeg Harvey aan de mensen die op straat samendrongen.

Maar niemand luisterde naar hem, zozeer werden ze in beslag genomen door het schouwspel van de hulpverleners.

'Hebt u een meisje naar buiten zien komen?' bleef Harvey maar vragen aan iedereen die hij tegenkwam.

Totdat een vrouw hem antwoordde: 'Een meisje met lichtbruin, sluik haar? Die heb ik zien weggaan met haar vader. Een man met wit haar. Hij had een viool bij zich... Zou dat kunnen?'

Harvey knikte.

Dat zou kunnen.

Harvey staat op, pakt iets van het nachtkastje en loopt naar de badkamer.

Hij doet de lampjes rond de spiegel aan en bekijkt zichzelf langdurig.

Hij heeft de ogen van een oude man.

Dan kijkt hij omlaag, naar het schetsblok van Mistral dat hij van het nachtkastje heeft meegenomen.

Hij bladert het langzaam door, en stopt bij de laatste tekening: zij met z'n vieren in de slaapkamer van de professor.

'Harvey?' fluistert een stem achter hem.

De jongen ziet de beeltenis van Elettra in de spiegel.

'Kun je niet slapen?' vraagt hij, terwijl hij het schetsblok dichtklapt.

'Niet meer. Hoe gaat het met jou?'

'Ik heb alleen een paar schrammen.'

'Bedankt dat je me hierheen hebt gedragen.'

'Had ik je daar dan moeten achterlaten?'

'Nee, maar... Ik bedoel...'

Harvey kijkt om naar haar. Hij laat het schetsblok achter zijn rug glijden en stopt het in zijn boxershort. 'Het was niet zo moeilijk. Je bent niet zwaar. En dat is maar goed ook... anders zou de vloer het al eerder hebben begeven.'

'Ik heb... met mijn vader gepraat. Hij heeft me jouw versie van de gebeurtenissen verteld.'

'Dat is niet mijn versie; ik ben niet goed in smoesjes verzinnen. Sheng heeft het bedacht.'

'Gaat het goed met hem?'

'Hij heeft zich aan zijn arm bezeerd.'

Elettra aarzelt een paar tellen voor ze haar laatste vraag stelt: 'En Mistral? Heb je haar gezien?'

'Nee.'

'Denk je dat ze...'

'Nee. Een vrouw heeft haar samen met de man met de viool zien weglopen.'

Elettra bijt op haar lip. 'Levend?'

'Hoe anders?'

De twee gaan de slaapkamer uit en lopen op blote voeten de hele gang door. Vanuit de eetzaal zien ze het schijnsel van een tv die aan staat. Elettra's vader is op de bank in slaap gevallen.

Het ochtendjournaal wordt uitgezonden.

'Kijk,' fluistert Harvey als de beelden van een ingestort gebouw op het scherm verschijnen. 'Dat zijn wij.'

Een helikopter heeft van bovenaf opnamen gemaakt van het tafereel: het huis van de professor is een betonnen blok dat ineen is gezakt, en eromheen wemelt het van de schijnwerpers, hijskranen en brandblussers. De verslaggever aan boord van de helikopter somt opgewonden de weinige feiten op waarover hij beschikt: 'Een oud, vervallen gebouw... een gaslek... een zwakke plek... duizenden boeken...'

Elettra en Harvey lopen dichterbij om het beter te kunnen verstaan: 'Het is niet duidelijk hoeveel gezinnen er in het gebouw woonden... afgezien van professor Alfred van der Berger, de bewoner van het ingestorte appartement... tot nu toe hebben de hulpverleners nog niemand gevonden...'

'Geen spoor van een Frans meisje dus,' zegt Elettra met een zucht van opluchting.

'Dat zei ik toch: die man heeft haar meegenomen.'

'Ze leeft, Harvey,' mompelt Elettra. 'En ze is in Rome, bij hem.'

Harvey laat haar de aantekeningen in het schetsblok van Mistral zien. 'Feit is dat niemand deze dingen zal geloven. Wat kunnen we vertellen... helemaal niets.'

'Nee,' beaamt Elettra. 'Maar misschien kunnen we proberen om haar zelf te zoeken.'

'Hoe dan?'

'Door hulp te vragen.'

'Aan wie?'

'Misschien is er toch iemand die kan geloven wat ons is overkomen...' Elettra zoekt in het schetsblok naar een van Mistrals laatste aantekeningen. Dan laat ze die aan Harvey lezen.

Liggend in zijn bed weet Sheng heel goed dat hij droomt, maar hij kan er niet mee ophouden. Het is een angstaanjagende droom, maar het is alsof hij niet wakker kan worden. Hij kan zich er alleen maar aan overgeven, als iemand die verplicht moet toekijken.

Hij loopt door het oerwoud, samen met Harvey en Elettra. Het is bloedheet en er heerst een doodse stilte. Er klinkt geen enkel insect, geen enkel vogeltje. Het lijkt net of het hele oerwoud leeg is. Af en toe prijkt er een Romeins monument tussen de planten: een gebouw, een zuil, een obelisk, alsof het oerwoud boven op de stad is gegroeid. Dan maakt de tropische begroeiing plaats voor een enorme vlakte van fijn, helderwit zand dat onder hun voeten knerpt.

Achter een smalle strook blauwe, heldere zee ligt een klein eiland overdekt met algen.

Elettra, Harvey en Sheng duiken in de golven, en opnieuw realiseert Sheng zich dat er geen enkel geluid te horen is.

Op het eiland staat een vrouw op ze te wachten. Haar gezicht is bedekt met een sluier, en ze draagt een nauwsluitende jurk waarop alle dieren van de wereld zijn getekend.

Harvey stapt als eerste uit het water en knielt neer voor de vrouw.

Elettra volgt hem, maar zij blijft overeind staan.

Sheng daarentegen blijft in het water gehurkt zitten. Hij is doodsbang.

De vrouw staart hen aan, roerloos op het strand dat onder de algen ligt. Dan heft ze haar rechterhand op, steekt hem onder haar jurk en pakt een oude houten tol, die ze de Chinese jongen aanreikt.

Precies op dat moment spert Sheng zijn ogen open.

'Rustig maar, Sheng...' zegt Harvey tegen hem, met zijn hand op zijn schouder. 'Het was maar een nachtmerrie.'

De beelden van de droom komen terug in Shengs hoofd: het oerwoud, het strand, het eiland, de vrouw, de tol... 'Ik heb van de tol gedroomd!' roept hij. 'We moeten... de kaart gebruiken!'

'Dat waren wij ook al van plan.'

'Hoe laat is het?'

'Vroeg in de ochtend. Hoe voel je je?'

Sheng voelt zijn rechterarm kloppen. 'Ik heb een beetje pijn aan mijn arm, maar dat stelt niks voor. Ik heb over jullie gedroomd. Er was... er was een soort oerwoud dat de hele stad bedekte.'

Elettra gebaart dat hij stil moet zijn. 'Vertel het ons later maar, als je wilt. We hebben niet veel tijd.'

'Waarvoor?'

'We moeten vóór zeven uur weg zijn.'

'Waar naartoe?'

'We gaan Mistral terughalen.'

'Hoe dan?'

'Ga je met ons mee?' vraagt Elettra.

Zoals elke ochtend doet Linda Melodia exact om zeven uur haar ogen open. Ze glijdt een beetje spijtig onder de lakens vandaan en zoekt met haar tenen naar haar onafscheidelijke sloffen van Tiroler wol.

'Hoe laat is het?' vraagt haar zus als ze haar uit de badkamer ziet komen.

Linda mompelt wat terwijl ze zich aankleedt: een hemd, een bloemetjestrui en een roomwitte pantalon.

Irenes hoofd ligt diep weggezakt in het kussen. 'Alles goed?'

Haar zus gaat voor het raam staan om een paar ademhalingsoefeningen te doen. 'Niet echt. Door dat gedoe met de kinderen heb ik praktisch geen oog dichtgedaan. Je had ze eens moeten zien toen ze terugkwamen... Ze zaten alledrie helemaal onder het stof en het vuil!'

Irene grinnikt. 'Je overdrijft weer, zoals gewoonlijk. Ze waren natuurlijk alleen maar een beetje vies...'

'Geloof me. Even dacht ik zelfs dat Elettra... Ach, laat ook maar zitten.'

'Ze zijn nog jong, Linda.'

'Ik ben zelf ook jong geweest! Maar ik had er geen behoefte aan om stiekem een bouwplaats binnen te dringen en mijn leven te riskeren alleen om een hijskraan te bekijken. Of wel soms? Wat deed jij toen je zo oud was als zij?'

Irene wrijft in haar ogen. 'Ik? Ik wilde de wereld redden.'

Linda heft haar ogen ten hemel. 'Ach ja, natuurlijk! Hoe heb ik het kunnen vergeten?' Ze drukt een kus op haar voorhoofd en zegt: 'Als je niets nodig hebt, ga ik naar beneden om de tafels te dekken voor het ontbijt.'

'Wil je me even de telefoon aangeven?'

'En wie wil je dan bellen, om zeven uur 's ochtends?'

'Mijn geheime liefde?'

Linda loopt met een glimlach de kamer uit. Ze loopt de nog stille trap van Hotel Domus Quintilia af en gaat naar de keuken, waar ze een stuk of tien roombroodjes en een taart met noten en chocola in de oven schuift.

Intussen denkt ze aan de geheime liefdes van haar zus. En aan die van haarzelf. Er komen enkele verschoten beelden in haar op: het huiswerk dat ze op vakantie moest maken op het strand, en dat Irene nauwgezet nakeek voor ze haar liet gaan. Ze herinnert zich hoe ze met haar canvas schoentjes en met gekleurde lintjes in haar haren naar de zee rende, ze herinnert zich de boottochtjes en... die jongen die van de rotsen dook en haar hartstochtelijke blikken toewierp.

Verhip, denkt Linda terwijl ze een schaal met vijgenkoekjes in de oven zet, ik weet niet meer hoe hij heette.

Hoe Irene was herinnert ze zich echter nog heel goed. Ze was nog precies hetzelfde als nu. Ze kon toen nog wel lopen, natuurlijk, en ze had minder rimpels in haar gezicht, en haar ogen straalden meer... maar ook destijds zat ze al de hele tijd over de boeken gebogen, met haar blonde haar golvend in de zon.

De espressomachine blaast hete stoom in de melk, die wordt opgeklopt voor een cappuccino. Linda strooit er een hartje van cacao op en geniet van haar gebruikelijke ontbijtje, voordat de anderen wakker worden. Een eindje verderop ligt Fernando nog steeds op de bank te snurken, voor de tv die aanstaat. Zo meteen zal hij wakker schrikken, kijken hoe laat het is en haar vragen of ze een dubbele kop sterke koffie voor hem wil maken, die hij in één teug achterover zal slaan.

Met een toefje melkschuim op de punt van haar neus gaat Linda de eetzaal uit en loopt naar de gang die naar de slaapkamer van Elettra voert.

Ze blijft aan de deur staan luisteren.

Het is doodstil.

Mooi zo, denkt ze terwijl ze haar neus schoonveegt. Ik zal ze maar niet wakker maken.

18
DE BOODSCHAPPER

'Ik kom al! Ik kom al!' bromt Ermete De Panfilis terwijl hij naar de deur van zijn winkel in Testaccio sloft.

Onderweg werpt hij een blik op de wekker. Het is nog niet eens acht uur.

Wie kan dat nu zijn, zo vroeg?

Wie het ook is, ik heb het aan mezelf te danken, denkt hij terwijl hij door de woonkamer annex garage loopt.

Zijn moeder heeft wel duizend keer tegen hem gezegd dat je niet moet wonen en werken op dezelfde plek, omdat je dan alleen nog maar aan het werk bent.

De bel gaat voor de zoveelste keer, en dat is de druppel die de emmer doet overlopen.

'Ja, ja!' schreeuwt hij terwijl hij langs zijn motor met zijspan loopt, die hij net weer in elkaar heeft gezet. 'Ik heb het allang gehoord, hoor! Ik kom eraan!'

Dan blijft hij staan.

Waar is de deur?

Hij kijkt verloren om zich heen: het lijkt wel of iemand de voordeur verplaatst heeft. Dat is het ergerlijke gevoel van verwarring dat hem 's ochtends vroeg altijd overvalt. Net zo ergerlijk als alle andere dingen van de vroege ochtend: hete koffie, het laatste nieuws, melkwagens, kinderen die naar school gaan, dringende telefoontjes. Ze maken deel uit van een wereld die Ermete het liefst voorgoed zou uitvlakken: de wereld van 'vóór elf uur'.

Een wereld waar zijn moeder hem echter voortdurend aan helpt herinneren, elke zondagochtend wanneer ze hem om halfacht opbelt.

Misschien is zij wel degene die voor de deur staat. Waar de deur dan ook moge zijn, uiteraard... Hij zou helemaal niet vreemd opkijken als hij haar al helemaal aangekleed en opgemaakt zou aantreffen, precies actief genoeg om hem grenzeloos te irriteren met wel vijftig beslommeringen waarvan ze hem deelgenoot wil maken.

Aha, daar is de deur.

Voor hij ernaartoe loopt, krabt Ermete De Panfilis zich nog eens uitgebreid op zijn onderrug.

Moet hij nu echt opendoen?

Door het kijkgaatje is helemaal niets te zien. Maar misschien heeft hij niet eens écht door het kijkgaatje gekeken.

Met een zucht schuift hij de grendel open en probeert hij de laatste paar haren op zijn hoofd glad te strijken, die recht overeind staan als de stekels van een egel.

'Hier ben ik...' zegt hij, en hij zwaait zuchtend de deur open.

Een ijskoude windvlaag herinnert hem er meteen aan dat hij in zijn badjas staat.

Er is helemaal niemand.

Ermete is elektronisch ingenieur geworden omdat zijn moeder dat wilde. Zijn titel kwam haar van pas om met opgeheven hoofd met haar vriendinnen te kunnen kaarten. En hemzelf ook wel, om ver van het ouderlijk huis op zichzelf te kunnen gaan wonen en zich te kunnen wijden aan zijn ware passies, die van radiozendamateur, expert in oldtimer motors, amateurarcheoloog met een voorliefde voor mysteries, verzamelaar van varkensbeeldjes, hartstochtelijk stripboekenlezer, en natuurlijk als 's werelds grootste deskundige op het gebied van bordspelen uit de hele geschiedenis.

'Wat zijn dat voor grapjes?' roept ingenieur-radiozendamateur-archeoloog-striplezer-spelletjesmeester Ermete De Panfilis op de drempel van zijn huis. 'Wie heeft er aangebeld?'

Op straat is niemand te zien. In zijn voortuin evenmin. Het neonbord van zijn winkel, Lagers & Lopers, is onverbiddelijk uit.

'Bent u de eigenaar?' vraagt een stem ter hoogte van zijn navel.

Ermete kijkt geërgerd omlaag.

Dan pas ziet hij die drie snotneuzen onder aan het trapje voor zijn deur staan: een meisje met zwarte haren als de tentakels van een inktvis, een slungel die lijkt op de zanger van Oasis maar dan kleiner, en een Chineesje met zijn arm in het verband.

'Wie zijn jullie?'

'We willen graag binnenkomen, als u het niet erg vindt.'

'Waarom?'

'We komen voor de kaart,' legt het meisje uit.

'De kaart? Welke kaart?'

Ermete probeert naarstig de gebeurtenissen van de afgelopen dagen op een rijtje te zetten.

'De kaart van professor Van der Berger.'

Het hart van de ingenieur slaat een slag over. 'Wat hebben jullie met professor Van der Berger te maken?'

'Hij heeft ons de kaart gegeven en gevraagd of we die wilden bewaren tot hij hem zou komen terughalen,' legt de jongen met het verband om zijn arm uit, terwijl hij een haveloze, smerige rugzak laat zien.

'En waarom is hij hem niet komen terughalen?' vraagt Ermete.

'Omdat hij dood is,' legt het zwartharige meisje uit. '*Zij* hebben hem twee dagen geleden vermoord in de buurt van de Tiber.'

'En gisternacht hebben ze ook geprobeerd om ons te vermoorden,' voegt de kleinere versie van de zanger van Oasis eraan toe. 'Door een gebouw boven op ons te laten instorten.'

'En we denken dat ze onze vriendin Mistral ontvoerd hebben.'

'Mogen we nu binnenkomen?'

Ermete stapt aan de kant, versuft door dat spervuur aan informatie. 'Begrijp ik het nu goed?' stamelt hij terwijl het drietal het trapje op loopt en binnenkomt in Lagers & Lopers. 'Gisteren, aan de telefoon...'

'Toen heb ík opgenomen,' verklaart Sheng.

'Maar... waarom dan?' De man krabt luidruchtig op zijn hoofd. Hij doet de deur achter zich dicht en trekt de riem van zijn badjas strak om zijn middel. 'Ik bedoel...' Er staat nog steeds een vragende uitdrukking op zijn gezicht.

Ermete is een tamelijk scherpzinnige man, ook al doet zijn uiterlijk het tegendeel vermoeden. Hij is niet dik maar ook niet mager, met ingevallen schouders en een beginnend buikje. Hij heeft uitgesproken jukbeenderen en blauwe ogen, die er vaak slaperig uitzien. Hij heeft meer baard dan haren op zijn hoofd, en de weinige haren die hij heeft groeien wanordelijk als de voorwerpen die de inrichting van zijn huis vormen.

Lagers & Lopers is een kruising tussen een kelderverdieping, een café en een garage. Aan de ene kant staan uit elkaar gehaalde motors op een rijtje, naast allerlei gespoten carrosserieonderdelen, monteurgereedschap, banden, schroeven, moeren en bouten. Aan de andere kant staat een rijtje plastic tafels waarop speelborden, dobbelstenen, pionnen en schaaktafels staan uitgestald. Achter een glazen deur is een wirwar van draden van een amateurradio te zien, met lange antennes die op het balkon zijn geïnstalleerd.

'Voordat we hierheen kwamen hebben we samen overlegd,' vertelt het meisje. 'En we hebben besloten om je alles uit te leggen. Maar ik waarschuw je: het gaat wel een tijdje duren.'

Ermetes maag rammelt luidruchtig.

'Zullen we in de keuken gaan zitten?' stelt hij voor. 'Volgens mij heb ik nog een hele berg cornflakes die op moet.'

In de keuken staan allemaal plastic bordjes opgestapeld. Een reusachtige poster van *King Kong* prijkt boven de gootsteen, en vier zwarte koppen van Darth Vader uit *Star Wars* dienen als placemats.

De kinderen eten cornflakes en vallen elkaar voortdurend in de rede terwijl ze alles vertellen wat er is gebeurd.

In de tussentijd stalt Sheng de inhoud van zijn rugzak op tafel uit: de houten kaart, de tand, de tollen, de blaadjes die ze in de bibliotheek hebben gevonden, het notitieboekje van de professor en het schetsblok van Mistral, het Griekse boek *Kore Kosmou* en het boek van Seneca in het Latijn, over kometen.

'*Zij* kwamen eraan toen we dit boek net gevonden hadden,' fluistert Harvey. 'Ze waren met z'n tweeën: de ene was klein en dik, en de ander was lang, met zwarte kleren en met een viool.'

Ermete zet grote ogen op. 'Hoe bedoel je, met een viool?'

'Daar speelde hij een soort hypnotiserende muziek op,' legt Elettra uit. 'Je kon bijna niet wakker blijven.'

De man krabt nadenkend aan zijn baard. 'Interessant...'

'Die dikzak is dood,' zegt Sheng.

'O ja, en die hebben jullie zeker vermoord, met een... eh... een trombone die als vlammenwerper dienst doet misschien?' grinnikt Ermete.

'Hij ging dood toen het appartement van de professor instortte.'

'Hoe bedoel je... instortte?'

'Volgens Harvey was het een valstrik. Hij denkt dat de professor precies had uitgerekend wat het gewicht was van hemzelf en van de boeken die hij in het appartement had opgestapeld, en dat hij ze zodanig had verdeeld dat alles zou instorten als er één persoon te veel binnen zou komen.'

In het volgende halfuur wil Ermete tot in detail horen wat er gebeurd is. Hoe meer de kinderen vertellen, hoe bezorgder zijn blik wordt.

'Dus nu zijn we allemaal in gevaar,' zegt hij als ze klaar zijn met hun verhaal.

'Dat zou kunnen,' beaamt Sheng.

'En dan te bedenken dat ik hem niet geloofde...' mompelt de man. 'Hij wantrouwde iedereen, en hoe meer ons onderzoek vorderde, hoe meer hij ervan overtuigd raakte dat hij gevolgd werd. Dat hij bespioneerd werd. Door mensen die het voornamelijk te doen was... om deze kaart.' Ermete wijst naar het vreemde houten voorwerp waarop Sheng bezitterig een hand laat rusten.

'Dat is precies wat de man met de viool wilde: het koffertje van de professor. En hij wist dat wij het hadden.'

'Weet jij waar deze dingen toe dienen?'

'En waarom *zij* ze koste wat kost willen hebben?'

'Ik denk het wel,' antwoordt Ermete.

'Het gaat ons niet zozeer om dat koffertje,' preciseert Harvey, 'we willen alleen Mistral terugvinden. We hebben bedacht dat we kunnen ruilen: we geven hún het koffertje en wij krijgen onze vriendin terug.'

'Maar eerst willen we weten wat we precies ruilen,' voegt Elettra eraan toe.

De ingenieur trommelt zenuwachtig met zijn vingers op tafel. 'Als Alfred dit wist...' zucht hij. 'Jullie hebben geen idee hoelang hij deze kaart heeft bewaakt.'

'Maar waarom is hij zo belangrijk?'

'Omdat hij dient om de Ring van Vuur te vinden,' antwoordt Ermete.

'En dat is?'

De ingenieur haalt zijn schouders op. 'Dat weet ik niet. Dat was niet mijn afdeling van het onderzoek.'

'Wij denken dat het iets is wat van Nero is geweest,' oppert Elettra.

'O, nee,' reageert Ermete. 'De Ring van Vuur is veel en veel ouder. Het kan zijn dat Nero hem ook in handen heeft gehad, maar hij is veel ouder. Veel ouder dan de Romeinen, dan de pythagoreeërs en de Griekse filosofen. En veel ouder dan de piramiden. De professor dacht dat het een geheim was dat duizenden jaren lang bewaakt is gebleven, en dat leermeesters mondeling hebben overgebracht op hun volgelingen.' Elettra toont de plattegrond van Rome waar de professor cirkels op heeft getekend. 'Hij wist zeker dat de Ring van Vuur zich in de stad bevond.'

Ermete bestudeert de plattegrond even en vraagt dan aan Sheng of hij de houten doos wil openmaken, waarna hij de kinderen laat zien dat de omcirkelde wijken zich in precies dezelfde positie ten opzichte van elkaar bevinden als de sterren die in het midden van de houten kaart zijn uitgesneden, rondom de vrouwenfiguur.

'Dit is de Grote Beer.'

De kinderen kijken verbluft naar het rechthoekige voorwerp waarin die onbegrijpelijke lijnen zijn uitgesneden.

'Weet jij wat hier geschreven staat?' vraagt Elettra, wijzend op de Griekse letters die rondom de houten kaart lopen.

Ermete staat op. *Zo'n groot geheim ontrafel je niet langs één weg,* antwoordt hij, waarna hij verdwijnt naar een andere kamer. Even later komt hij terug met een lijvig boek vol foto's. 'Maar laat je door die zin niet misleiden, want volgens mij is die pas veel later in de kaart gegraveerd.'

Hij legt het boek midden op de keukentafel, slaat het open en laat Harvey, Sheng en Elettra een piramidevormige toren zien, met een groot brandend vuur op de top.

'Het wordt tijd dat ik jullie alles vertel wat ik weet. Toen de professor me de kaart voor het eerst liet zien, zei hij dat het misschien een antiek spel was. Een bord dat deed denken aan het spelbord dat de Egyptenaren gebruikten om senet te spelen. Maar hij twijfelde eraan, en ikzelf ook. Deze kaart bestaat uit elementen die duidelijk onderling afwijkend zijn, en uit verschillende periodes stammen. De sporen die er in de loop der tijd op zijn verzameld, bewijzen dat de kaart veelvuldig in andere handen is overgegaan en dat sommige eigenaren hem hebben aangepast, of gewoon... er een aantekening op geplaatst. De zin die in de zijkant is gegraveerd is daarvan een voorbeeld. Hij stamt uit de periode waarin de kaart zich in Griekenland bevond. Ten tijde van Socrates en Plato. Hebben jullie weleens over hen gehoord?'

De kinderen knikken. 'Wel iets...'

'Het waren beroemde filosofen.'

'Net als Seneca?'

'Precies. Maar dan van veel vroeger. Als je de kaart aan de buitenkant bekijkt,' vervolgt Ermete, 'zul je zien dat er hier en daar houten blokjes zijn ingevoegd, als herstellingen. En die kleine teksten, letters, inscripties... zijn inmiddels bijna helemaal vervaagd. Maar met een heel goede fotocamera heb ik iets spectaculairs weten te achterhalen.'

'Wat dan?'

'Dat dit... een sterrenkaart van de Chaldeeën is!'

De kinderen lijken totaal niet onder de indruk van die onthulling.

'Te gek, zeg...' mompelt Sheng, alsof hij bang is om af te gaan.

Ermete legt zijn handen op het fotoboek. 'Jullie weten zeker niets van de Chaldeeën...'

'Nee... dat klopt,' geeft Elettra toe.

'Helemaal niets,' bevestigt Harvey.

'Nooit van gehoord zelfs!' roept Sheng, aangemoedigd door de algemene bekentenissen van onwetendheid.

'Goed... de Chaldeeën waren de inwoners van de aloudste stad ter wereld, een stad genaamd Ur. Dat is heel opmerkelijk: in het Latijn is het woord voor stad 'urbs' en Rome werd vaak alleen met dit woord aangeduid.'

'Wauw,' roept Harvey ironisch. 'Ik krijg er gewoon kippenvel van.'

'De Chaldeeën...' vervolgt Ermete, terwijl hij foto's laat zien van oude ruïnes die half onder het zand liggen, 'waren de eerste mensen die de hemel bestudeerden en het lot der mensen in verband brachten met de bewegingen van de sterren. Het waren de uitvinders van de astrologie. Denk bijvoorbeeld aan de tekens van de dierenriem. Wat zijn jullie van sterrenbeeld?'

'Vissen.'

'Vissen.'

'Ik ook Vissen,' zegt Sheng. 'Ook al ben ik eigenlijk in het jaar van de Aap geboren.'

Ermete staat even met open mond te kijken, en vervolgt dan: 'Nou, precies. Die zijn bedacht door de Chaldeeën. Het waren ook geweldige astronomen, want in die tijd werd het onderscheid tussen astrologie en astronomie nog niet gemaakt. De Chaldeeën waren dus wetenschappers en priesters. Van hun kennis werd in zekere zin de Iraanse cultus van Mithra afgeleid, die in Rome zijn opmars maakte, vooral onder de legioenen en de soldaten. Mithra was de god van het Vuur, van de Zon die elke nacht sterft en elke ochtend herboren wordt.'

'We hebben over die Mithra gelezen in het notitieboekje van de professor!' roept Elettra. 'We weten dat Nero op een gegeven moment dacht dat hij ook de god van het Vuur was geworden, de Zon op Aarde...'

'Maar dat was pure hoogmoedswaanzin,' bromt Ermete.

'En dat zijn feest in Rome op 25 december werd gevierd,' vult Harvey aan.

'Klopt. Tegenwoordig is 25 december voor ons westerlingen Eerste Kerstdag. Maar vroeger... werd de geboorte van Jezus op 6 januari gevierd.'

204

'Op Driekoningen?' vraagt Elettra.

'Precies, 6 januari is Driekoningen, oftewel de Epifanie. Het woord "epifanie" komt uit het Grieks en betekent "openbaring". Oftewel... de dag van het hoogtepunt, van het licht. Omdat op die dag dus de drie wijzen vanuit het Oosten kwamen...'

'Dat zijn dus de drie koningen,' mompelt Harvey.

'Precies,' glimlacht Ermete. 'En wat weten we over hen? Dat ze waarschijnlijk met z'n drieën waren, dat ze geschenken meebrachten en dat ze werden geleid door...'

'Een komeet,' besluit Elettra.

'Ja, dat wist ik ook!' roept Sheng verbolgen, omdat ze hem net voor was.

'Een komeet, precies,' vervolgt Ermete. 'En daarom denkt men ook dat de drie koningen hogepriesters waren, bewaarders van een eeuwenoude traditie en kenners van de hemel.'

Harvey zit ongemakkelijk te schuiven op zijn stoel.

'Zeg het eens,' moedigt Ermete hem aan.

'Op het nachtkastje van de professor,' antwoordt Harvey, wijzend op de tekst van Seneca, 'lag een boek over kometen...'

'*Naturales Quaestiones - De Cometis,*' leest Ermete.

'Wat een zooitje. Het lijkt wel of alles met elkaar te maken heeft...' mompelt Elettra.

'Dat is ook zo. Iemand die de sterren bestudeert, denkt dat ons bestaan verbonden is met de beweging van de sterrenbeelden. En dat er gunstige en ongunstige momenten zijn om dingen te ondernemen. De professor dacht dat er nu een bijzonder gunstig moment ophanden was. Dat volgens zijn berekeningen maar eens in de honderd jaar voorkwam.'

'Tjé... dat is wel heel lang.'

'Inderdaad. "De tijd is rijp," zei Alfred de laatste weken voortdurend.'

'Toen hij me het koffertje gaf,' herinnert Elettra zich, 'zei hij: "Het is begonnen".'

Ermete knikt: 'Hij was geobsedeerd door de tijd en hij spoorde me aan om zo snel mogelijk uit te zoeken hoe de kaart gebruikt moest worden. Hij zei dat we het geschikte moment voorgoed dreigden te missen... En hij werd bestookt door de tekenen. Hij beweerde dat het begin puur toeval zou zijn. Meer niet.'

De woorden van Ermete glijden als olie door de lucht.

Puur toeval, meer niet.

Zoals vier kinderen die allemaal op 29 februari zijn geboren en elkaar treffen in één en dezelfde kamer in Rome.

Halverwege de ochtend heeft Linda Melodia lang genoeg gewacht.

Met grote stappen beent ze door de gang die naar Elettra's kamer leidt, met haar hand al in de lucht om te kunnen kloppen.

'Jongens? Het is halfelf!' roept ze als ze voor de deur staat. 'Zouden jullie niet eens opstaan?'

Geen reactie.

'Jongens?' dringt ze aan, terwijl ze nog harder op de deur bonst.

Ze doet de deur een stukje open. 'Wakker worden, slaapk...'

De kamer is leeg.

Linda Melodia loopt lichtelijk bezorgd de kamer in. Op Elettra's bed ligt een briefje.

Linda raapt het op zoals je een parkeerboete onder een ruitenwisser vandaan pakt en leest:

We zijn een eindje gaan wandelen.
Maak je geen zorgen om ons.
Alles is goed.
We zien elkaar vanavond.
En fijne oudejaarsdag!

In een vlaag van woede zou Linda het briefje het liefst verfrommelen, maar ze houdt zich in.

Ze rent de kamer uit op zoek naar Fernando, en zodra ze hem vindt houdt ze het voor zijn neus.

'Kijk nu eens, die dochter van jou!' schreeuwt ze. 'Had ze gisteren nog niet genoeg ellende veroorzaakt?'

'Linda...' mompelt Fernando, in een poging om tegelijkertijd het briefje te lezen en zijn zus tot bedaren te brengen.

'Een briefje!' stuift Linda op. 'Na alles wat er gisteren gebeurd is!'

De moeder van Harvey komt aanlopen en vraagt: 'Hoezo? Wat is er dan gebeurd?'

Tante Linda wil net antwoord geven, maar deze keer is Fernando haar voor en hij weet iets geruststellends uit te brengen: 'O, niets bijzonders... Ze hebben zich een beetje misdragen in de stad.' Hij laat het briefje van Elettra vlug in zijn broekzak glijden.

'En zijn ze nu op hun slaapkamer?' dringt mevrouw Miller aan.

'Niet echt...' antwoordt Linda Melodia, terwijl ze zenuwachtig met haar voet op de grond tikt.

'Waar zijn ze dan?'

'Eerlijk gezegd... weten we dat niet,' geeft Fernando toe, bezwijkend voor de strenge blik van de Amerikaanse dame.

Hij zoekt steun bij Linda, maar die gunt ze hem niet: 'Ze zijn vanmorgen vroeg weggegaan, zonder iets te zeggen.'

Het gezicht van mevrouw Miller wordt vuurrood. 'Hoe bedoelt u, weggegaan?'

'Om een eindje te wandelen. Maar ze zullen zo wel terug zijn...'

'Waarheen te wandelen?'

'O... eh... dat weten we niet.'

'Maar dat is schandalig!' roept de dame. 'George!'

Haar man komt aanlopen. Zijn neus zit onder de poedersuiker.

'Harvey is er niet!' vat zijn vrouw de situatie kort samen.

'Hoezo is hij er niet?'

'Hij is vanmorgen vroeg weggegaan met de dochter van de eigenaar en hun nieuwe Chinese vriendje! Zonder iets te zeggen! En zonder ons zelfs maar gedag te zeggen!'

'Waar is hij dan naartoe?'

Fernando verfrommelt het briefje in zijn broekzak.

'Ze zijn weggegaan om... eh... om een soort spel te doen, geloof ik...' verzint hij.

'Onmogelijk,' beweert de hoogleraar stellig. 'Mijn zoon houdt niet van spelletjes. Hij is heel volwassen.'

'Wel, misschien... wilde hij dan naar een museum gaan, en ging hij extra vroeg omdat hij geen zin had om lang in de rij te staan?' oppert Fernando, rood als een kreeft.

'Ik mag u niet, meneer,' verklaart de hoogleraar. 'Dat ik nog in dit hotel zit is alleen om mijn vrouw een plezier te doen... maar nu bent u toch echt te ver gegaan. Daarom vraag ik u op de man af: waar is mijn zoon?'

'Hij is de stad in met Elettra en Sheng,' antwoordt Fernando.

Mevrouw Miller wendt zich tot Linda, in wie ze een vrouwelijke bondgenoot meent te hebben gevonden, en ze vertrouwt haar toe: 'Harvey houdt er niet van om tijd te verdoen met kinderen van zijn eigen leeftijd. En al helemaal niet met meisjes... vooral niet als het aanstellerige of domme types zijn!'

'Wat Harvey doet moet hij zelf weten,' sneert Linda, die zich plotseling aan Fernando's zijde schaart. 'Hij lijkt me immers oud genoeg om zelf te kunnen beslissen, nietwaar?'

'Hoe durft u?' zegt de hoogleraar verontwaardigd.

'Dat die arme Harvey heeft besloten om *zijn tijd te verdoen met kinderen van zijn eigen leeftijd*, en ook nog eens met mijn nichtje, echt zo'n aanstellerig en dom typje, komt waarschijnlijk doordat hij zich tot nu toe kapot verveeld heeft!'

'O hemeltjelief!' zucht Harvey's moeder. 'George, zeg iets!'

De hoogleraar steekt een vinger de lucht in.

'Wat wilt u zeggen, meneer George?' briest Linda Melodia met haar handen in haar zij. 'Dat u het er met de rector over zult hebben?'

19
DE KAART

Harvey, Elettra en Sheng zitten op hun knieën op de keukenstoelen van Ermete De Panfilis naar de sterrenkaart te kijken die opengeklapt op tafel ligt.

'Kijk...' legt Ermete uit. 'Je moet vanuit het midden beginnen, bij die vrouw die wordt omringd door de sterren van de Grote Beer.'

'Hao!' zegt Sheng, gewoon om het niet te verleren.

'De Grote Beer is het sterrenbeeld waarvan de Poolster deel uitmaakt, de ster die de weg naar het Noorden aangeeft.'

De weg naar het Noorden, noteert Elettra in gedachten. Maar ze wenste dat Mistral er was, om aantekeningen te maken in haar schetsblok.

Harvey daarentegen valt uit: 'Luister, als je hebt ontdekt hoe hij werkt, kun je dat dan niet gewoon vertellen, zonder al die uitleg erbij?'

'Zoals je wilt, maar op die manier missen jullie wel het mooiste. Dit is namelijk geen gewone kaart... en hij geeft niet gewoon aan waar je naartoe moet. Dit is de kaart van alle mogelijke kaarten. Het is de kaart die Alexander de Grote gebruikte om het Oosten te veroveren. De kaart die de Drie Koningen volgden om terug te keren naar het Westen. De kaart die Plato gebruikte om Atlantis te beschrijven, die Marco Polo aan Dzjengis Khan liet zien en die waarmee Christoffel Columbus de route naar de Nieuwe Wereld wist te vinden.'

'Hao!' roept Sheng, leunend op zijn ellebogen.

'Die namen noemde je toch zeker bij wijze van spreken, hè?' vraagt Harvey.

'Helemaal niet.' Ermete gaat de keuken uit en komt terug met een map vol papieren. 'Dit zijn de foto's en negatieven van alle inscripties in de kaart. Kijk hier!' zegt hij al bladerend. 'Dit teken zou weleens de enige handtekening kunnen zijn die Alexander de Grote in zijn hele leven gezet heeft. De Assyro-Babylonische letters B, C en M corresponderen met Balthasar, Caspar en Melchior, oftewel de Drie Koningen. Dit teken is de paraaf van Christoffel Columbus, en deze krul in het hout is het zegel van de Polo's, de Venetiaanse handelaren die tot aan China zijn gekomen.'

'Daar woon ik!' roept Sheng verheugd.

'Zo zou ik nog wel een week kunnen doorgaan,' vervolgt Ermete, terwijl hij zijn documenten aan de kant legt. 'Maar kennelijk interesseert het jullie niet wie de andere mogelijke eigenaren van deze kaart zijn geweest: Plato, Pythagoras, Keizer Hadrianus, Ibn Battuta, Heinrich Schliemann... en alle anderen, tot aan Alfred van der Berger. En tot aan jullie.'

'Voor mij is het nog steeds niet meer dan een stuk hout vol groeven...' mompelt Harvey, totaal niet onder de indruk van Ermetes uitleg.

'Is Schliemann degene die de schat van Troje heeft ontdekt?' vraagt Sheng daarentegen, opgewonden bij het idee dat hij zo'n belangrijke kaart in handen heeft.

'Dat is hem,' bevestigt Ermete, terwijl hij de kaart ronddraait. 'En dit is zijn handtekening, heel duidelijk leesbaar.'

'Het is gewoon onmogelijk,' bromt Harvey.

'Dus al die mensen...' onderbreekt Elettra hem, 'wisten hoe ze hem moesten gebruiken?'

'Ja.'

'En ze gebruikten hem om de Ring van Vuur te vinden?'

'Nee,' antwoordt Ermete. 'De kaart dient niet om de Ring van Vuur te vinden.'

'Ho, ho!' protesteert Sheng, met zijn handen voor zich uit als een keeper die een strafschop moet zien te houden. 'Het enige wat ik tot nu toe in elk geval zeker wist, was juist dat de kaart diende om de Ring van Vuur te vinden.'

'Ja, maar...'

'Maar net zei je dat hij niet dient om de Ring van Vuur te vinden... dus waarvoor dient hij dan, als ik vragen mag?'

'In deze tijd, in Rome, kán de kaart dienen om de Ring van Vuur te vinden,' zegt Ermete.

Sheng kijkt hem argwanend aan.

'Net zei je nog het tegenovergestelde.'

Elettra grijpt Sheng bij zijn pols. 'Hij zei: "in deze tijd", "in Rome" en "kán dienen".'

Sheng knikt, ook al begrijpt hij er nog steeds niks van. 'Precies. En dus...?'

'Dus dat betekent dat deze kaart... *op een ander moment... op andere plekken ter wereld...* zorgt dat je andere dingen kunt vinden.'

213

'Hao! Nu snap ik het.'

Sheng glimlacht wel vijftig tanden bloot. 'Hoe gaat dat dan?'

'Heel makkelijk, eigenlijk.'

Ermete pakt de plattegrond van Rome die Elettra van de koelkast van de professor heeft gehaald en legt hem over de houten plank, zodat de groeven aan de binnenkant zich onder het papier bevinden.

'Zo moet het, geloof ik,' zegt hij.

'Hoe bedoel je... "geloof ik"?!' roept Harvey uit.

'Het is de eerste keer dat ik het probeer...' verklaart hij. 'Help me eens om die plattegrond goed vast te maken...'

Elettra zet de bakjes van de cornflakes op de hoeken van de kaart van Rome.

'Zo deed Marco Polo dat waarschijnlijk ook...' grinnikt Harvey.

Ermete negeert hem. 'Goed. Door deze plattegrond eroverheen te leggen, hebben we het "waar" bepaald. Wat we nu nog nodig hebben is het "wat".' De ingenieur pakt de houten tollen.

'Kijk naar de tekeningen. De eerste tol: de toren van stilte... oftewel een heilige plek: de schuilplaats, de veilige plaats waar je tot rust kunt komen. De tweede tol: de waakhond.'

'Zie je wel dat het een hond is!' roept Sheng, terwijl Harvey hem een boze blik toewerpt.

'Die bewaakt iets wat heel belangrijk en kostbaar is,' vervolgt Ermete. 'Maar om dat te bereiken moet je langs hem heen zien te komen. De derde tol: het oog. Alleen een goede waarnemer kan iets zien wat anderen ontgaat. En ten slotte de laatste: de draaikolk. De plek die schepen aantrekt en ze laat zinken. Gevaar.'

Ermete legt de vier tollen naast de kaart.

'Wat moeten we nu doen?' vraagt Elettra.

'Je moet ze laten draaien,' antwoordt hij met gespannen stem. 'Over de kaart.'

Het gelach van Harvey breekt de stilte die op Ermetes woorden volgt.

'Kom nu!' hikt de Amerikaanse jongen. 'Denk je nu echt dat we zoiets onbenulligs moeten doen?'

'Het is niet onbenullig.'

'Erger nog! Het is krankzinnig!' zegt Harvey terwijl hij opstaat. 'Negen van de tien keer valt die tol op de grond!'

'En negen van de tien keer zit je horoscoop ernaast,' werpt Ermete tegen. 'Maar één op de tien keer klopt hij. En een kans van één op tien is meer dan je in het leven mag verwachten.'

'Flauwekul!' sneert Harvey. 'Volgens mij snap jij geen ene bal van die kaart. Zo werkt hij helemaal niet. Jongens, *zij* willen die kaart gewoon hebben omdat hij eeuwenoud is en een hoop geld waard is, en misschien is er wel een of andere kunstverzamelaar die niet kan wachten tot hij hem op zijn schoorsteenmantel kan neerzetten. Maar ik kan me echt niet voorstellen dat ze er tollen op willen laten draaien!'

Ermete wil iets terugzeggen, maar hij wordt in de rede gevallen door Sheng die luidkeels 'Halt!' roept en de tol van de toren grijpt. Dan zegt hij: 'Ik heb daarover gedroomd, over dat met die tollen.'

Harvey heft zijn handen ten hemel. 'Geweldig! Een droom was het enige wat er nog aan ontbrak!'

Sheng lijkt echter volstrekt serieus. 'Dus je denkt dat je alleen maar de tol hoeft te pakken... en hem op de houten plank moet laten draaien, toch?'

'Ja,' mompelt Ermete terwijl hij de kopjes die de kaart vasthouden aan de kant schuift. 'Volgens mij wel.'

'Laten we het dan maar eens proberen.'

Elettra gebaart naar Harvey dat hij zijn mond moet houden, en Sheng tilt de tol op en zet de punt op het midden van de kaart. 'Baat het niet, dan schaadt het niet.'

'Belachelijk...' bromt Harvey.

'Zeg me, tol van de toren,' vraagt Sheng terwijl hij zich het bedekte gezicht van de vrouw uit zijn droom herinnert, 'wat is de veilige plek?'

Hij geeft de tol een draai en laat hem los. De tol begint rondjes te draaien en verplaatst zich over de kaart. De punt volgt de sporen die in het onderliggende hout zijn uitgesneden, dansend door de wegen van Rome als een sierlijke ballerina. De Via Condotti, het park Villa Borghese, de wijk Testaccio, de wijk Parioli... de tol gaat naar alle richtingen, alsof hij nog niet weet welke kant hij het beste op kan gaan.

Je ontrafelt het niet langs één weg, denkt Sheng terwijl de tol de loop van de Tiber volgt, razendsnel ronddraaiend. Hij bereikt het Tibereiland en maakt een lichte bocht naar het zuiden. En daar stopt hij, en blijft hij in steeds grotere concentrische cirkels ronddraaien.

'*Trastevere. Piazza in Piscinula,*' leest Ermete op.

'Hao!' roept Sheng. 'Dus het werkt!'

'Waarom?' vraagt de man.

Elettra glimlacht. 'Omdat ik daar woon.'

De tol stopt langzaam met draaien en valt dan op zijn kant, precies boven op de weg waaraan Hotel Domus Quintilia zich bevindt.

'Nu, wat zeggen jullie me daarvan?' vraagt Ermete aan de anderen, met zijn handen in de zakken van zijn badjas.

'Als ik het niet zelf had gezien, zou ik het niet geloven...' mompelt Sheng.

'Het is gewoon puur toeval,' beweert Harvey koppig.

'Dan probeer ik het nog een keer,' oppert Elettra.

Ze pakt de tol vast en lanceert hem opnieuw. De tol van de toren gaat de hele kaart over en stopt opnieuw in Trastevere, zodat ze allemaal verbluft staan te kijken.

Harvey schudt sceptisch zijn hoofd. Maar hij zegt niets.

Elettra daarentegen pakt de tol van het oog. 'Ik zal deze ook eens proberen te gooien. Hij moet aangeven...'

'Iets wat een goede waarnemer moet kunnen zien...' suggereert Ermete.

'Eens kijken dan... Daar ga je, tolletje!'

Het meisje lanceert hem met een ferme beweging. De tol wervelt tussen de wegen van Rome door en stopt bij een straatje in het centrum van de stad.

'*Via della Gatta...*' leest Ermete. 'Zegt dat jullie iets?'

'Nee,' antwoordt Elettra. 'Ik zou niet weten waar het is.'

'Dus?' vraagt Sheng, duidelijk teleurgesteld. 'Dus we hebben er niks aan?'

'Precies,' gaat Harvey weer tot de aanval over.

'Misschien wil de tol ons vertellen dat we daarheen moeten om te gaan kijken...' veronderstelt Elettra.

Sheng spert zijn ogen open: 'Misschien zit Mistral daar verstopt?'

Elettra pakt de tol van de waakhond vast. 'Als Mistral ontvoerd is, zoals we denken... zou deze dat dan niet moeten aangeven? De hond waar we langs moeten om iets belangrijks te vinden...'

'Ja, tuurlijk,' bromt Harvey.

Elettra lanceert de tol, die begint te draaien en piepkleine sprongetjes maakt. Uiteindelijk stopt hij bij een huis in de wijk Coppedè.

'Dat zegt me ook niks,' zegt Elettra verbaasd.

Harvey grinnikt. 'Twee goede worpen en twee nutteloze worpen.'

De uitdrukking op Shengs gezicht is ondoorgrondelijk. 'Wat betekent Coppedè?'

Ermete haalt zijn schouders op. 'Dat is de naam van de halvegare architect die de wijk heeft ontworpen.'

'En wat voor plek is het?'

'Een woonwijk, maar wel een heel bizarre. Je ziet daar een heleboel rare dingen: ik geloof dat ze er zelfs horrorfilms hebben opgenomen.'

Elettra en Sheng werpen elkaar een geschrokken blik toe. 'Een gezellig buurtje dus...' is hun commentaar. 'Zal het er niet gevaarlijk zijn?'

'Waarom vragen we dat niet aan de laatste tol?' stelt Harvey uitdagend voor. 'Die geeft immers aan waar het gevaar dreigt?'

En zonder een reactie af te wachten pakt hij de tol van de draaikolk en lanceert hem op de kaart.

De tol draait een paar tellen als een razende rond.

Dan stopt hij op hetzelfde huis in de wijk Coppedè, precies naast de tol van de waakhond.

20
DE WIJK

Mistral doet haar ogen open en ziet het blauwe plafond van de kamer.

Welke kamer? vraagt ze zich af terwijl ze op het bed gaat zitten.

Ze bevindt zich in een kleine slaapkamer met een blauw plafond. Een kast, een kleed, een fauteuil van licht leer. De luiken voor het enige aanwezige raam zijn dicht, en door de latjes dringen dunne streepjes licht binnen.

Het is dus overdag... Maar wat is er gebeurd?

Het laatste beeld dat ze zich herinnert is dat de vloer van het appartement van de professor steigert als een woest paard, en dat er zich een afgrond opent. Ze herinnert zich Elettra op een paar passen van haar af die schreeuwt dat ze de rode cirkels op de vloer moet zoeken en dan... Dan niets meer.

Met moeite komt Mistral overeind van het bed: ze heeft overal pijn, haar hoofd voelt zwaar en haar benen zijn opgezwollen. Ze bekijkt zichzelf: degene die haar in bed heeft gestopt heeft haar ook een pyjama aangetrokken. Haar kleren liggen opgevouwen op het voeteneind.

Mistral gunt zichzelf een paar tellen om tussen de luiken door te gluren, om erachter te komen waar ze is: ze ziet een soort middeleeuws kasteeltje met kantelen op het dak. En een tuin vol zwarte bomen, een stuk van een fontein, een geel huis waarvan de muren zijn beschilderd met opzichtige bloemmotieven...

Als dit Rome is, ziet het er niet uit als Rome. Mistral pakt haar trui en haar broek en wil ze zo over haar pyjama heen aantrekken. Dan draait ze zich met een ruk om.

Iemand heeft de deur opengedaan.

Het is een man, en Mistral herkent hem meteen.

Ze laat haar trui vallen.

En ze gilt.

Jacob Mahler zegt slechts één woord: 'Stil.'

Mistral slikt haar kreet in, ze deinst achteruit naar de ruimte tussen het bed en het nachtkastje, en schudt haar hoofd. Dit is een nachtmerrie, denkt ze. Het is gewoon een nachtmerrie.

Mahler blijft echter onbeweeglijk in de deuropening staan, met een kille blik en een opvallende pleister vlak onder zijn haargrens.

'Ik wil je geen kwaad doen,' zegt hij.

Mistral voelt de muur tegen haar rug aan. 'Wie ben jij?'

'Ik ben degene die je leven gered heeft.'

Het meisje schudt ongelovig haar hoofd.

'Ik heb je het gebouw uit gesleept toen het instortte,' vervolgt Mahler. 'En ik heb je hierheen gebracht om weer op krachten te komen.'

'Jij bent één van *hen*...' sist Mistral. Haar handen glijden zenuwachtig over de muren van de kamer, op zoek naar iets.

'Ik weet heel goed dat je me niet mag. En dat kan me niets schelen. Ik raad je echter wel aan me te vertrouwen. Hoe heet je?'

'Mistral.'

Jacob Mahler zet een paar stappen de kamer in, tot hij naast het bed staat.

'Goed, Mistral. Ik heet Jacob.'

De hand van de moordenaar blijft in de lucht hangen, want Mistral steekt de hare niet uit. Het is een lange, smalle hand, vol kleine wondjes.

Na een paar tellen laat de man zijn hand zakken.

'Zoals je wilt. Maar ik waarschuw je: je begaat een vergissing.'

'Jij bent een van *hen*,' houdt het meisje vol.

Mahler grinnikt. 'En jij? Wie ben jij? Of wie zou je willen zijn?'

Mistral voelt haar hart in haar keel kloppen, maar ze wil niet dat de angst de overhand krijgt.

'Als je zo doorgaat, kan ik je niet helpen,' vervolgt Jacob.

Het meisje strijkt nerveus door haar haren.

'Hoezo, helpen?'

'Om terug naar huis te gaan, bijvoorbeeld. Waar woon je?'

'In Parijs.'

'Hm... Een beetje te ver weg van hier, nietwaar?'

'Dat hangt ervan af waar we hier zijn.'

Mahler tilt zijn wenkbrauw op. 'Goed geprobeerd. Je bent een slimme meid.'

'En ik weet dat jij me helemaal niet wilt helpen.'

'Dan zou je ook moeten weten dat ik je geen kwaad wil doen. Ik wil maar één ding. En jij weet wat dat is.'

'Nee,' antwoordt het meisje koppig.

'Mistral...' dringt Mahler aan, wijzend op de openstaande deur achter hem. 'Wil je me nu vertellen wat jullie met dat koffertje hebben gedaan... of moet ik mijn viool gaan halen?'

De herinnering aan de hypnotiserende klanken van dat instrument treft Mistral als een vuistslag. Alleen al bij het idee om die melodie opnieuw te moeten aanhoren spert ze haar ogen angstig open.

'Wel?'

'Je zei dat je me uit het gebouw hebt gedragen terwijl het instortte...'

'Dat klopt.'

'Wat is er met de anderen gebeurd?'

'Hoezo? Waren er ook nog anderen?' vraagt Mahler quasi-verbaasd.

'Dat weet je best.'

'Ik heb geen idee met hoeveel jullie zijn. Wil jij me dat vertellen?'

Mistral schudt haar hoofd.

Mahler leunt tegen het bed. 'Je kunt het trouwens ook zelf uitrekenen, want volgens mij kan er niemand anders levend uit zijn gekomen. De vloer is ingestort. Boem! Little Lynx is meegesleurd, samen met al je vrienden.'

Mistral voelt de tranen achter haar oogleden prikken.

'Dat is de wet van de natuur: de een gaat dood, de ander blijft leven. Jij leeft, Mistral, dankzij mij. Vind je niet dat je me op zijn minst een kleine gunst verschuldigd bent?'

Mistral schudt langzaam haar hoofd. 'Ik help geen mensen zoals jij.'

Mahler loopt naar het raam en tuurt naar buiten. 'Ach, die jeugd van tegenwoordig...' mompelt hij bij zichzelf. 'Ze spelen graag de superheld, maar ze hebben gewoon te veel tv-series gekeken. Kijk jij graag naar tv-series, Mistral?' Hij doet het raam open, waardoor de koude lucht en het lawaai van het verkeer binnendringt. 'Nee? Jammer. Ik ben er dol op, omdat ze hooguit twintig minuten duren. Twintig minuten, en als ze afgelopen zijn kun je ze meteen weer vergeten, in elk geval tot de week daarna. Is dat niet geweldig? Zou het niet perfect zijn als het leven in afleveringen van twintig minuten verdeeld was, die je naderhand gewoon kunt vergeten?' Zijn blik schiet naar Mistral. 'Zou dat niet geweldig zijn?' herhaalt hij.

Mistral knikt, niet erg overtuigd.

'Zie je wel dat je uiteindelijk toch verstandig wordt? Wel, ik zou willen dat deze serie van ons snel voorbij was. Ik zou willen dat jij weer naar je mama ging en alles zou vergeten, net zoals je met een vervelende aflevering doet.'

'Tot de week erna,' antwoordt Mistral.

'Precies: wil je je moeder dan niet de kans geven om ook de volgende aflevering van de tv-serie over Mistral te zien?'

'Wat wil je daarmee zeggen?'

'Ik wil zeggen...' antwoordt Mahler terwijl hij het raam met een klap dichtslaat, 'dat jij me nu vertelt wat jullie met dat koffertje hebben gedaan... óf ik zorg dat jouw tv-serie hier ter plekke eindigt, nu meteen. En voorgoed.'

Mistral twijfelt niet: de man meent wat hij zegt. Ze probeert haar knieën recht te houden, ook al is ze duizelig van angst.

'Dat koffertje, Mistral,' vervolgt Jacob Mahler, 'is van mij. En ik ben heel kwaad dat jullie het zomaar van me gestolen hebben.'

'We hebben het niet gestolen...'

'Héél kwaad.'

'We wilden het niet eens aanpakken... Hij gaf het aan ons.'

'Ga door.'

'Toen we professor Van der Berger op de brug tegenkwamen, was hij op de vlucht voor *hen*... voor jou. Hij zei dat het allemaal begonnen was en dat we het koffertje voor hem moesten bewaren. Maar wij...'

'Wat hebben jullie ermee gedaan?'

'We hebben het... in de rivier gegooid.'

Mistral dwingt zich om haar hoofd fier rechtop te houden, maar haar ogen kunnen de doordringende blik van Jacob Mahler niet weerstaan.

De moordenaar heft zijn rechterhand op en begint langzaam de seconden af te tellen die haar nog resten tot het einde van haar tv-serie: 'Vijf... vier... drie... twee... één...'

'Het ligt in de kelder,' antwoordt Mistral vlak voor de nul. 'We hebben het... in de kelder gelegd.'

'De kelder van Hotel Domus Quintilia?'

Mistral bijt op haar lip, zonder te antwoorden.

'Brave meid,' glimlacht Jacob Mahler. 'Dan ga ik het nu ophalen. Daarna breng ik je terug naar je moeder. Afgesproken?'

Zonder een reactie af te wachten beent de man met het witte haar de kamer uit en doet de deur achter zich dicht. Op slot.

Op de gang staat Beatrice.

'Zorg dat ze haar mond houdt,' draagt Mahler haar op, terwijl hij haar de sleutel geeft. 'En laat haar onder geen enkel beding de kamer uit. Geen enkel. Ik ga het koffertje ophalen.'

'Wat ben je met haar van plan?'

'Ze heeft me gezien. Ze zou me kunnen herkennen.'

'En dan? Het is maar een meisje. Je wilt toch niet...'

'Ik vermoord geen kinderen,' snauwt Mahler. Hij stopt een hand in zijn zak en haalt er een dun, glanzend pistool uit. 'Als het nodig is, laat ik dat door anderen doen.'

Beatrice kijkt vol afschuw naar de hand van de moordenaar. 'Dat is toch zeker een grapje, hè?'

'Nee. Als ze probeert te ontsnappen en je kunt haar niet op een andere manier tegenhouden... schiet haar dan neer.'

Hij geeft het pistool aan Beatrice.

Mahler loopt snel de trap van de villa af. 'Ik weet dat je veel in je mars hebt, jongedame. Stel me niet teleur.'

Er blijft een zweem van viooltjesgeur in de lucht hangen.

De voordeur op de begane grond gaat open en dicht.

Door een ovalen raam ziet Beatrice haar gele Mini het plein oversteken. Dan staart ze vol tegenstrijdige gedachten naar het pistool in haar hand. Jacob Mahler heeft haar gevraagd om hem niet teleur te stellen, maar zij is niet bereid om nog verder te gaan dan dit.

Het is één ding om hem van het vliegveld te gaan afhalen, in de naïeve veronderstelling dat ze deelneemt aan een stijlvolle operatie, aan zo'n film met geheim agenten die koffertjes verwisselen. Maar het is iets anders om de moord op een man aan de oever van de Tiber bij te wonen, en er vervolgens achter te komen dat het koffertje in handen van een stel kinderen is, die alleen daarom ook vermoord moeten worden.

Ze weet niet of ze de goede keus maakt. Ze weet het absoluut niet.

Ze loopt naar de kamer van Mistral.

Ze legt haar oor tegen de deur aan en hoort haar mompelen: 'Mama, waar ben je?'

Het vrouwenhart van Beatrice krimpt ineen. Ik ben niet je moeder, denkt ze, maar ik zou je zus kunnen zijn.

'Ik zal je geen kwaad doen,' fluistert Beatrice tegen de gesloten deur. 'En hij ook niet.'

Ze heeft een pistool in haar zak.

'Vertrouw me maar, meisje. Heb vertrouwen in Beatrice.'

'Wel?'

'Wel, het heeft niet veel uitgehaald. Ze neemt niet op. Ze zal wel ergens op de wereld aan het graven zijn... Op de universiteit kunnen ze me ook niks méér vertellen.'

'We moeten haar vinden. En we moeten erachter komen of zij degene is die gepraat heeft.'

'Heb jij nog nieuws?'

'Geen goed nieuw. De kinderen zijn nog maar met z'n drieën, ze zijn Mistral kwijtgeraakt.'

'Hoezo, kwijtgeraakt?'

'Ze is niet teruggekomen. Ze zeggen dat ze met haar moeder mee is gegaan.'

'Maar je had toch alles zo geregeld dat ze tijd zouden hebben om op zoek te gaan naar... de Ring van Vuur?'

'Kennelijk is er iets misgegaan.'

'Net als de vorige keer dus.'

'De laatste keer was anders.'

'Ook omdat het honderd jaar geleden was.'

'Het was sowieso anders.'

'Dat vind ik niet. De kinderen staan stil, en ze dreigen dezelfde fouten te maken.'

'Ik heb niet gezegd dat ze stilstaan. Ik heb gezegd dat ze Mistral kwijt zijn. De anderen zijn vanmorgen weer op gang gekomen. Misschien... is niet alles verloren.'

'Dat is nog nooit gebeurd, dat het ze met z'n drieën gelukt is. Dat is lastig, denk je niet?'

'Lastig, maar niet onmogelijk.'

'Als de kinderen ook deze keer falen, is het bijna... een soort einde van de wereld.'

'Zoek haar dan, Vladimir. Blijf naar haar zoeken.'

21
DE WEGEN

Om elf minuten over elf op de laatste dag van het jaar komt Elettra in de Via della Gatta aan. Terwijl ze een zigeunerin omzeilt die mensen geld vraagt om hun hand te lezen, steekt ze een zonnig pleintje over dat is veranderd in een parkeerplaats. In haar zak heeft ze de tol met het oog en de tand die in het koffertje zat. Voor ze wegging uit het huis van Ermete, hebben ze de taken verdeeld... plus de inhoud van het koffertje.

De Via della Gatta is een grote tegenvaller: een nauw, donker straatje, vuil, geplaveid met purpersteen en met aan beide zijden hoge huizen in donker travertijn. Op de begane grond worden de onderste ramen beschermd door hoge, zwarte tralies.

'Wat wilde je hier nu aanwijzen?' vraagt Elettra aan de tol in haar zak. 'Zeg nu niet dat Harvey gelijk heeft en dat je helemaal niet werkt, hè?'

Vol goede wil loopt ze het steegje in, maar hoezeer ze ook haar best doet, ze ziet niets bijzonders. Na een paar meter verbreedt de straat zich tot een pleintje, en het stuk dat daarna komt is lichter en geasfalteerd.

Elettra ziet een boekhandel, een bibliotheek, enkele winkels, de gebruikelijke auto's die dwars op de trottoirs geparkeerd staan, een kapot busje waarop de naam van een verhuisbedrijf prijkt... en verder niets eigenlijk.

Einde van de Via della Gatta.

Misschien was het toch allemaal toeval, denkt ze terwijl ze terugloopt.

Ze zoekt zowel hoog als laag, denkend aan wat er in het notitieboekje van de professor stond: *Zoek laag, dan vind je hem hoog.*

En misschien ben ik wel de gekste van de drie gekke kinderen.

De vier gekke kinderen, verbetert ze zichzelf meteen. Vier, niet drie.

Ze doorzoekt de straat voor de tweede keer, en bestudeert de namen bij de deurbellen op zoek naar een teken.

'We zullen je vinden, Mistral...' mompelt ze. 'Wees maar gerust, we zullen je vinden.'

Die overtuiging is sterker dan welke andere gedachte dan ook, sterker dan haar ongerustheid dat ze naar huis moet bellen om te zeggen dat alles in orde is. Elettra is volkomen geconcentreerd op haar doel, op haar vrienden. Het is haar nooit eerder overkomen dat ze zich zozeer één voelde met iemand. Het voelt net alsof ze hen altijd al gekend heeft.

Harvey is wel knorrig, maar uiteindelijk gelooft ook hij in het avontuur dat ze beleven. En Elettra voelt nog steeds de aanraking van zijn wang tegen de hare, toen hij haar beschermde in het appartement van de professor... en dan heb je Sheng, die zo enthousiast is dat hij een beetje naïef overkomt. Maar dan wel een naïef iemand met een onfeilbaar vertrouwen in de anderen.

'Je kunt hem niet vinden, hè?' zegt een dikke man met een indrukwekkende snor ineens, die voor een café staat.

Elettra blijft op slag stilstaan.

'Je bent zeker een toerist, hè?' zegt de dikzak. 'Ik heb oog voor dat soort dingen. Ik vergis me nooit. Je bent in Rome voor Oud en Nieuw! Ik heb het goed, hè? Waar kom je vandaan, uit Parijs? Ik wed dat je nog nooit een bord echte spaghetti hebt geproefd!' De dikzak barst in een vette lach uit en Elettra twijfelt of ze hem in onvervalst Romeins dialect op zijn nummer zal zetten, of dat ze het spelletje zal meespelen.

Ze besluit hem te negeren en loopt door.

De man kijkt haar vergenoegd na en roept: 'Hoe dan ook, je moet omhoog kijken. De kat die je zoekt zit daarboven, op de kroonlijst van het hoekhuis! Op de eerste verdieping. Ze kan niet ontsnappen: het is een beeldje!' En daar klinkt zijn welluidende lach weer.

Elettra kijkt omhoog: op de kroonlijst van een van de huizen staat het beeldje van een kat. Nu snap ik waarom deze straat de Via della Gatta heet, denkt ze.

Maar de man bij het café is nog niet klaar met zijn verhaal: 'Ze komen hier allemaal om dezelfde reden... De legende zegt dat er een schat verborgen is op de exacte plek waar de kat naartoe kijkt. Maar volgens mij is de kat in de loop der jaren gedraaid. Volgens mij keek ze vroeger naar dit café! Wat voor schatten heb je hier anders nog, volgens jou?' En met een derde lachbui neemt hij afscheid en gaat hij weer het café in.

Sheng duwt met zijn ellebogen om zich uit de zoveelste bus te wringen, en als hij eenmaal op de stoep staat, loopt hij haastig langs de laatste huizenblokken die hem nog van de wijk Coppedè scheiden. Hij is gewapend met een gigantische plattegrond van de stad die in theorie opvouwbaar zou moeten zijn, met pennen en potloden om alles wat hem van pas komt te noteren, met een blokje buskaartjes waarvan hij de helft al heeft opgebruikt en met een professioneel fototoestel waardoor hij net Peter Parker lijkt, de enige fotograaf die in staat is Spiderman te ontmaskeren.

Hij heeft twee van de tollen in zijn zak: die met de waakhond en die met de draaikolk. En hij hoopt vurig dat het werkelijk zin heeft waar hij mee bezig is.

Bij het eerste kruispunt duikt Sheng in de plattegrond, kijkt eens goed en neemt dan zonder enige twijfel de verkeerde weg. Als hij het beseft is het al bijna te laat om zijn fout nog te herstellen: de zon staat hoog aan de hemel, de bomen van het park van Villa Borghese pronken met hun eeuwenoude stammen, en Rome is beslist te groot om zich nog meer blunders te kunnen veroorloven.

Hij gaat even zitten en neemt de situatie in ogenschouw.

Zich oriënteren is nooit zijn sterkste punt geweest, vooral niet in een stad die zo anders is dan die waarin hij is opgegroeid. Als hij in Shanghai was, zou hij een van zijn neven bellen om hem te komen ophalen, of hij zou een draagstoel huren. Maar hij is niet in Shanghai. Hij is in Rome. En hij heeft zo vaak geprobeerd om te doorgronden hoe het systeem van de bussen werkt, dat hij inmiddels schoon genoeg heeft van al die uitleg in het Italiaans...

Hij kijkt hoe laat het is, probeert er niet bij stil te staan hoeveel tijd hij heeft verspild door telkens in en uit de verkeerde bussen te stappen, en gaat op weg naar de wijk Coppedè.

Het fototoestel hangt zwaar om zijn hals, hij voelt flinke pijnscheuten in zijn verbonden arm... maar Sheng is blij dat hij hier loopt. Hij heeft geen idee wat hij zal aantreffen in het huis waar hij een rode cirkel omheen heeft gezet, en hij weet ook niet wat voor foto's hij zal kunnen maken, maar hij wil gewoon zijn uiterste best doen, en niet gaan zitten klagen of overal tegenaan schoppen zoals Harvey doet.

'Ik kan er niks aan doen!' roept Sheng even later, als hij merkt dat de weg die hij is ingeslagen niet omlaag voert, maar omhoog.

'Die straten hier lopen allemaal hartstikke scheef!'

In Lagers & Lopers loopt Harvey intussen zenuwachtig te ijsberen.

Het is al twaalf uur.

En Ermete staat nog steeds onder de douche. Al minstens een halfuur.

Harvey hoort hem zingen terwijl er stoomwolken door de half openstaande deur ontsnappen. Na de zoveelste valse noot loopt hij weg en gaat nog maar eens kijken hoe laat het is.

'Hoe lang duurt het nu nog, verdorie?' roept hij. Het is een vraag die zo'n beetje aan iedereen gericht is: aan de eindeloze douchesessie van Ermete, aan Elettra en aan haar missie naar de Via della Gatta en aan Sheng, die op dit moment vast en zeker verdwaald rondloopt door de straten van Rome.

Harvey vindt dat het een heel slecht idee was om uit elkaar te gaan. En nu hij een hele ochtend heeft doorgebracht met luisteren naar de telefoontjes van Ermete met een hele reeks vriendjes van hem, de een nog onguurder dan de ander, vindt hij dat het ook een slecht idee was om bij Ermete te blijven.

Op papier leek hún taak de belangrijkste: ze zouden langsgaan bij een vriend van Ermete met een twijfelachtige reputatie om erachter te komen of die iets over de man met de viool wist. Of over de ontvoering van Mistral.

Maar toen ze na talloze nutteloze pogingen eindelijk op het punt stonden om te gaan praten met die onbekende vriend, had de ingenieur gezegd dat hij moe was en dat hij een douche nodig had om zich beter te kunnen concentreren.

'Een douche van een úúr?!' schreeuwt Harvey geërgerd vanwege het lange wachten.

Hij voelt een toenemende boosheid in zich opkomen en hij kan op geen enkele manier stoom afblazen. Hij zou willen weten of Elettra en Sheng al iets ontdekt hebben door de aanwijzingen van de tollen te volgen. En hij weet eigenlijk niet welk antwoord hij het liefst zou krijgen; want als die stukken hout werken, dan betekent het dat híj gek aan het worden is.

'Het is allemaal grote onzin...' mompelt hij terwijl hij bij één van Ermetes bordspelen staat. 'Dat is precies hoe ik me voel: als een willoze pion in andermans handen.'

Hij loopt voor de zoveelste keer de woning door, en als hij de ingenieur gelukzalig hoort neuriën balt hij zijn vuisten van woede.

'Je bent een geweldige hulp!' moppert hij ongeduldig.

Als hij terugkomt in de keuken loopt hij langs de telefoon, en hij besluit even te bellen.

Hij pakt de hoorn. Hij legt weer neer. Hij pakt hem weer. Dan kiest hij snel het nummer van het mobieltje van zijn ouders.

'Papa?'

'HÁRVEY?! Waar zit je in godsnaam?' schreeuwt zijn vader meteen. De telefoon hapert even als hij wordt doorgegeven aan mevrouw
Miller, die bijna zonder adem te halen een lawine aan vragen over hem
uitstort.

'Alles is goed... alles is goed...' probeert Harvey te zeggen. Maar
zijn moeder lijkt wel een kolkende rivier. 'Welnee, alles is prima! Ja,
we komen straks terug... We zijn alleen... nee! Nee! Mama! Luister
naar me! Luister nu! NEE! Ik kan niet nú terugkomen! En kom me
niet zoeken! Bij een vriend. Ja, een vriend! Ik weet niet hoe hij heet!
ALLES IS GOED MET ME! Mama! Ik wou alleen... ik wou alleen
maar...'

Hij gooit de hoorn met een klap neer, voordat zijn oor nog in
brand vliegt.

'En jullie ook de beste wensen!' mompelt hij met een blik op de
telefoon.

De badkamerdeur gaat open. Ermete is klaar.

'Alles goed?' vraagt hij, terwijl hij de paar haren die hij nog heeft
droogwrijft.

'Dat had je gedacht!' roept Harvey. 'We moeten ervandoor!'

Naar welke schat kijkt de kat? vraagt Elettra zich af terwijl ze het sierlijke beeldje van zwart marmer bekijkt dat op de kroonlijst balanceert.

Het meisje loopt naar voren en weer naar achteren om de beste
plek te bepalen van waaruit ze kan ontdekken waar de blik van het
beeldje op gericht is. 'Goed...' besluit ze na verscheidene pogingen.

'De kat kijkt voorbij de steeg. Naar de Piazza Grazioli, waar die parkeerplaats is.'

Elettra draait in gedachten verzonken een krul haar om haar vingers.

Ik zoek geen schat... zegt ze bij zichzelf. Ik zoek Mistral, of hooguit... de Ring van Vuur.

Als de kat datgene is wat de tol heeft aangewezen, dan is datgene wat de kat aanwijst... een chic gebouw aan de Piazza Grazioli. Die stenen ogen zouden op elk van de vele ramen gericht kunnen zijn. Of op de voordeur. Of op de kelder.

Elettra stapt over een hoop sneeuw heen en besluit de namen bij de deurbellen te gaan lezen.

Terwijl ze ernaartoe loopt, ziet ze echter opnieuw de zigeunerin zitten waar ze net nog met een boog omheen is gelopen: ze zit in een inham van het gebouw, in kleermakerszit op een tapijt van karton.

Zou het? vraagt Elettra zich af. Ze controleert nog eens de positie van de kat. Zou het?

Ze loopt op de zigeunerin af, zonder dat ze enig idee heeft wat ze tegen haar moet zeggen.

De vrouw heft haar rimpelige gezicht op uit de massa oude overjassen waarmee ze zich tegen de kou probeert te beschermen, en haalt een plastic bordje tevoorschijn waarop een paar koperen muntjes liggen.

'Veel geluk, juffrouw. Ik wens je heel veel geluk, jou en je familie,' prevelt ze, als een droevig deuntje.

Een beetje geluk zou geen kwaad kunnen, denkt Elettra.

'Waarom ook niet?' mompelt ze dan.

Ze stopt haar hand in haar zak om er wat kleingeld uit te pakken, maar haalt eerst de tol en dan de tand tevoorschijn. Uiteindelijk heeft ze een munt van vijftig cent te pakken, en die legt ze op het bordje van de zigeunerin. 'Hier,' zegt ze.

De zigeunerin krijgt ineens een schok. Haar gezicht verandert op slag van uitdrukking, en het muntje is nog niet bij de andere gevallen of ze staat op van het kartonnen tapijt en wil weglopen.

Elettra draait zich om om te zien of er misschien een carabiniere aan is komen lopen. Maar afgezien van de paar mensen die het plein oversteken en de roerloze kat op de kroonlijst aan de overkant, is er niemand te bekennen.

'Waar ga je heen?' vraagt ze aan de vrouw.

Die heft haar handen boven haar hoofd, keert haar de rug toe en roept: 'Nee, nee! Weg! Ga weg!'

'Heb je het tegen mij?'

De zigeunerin knikt. Ze tilt haar overjassen op en loopt weg, al roepend: 'Laat zitten! Laat zitten!'

'Wat moet ik laten zitten?' vraagt Elettra verbijsterd.

De vrouw geeft geen antwoord en zet het op een rennen.

Sheng blijft staan om de niet bepaald opvouwbare plattegrond te bekijken voor de donkere boog die over de hoofdweg heen loopt. Na een korte worsteling met de wind slaakt hij een zucht van verlichting: tenzij hij weer vreselijk de fout in is gegaan, is dit toch echt de boog die de rest van Rome afscheidt van de wijk Coppedè.

Het is een dreigend bouwwerk, licht en zwaar tegelijk, waarop een gebouw steunt dat aan een gevangenis doet denken.

'Nu komt het op ons tweeën aan, waakhond...' mompelt Sheng heldhaftig, zijn mouwen opstropend en oppassend dat hij de plattegrond niet kapotscheurt. 'En op ons tweeën, draaikolk.'

Als hij onder de boog door is, heeft hij echt het gevoel dat de stad veranderd is. Midden op het plein ziet hij een fontein met vier kikkers, omringd door vuile hoopjes sneeuw. De gebouwen rondom lijken gevoerd met donker travertijn.

Sheng controleert de ligging van het huis dat hij zoekt en brengt zijn fotocamera in stelling.

Geel-rood geblokte villa. *Klik.*

Ramen gedragen door grijnzende maskers. *Klik. Klik. Klik.*

Balkons die rusten op de schouders van titanen. *Klik. Klik.*

Ridders in harnas die koperen dakgoten vasthouden. *Klik.*

Een scheef dak. *Klik.*

Hij richt zijn camera op zijn onderwerpen met de snelheid van een revolverheld. Hij blijft in hetzelfde tempo doorlopen, met de professionele uitdrukking van iemand die dit smerige klusje nu eenmaal moet doen en het maar het liefst zo snel mogelijk achter de rug wil hebben. Geen van de voorbijgangers keurt hem een blik waardig, want ze zien hem aan voor een van de vele Aziatische toeristen die de ene na de andere foto maken.

Zo bereikt Sheng volkomen ongestoord het doel dat hij zich gesteld had: het is een kleine villa met een naargeestig torentje, omgeven door een ijzeren hek met zulke gedraaide punten dat het wel vier afzonderlijke klikken verdient: *Klik. Klik. Klik. Klik.*

Achter het hek ligt een naargeestige tuin (twee klikken). En Sheng ziet een reeks piepkleine afdrukken van kraaienpootjes in de sneeuw (één klik).

De jongen kijkt omhoog om de rest van de villa te bekijken. De gevel is volkomen asymmetrisch: zuilen en afdakjes verbergen zijingangen en kamertjes. Sheng grijpt zijn fototoestel vast en begint te klikken.

Dan, als hij een raam met gesloten luiken in beeld heeft, meent hij iemand te zien bewegen. Hij zoomt in en uit zonder dat hij ergens op kan scherpstellen, en hij vraagt, zo zachtjes dat hij zichzelf bijna niet kan horen: 'Mistral? Ben je hier?'

Hij blijft op een reactie staan wachten, die natuurlijk niet komt. Dus laat hij het fototoestel zakken en kijkt om zich heen. Hij ziet verkeerslichten en informatieborden. Helden en monsters, zwaarden en lelies. Wapenschilden en familietekens. Het ijzeren hek en de tuin.

'Nee maar...' mompelt hij. 'Ik krijg de rillingen van deze buurt.'

Hij loopt langs het hek tot hij bij een smal, sneeuwvrij gemaakt laantje komt dat naar de ingang van de villa leidt. Zijn blik wordt aangetrokken door enkele rode vlekken, die als wondjes op de grond prijken.

'Bingo...' mompelt Sheng, terwijl hij ze fotografeert. Als hij inzoomt ziet hij dat het bloedvlekjes zijn.

Klik. Klik.

Dan laat hij het toestel zakken en kijkt achter zich. Er is niemand. Straat. Auto's. Verkeerslichten. Informatieborden. Wapenschilden en familietekens.

'Wat zeg ik, de rillingen...' prevelt hij. Hij probeert zich opnieuw op de villa te concentreren, maar hij merkt dat het niet lukt. Hij laat de camera zakken en geeft toe: 'Ik ben gewoon doodsbang!'

Hij aarzelt niet langer en loopt weg, hij botst tegen enkele voorbijgangers aan, verontschuldigt zich en loopt door.

Zo zijn het wel genoeg foto's, denkt hij.

Honden, draken, uitgehouwen dieren, ogen, handen van steen.

Het is echt genoeg. Hij heeft schoon genoeg van de wijk Coppedè.

Hij zet het op een rennen.

Hij bereikt de fontein met de kikkers en holt onder de boog door, en hij stopt pas als hij er voorbij is. Hij is weer in Rome.

'Wacht nu!' roept Elettra tegen de zigeunerin.

De vrouw holt onhandig deinend in haar vele lagen kleren. 'Ga weg!' roept ze zonder te stoppen.

Elettra gaat achter haar aan, eerst met grote stappen lopend, daarna rennend. 'Waarom ren je nu weg?'

De zigeunerin gebaart alleen maar wat.

Elettra versnelt haar pas en algauw heeft ze haar ingehaald.

De vrouw geeft het op en gaat met haar rug tegen de muur aan staan.

'Mag ik weten wat je ineens bezielde?' vraagt Elettra.

'In je zak...' hijgt de oude vrouw met een rood gezicht van vermoeidheid.

'Wat? Dit? Die tol? Ken je die tol?'

De zigeunerin schudt haar hoofd, waardoor ze een wolk onaangename geuren om zich heen verspreidt: vuile haren, zweet, aarde.

'En deze dan? Herken je die?' dringt Elettra aan, terwijl ze haar de tand laat zien.

De vrouw slaat haar handen voor haar ogen en probeert weer weg te rennen. 'Nee! Ga weg! Ik ben het niet!'

'Wat ben je niet?' schreeuwt Elettra terwijl ze haar tegenhoudt.

De zigeunerin weet zich los te rukken en zet het weer op een hollen.

Elettra gaat haar puffend achterna. 'Wil je het alsjeblieft uitleggen?!' Dan krijgt ze een ingeving: 'Ken je Alfred van der Berger?' roept ze. 'De professor?'

Bij het horen van die naam houdt de oude vrouw zich een klein beetje in. Ze draait zich om naar het meisje, schudt haar hoofd en rent dan weer verder.

'Jij kent de professor!' roept Elettra, die twee keer zo hard gaat rennen. 'Ik ken hem ook! Hij is een vriend van me!'

Nu blijft de zigeunerin ineens staan. Elettra rent naar haar toe, loopt om de vormeloze bundel van haar overjassen en herhaalt: 'Alfred van der Berger. De professor. Hij heeft me die tand gegeven.'

'Hij is dood,' zegt de zigeunerin.

'Dat weet ik.'

'Hij is eergisteren vermoord...' De ogen van de zigeunerin laten twee tranen los die een glanzend spoor trekken over haar vuile wangen. 'Het sneeuwde. En de rivier brulde.'

'Ja, ja, ja...' beaamt Elettra op alles wat ze zegt, dolblij omdat ze eindelijk iemand heeft gevonden die ook op de hoogte is van het hele verhaal. '*Zij* hebben het gedaan...'

De vrouw kijkt angstig om zich heen en zwaait met haar handen alsof ze alles rondom haar wil uitwissen. 'Ssst!' sist ze tussen haar zwarte tanden door. 'Praat zachtjes. Er zijn... schimmen... die meeluisteren. Schimmen die de rivier laten brullen.'

'Ik was er die avond ook. Ik stond op de brug!' vertelt Elettra.

'Nee,' antwoordt de zigeunerin. 'Jij was er niet. Alleen de sneeuw was er. De huilende rivier. En de viool. De viool was erbij, eergisteren, toen hij doodging.'

———————————— ○ ————————————

Elettra ziet de man met het witte haar weer voor zich op het moment dat hij over de drempel stapte in het appartement van de professor. Ze hoort opnieuw heel duidelijk het zoete slaaplied waarmee hij haar bijna in slaap had gesust. En zelfs nu, zoveel uren later, moet ze onwillekeurig even haar ogen dichtdoen.

'Ben jij de man met de viool ook tegengekomen?' fluistert ze.

De zigeunerin schudt haar hoofd. 'Ik heb hem alleen maar gehoord. Ik heb hem niet gezien.'

'Heeft hij de professor vermoord?'

Er volgt geen antwoord, maar een nieuwe vraag: 'Wanneer heeft hij je die tand gegeven?'

'Eergisteren, op de brug.'

'En zei hij ook waarom?'

'Nee. Maar volgens mij was het om dezelfde reden als waarom hij me de andere dingen heeft gegeven: om te voorkomen dat de man met de viool ze in handen kreeg.'

'Dat zei hij ook tegen mij,' zegt de zigeunerin. Ze stopt haar hand tussen haar vele lagen kleding. Even later haalt ze hem weer tevoorschijn met een zwartleren veter, waaraan eveneens een tand hangt.

Ze houdt hem naast die van Elettra.

Er is een letter M in gegraveerd.

22
DE KELDER

'Het spijt me, meneer Heinz,' zegt Fernando Melodia tegen de man die zich bij de receptie van Hotel Domus Quintilia heeft gemeld op zoek naar een kamer. 'We zitten werkelijk helemaal vol.'

De man is volledig in het zwart gekleed. Hij heeft een vioolkoffer bij zich, en een breedgerande hoed verbergt het bovenste gedeelte van zijn gezicht.

'Weet u dat heel zeker?' dringt hij aan. 'Uw hotel is me aanbevolen door een vriend...'

'Ik weet het zeker,' antwoordt Fernando. 'En trouwens... we zijn sowieso niet erg in de stemming om nieuwe gasten te ontvangen, gelooft u me.'

'Is er iets gebeurd?'

'Ja, dat kun je wel zeggen,' antwoordt Fernando Melodia zonder verdere uitleg te verschaffen. 'Als u me nu wilt verontschuldigen...'

Maar de man lijkt niet van plan om weg te gaan.

'Kunt u me dan niet even de kamers laten zien,' vervolgt hij. 'Of mag ik zelf even rondlopen?'

'Nee, geloof me. We hebben het heel druk. Er heerst algemene opwinding, die is veroorzaakt door mijn dochter, dus...' Fernando wil er verder niets over zeggen.

'Hoe oud is uw dochter?'

'Veertien.'

'Dan snap ik het wel: dat is de leeftijd waarop ze in verzet komen tegen hun ouders.'

Fernando schudt zijn hoofd. 'Ik denk niet dat u het begrijpt. Het gaat erom dat ze ook de kinderen van andere gasten heeft overgehaald om... ik weet niet wat...' Hij maakt een gebaar alsof hij wil zeggen: Zo is het nu eenmaal gegaan! Dan komt hij achter de balie van de receptie vandaan om de man naar de uitgang te begeleiden. 'Hoe dan ook, volgende keer beter, hoop ik.'

'Waar is de kelder?' vraagt de man plompverloren.

'Wat, hoezo?'

'Ik vroeg waar de kelder is.'

'Daar achteraan...' stamelt Fernando, wijzend op de deur die verscholen is achter de planten. 'Maar waarom...'

De man maakt twee snelle bewegingen met zijn handen en treft Fernando tegen zijn borst.

Na de eerste klap zakt Fernando zonder een kik ineen. Na de tweede glijdt hij als een lege zak op de grond.

'Bedankt voor de informatie,' sist Jacob Mahler terwijl hij over hem heen stapt.

Hij bukt zich, grijpt hem onder zijn oksels vast en sleept hem achter de balie om hem aan het zicht te onttrekken. Dan kijkt hij vlug naar links en naar rechts, slaat het reserveringenboek open en bladert het nerveus door op zoek naar de namen die de laatste week geregistreerd zijn.

Er staat echter geen enkele naam in het boek. Alsof er niet één gast in het hotel verblijft.

Hoe is dat mogelijk? vraagt Mahler zich af.

Hij trekt de laden open op zoek naar inschrijvingspapieren of andere ontvangstbewijzen, maar opnieuw zonder succes. Geen enkel paspoort. Geen enkele identiteitskaart.

'Verdorie!' sist hij tegen het bewusteloze lichaam van Fernando. 'Hoe kun je nu zo een hotel runnen, hm? Je hebt niet één naam geregistreerd!'

Mahler geeft zijn pogingen om de identiteit van de andere kinderen te achterhalen maar op en duwt de laden half dicht. Hij zal het moeten doen met de namen die hij al kent: Elettra en Mistral.

Terwijl hij de planten aan de kant schuift, mompelt hij: 'Maar nu eerst: het koffertje'. Oftewel: datgene waarvoor hij betaald krijgt. Datgene wat hij voor Heremit Devil moet zien te bemachtigen.

Hij gooit de kelderdeur open. Een stenen trap leidt het donker in. Mahler zoekt een lichtknopje, drukt erop. Een hele reeks lampjes verlicht een onderaardse ruimte met een plafond van rode baksteen.

'Kelder.' Jacob Mahler kijkt om zich heen en glimlacht.

Onder aan de trap zit een muis. Een klein muisje dat hem aankijkt, verrast door al dat licht. Jacob is gek op muizen: stille wezentjes, net als hij, die hun jarenlange strijd tegen de mensheid voeren. En die de mensheid nooit zal kunnen verslaan.

Zodra het muisje onheil ruikt, schiet het weg in zijn onderaardse holletje.

Mahler neemt de trap met twee treden tegelijk, en zorgt ervoor dat zijn jas niet over de grond sleept. Hij snuift de stoffige lucht op, loopt naar het eerste meubelstuk en tilt het laken op dat eroverheen ligt. Een ladenkast. Hij tilt nog een laken op: een Jugendstil-kast. En dan een derde laken: twee nachtkastjes.

Verbluft klemt hij zijn kaken opeen. Die kelder is gigantisch. Waar kunnen ze zijn koffertje verstopt hebben?

Mahler speurt de ruimte af. Algauw ziet hij de sporen van een recente bijeenkomst die op de vloer is gehouden.

Hij volgt de voetafdrukken tot aan een scheve ladenkast.

Eerste lade.

Tweede lade.

Derde lade.

Zijn mond krult om tot een glimlach.

'Koffertje,' zegt hij.

Op het moment dat hij het vastgrijpt, beseft hij echter dat er iets niet klopt.

Het koffertje is licht, veel te licht.

'Dat hadden jullie niet moeten doen, jongens,' gromt Jacob Mahler.

Hij legt het koffertje boven op de ladenkast en maakt het open.

Het is leeg. Volkomen leeg.

Hij geeft er een klap op waardoor het op de grond valt, en balt zijn vuisten om een schreeuw te onderdrukken. Langzaam begint hij een toonladder te zingen in een poging om kalm te worden.

Als hij met de derde toonladder bezig is, werkt het. Maar hij begrijpt dat hij te veel lawaai heeft gemaakt.

Hij tilt een wenkbrauw op: het plafond van de kelder trilt onder de voetstappen die dichterbij komen.

Mahler raapt het lege koffertje van de grond. Hij werpt een laatste blik in het rond en mompelt in zichzelf: 'Heel slim, Mistral... echt heel slim.'

De voetstappen blijven ineens staan.

Mahler luistert en begint de seconden af te tellen. Hij kan heel snel bepalen wanneer het tijd is om weg te gaan.

Hij heeft zijn voeten nog niet op de eerste tree gezet of van de verdieping boven hem gilt een vrouwenstem: 'Fernando! Wat doe jij daar?'

Mahler loopt de trap op. Bij de deur van de kelder ziet hij door de bladeren van de planten een vrouw achter de balie gebukt staan.

Zonder ook maar één blaadje te laten ritselen probeert hij weg te glippen.

De vrouw is echter ineens overeind gekomen. 'Wie bent u?' roept ze.

Jacob negeert haar en loopt naar de uitgang.

'Neem me niet kwalijk,' houdt Linda Melodia vol. 'Wie bent u, als ik vragen mag?'

Een tweede stem slaakt een kreet achter Mahlers rug: 'Linda, kijk uit!'

Deze stem behoort toe aan een vrouw in een rolstoel met een getekend gezicht en met haar handen op de armsteunen.

'Blijf staan!' beveelt Linda Melodia.

Jacob Mahler heft zijn arm op om haar af te schrikken, maar in plaats van dat ze aan de kant gaat, tilt ze ineens de bezemsteel omhoog en slaat hem er zo hard mee op zijn hoofd dat de steel doormidden breekt. 'Dat zal je leren, smerige dief! Maak dat je wegkomt!'

De man houdt haar arm in een ijzeren greep. 'Dat is precies wat ik van plan was...' sist hij.

'Laat me met rust!' schreeuwt Linda terwijl ze zich probeert los te rukken.

Mahler zou haar pols zo kunnen breken. Of haar kunnen vermoorden.

Maar dat doet hij niet, want in wezen heeft hij bewondering voor de felheid waarmee die vrouw haar territorium verdedigt. Hij duwt haar alleen maar van zich af en loopt naar de uitgang.

De oude vrouw in de rolstoel roept hem nog iets na waar hij niet eens naar luistert.

Hij laat het hotel achter zich, dat nutteloze lege koffertje met zich meeslepend.

Er loopt iets warms over zijn gezicht.

Hij voelt aan zijn voorhoofd. Kennelijk is zijn wond weer opengegaan door de klap van dat mens.

23

DE RIVIER

Volg me, heeft de zigeunerin gezegd, en Elettra heeft gedaan wat ze vroeg.

Ze heeft de vertrouwde stad verlaten en is de onzichtbare stad van de zigeuners binnengedrongen, denkend aan de dingen die ze over hen gehoord heeft. Dat is niet veel, en het is allemaal niet vleiend: 'Vertrouw ze niet. Kijk ze niet aan. Laat nooit je hand lezen. Laat ze niet aan je komen. Blijf op afstand.'

En nu, een paar uur voor de jaarwisseling, heeft Elettra ermee ingestemd om met een van hen mee te gaan naar de hutten die onder een brug over de Tiber zijn gebouwd.

Ze volgt haar voorbij een kapotte balustrade, over een pad van vuile sneeuw dat in het struikgewas is uitgesleten, tussen de kiezels van de rivier en de droge takken waarin stukjes plastic zijn blijven hangen als offervlaggetjes. Ze volgt haar onder de kille schaduw van een brug. Onder het kabaal van de auto's door. Ze laat de stad achter zich.

Haar gids is één en al vuiligheid en verstelde jassen. Af en toe ziet Elettra echter iets van goud glinsteren tussen haar haren. Een oud sieraad, eentje maar, in haar rechteroor.

Het water in de Tiber stroomt woest voort, versterkt door de sneeuwval van de afgelopen dagen. Het klinkt als gezang dat het lied van het verkeer overstemt.

'We zijn er...' zegt de zigeunerin een hele tijd later.

Ze wijst naar een hutje gebouwd van golfplaten, plastic, oude balken, kapotte luiken. Er is geen slot. Als je naar binnen wil moet je gewoon een deur van op elkaar geplakte aanplakbiljetten openduwen.

Binnen is het koud. Je voelt de sneeuw tegen de wanden aan dringen, en de kou van de stenen van de brug op het dak drukken.

De zigeunerin probeert een kacheltje aan te steken. Aanvankelijk pakt de vlam niet, maar na een paar welgemikte trappen tegen een gasfles die op de grond ligt gaan de laatste restjes gas sissend door de leiding.

Elettra blijft bevreesd in de deuropening staan. De vloer is bedekt met plastic. De muren zijn dichtgestopt met isolatiemateriaal. Er hangt een scherpe, onaangename geur.

'Kom maar...' zegt de zigeunerin. 'Ik wil je geen kwaad doen.'

Ze loopt naar het eind van het krot, waar kisten en dozen vol oude kleren staan opgestapeld. Ze zoekt iets.

Elettra slikt en gaat naar binnen.

'Help me even...' zegt de vrouw. 'Hij is zwaar.'

Ze schuiven de dozen aan de kant en halen een houten hutkoffer te voorschijn, die tegen de achterwand van het krot verstopt staat. Hij is loodzwaar, alsof hij vol met stenen zit.

'Waarom heb je me mee hiernaartoe genomen?' vraagt Elettra.

De zigeunerin zoekt de sleutel van de kist in enkele mandjes vol vergulde prulletjes. Als ze hem vindt, knielt ze op de grond neer om hem open te maken.

'De professor heeft hem naar me toe gebracht...' verklaart de zigeunerin. 'Nadat ik zijn hand had gelezen.'

Elettra staart stomverbaasd naar de kist. 'Heeft hij je deze hutkoffer gebracht? En wat zit erin?'

'Wacht even.'

'Wanneer heb je zijn hand gelezen?'

'Toen ik hem ontmoette, was hij op zoek. En ik zat te wachten. We zagen elkaar op de Piazza della Gatta.'

'Waar was hij naar op zoek?'

'Naar een schat, zei hij. Maar hij was droevig, vanwege iets waar hij niets aan kon doen. Ik heb het meteen door als iemand zo is. Ik zie het in zijn ogen. Ik ging naar hem toe en vroeg of ik zijn hand mocht lezen.'

'En wat zei hij?'

'Hij vond het goed, maar...'

'Wat stond erin geschreven?'

'Het einde van de wereld...' mompelt de zigeunerin, terwijl ze haar ogen dichtdoet en de sleutel in het oude slot ronddraait.

Dan tilt ze het deksel van de hutkoffer op.

'Ik weet niet waarom hij ze hierheen wilde brengen...' verklaart ze met lichte stem, nadat ze een blik op de inhoud van de hutkoffer heeft geworpen. 'Ik denk omdat ik het einde van de wereld in zijn hand-palm had zien staan. Hij wist het zelf al, hoor. Hij vroeg me hoe ik het kon weten.'

Elettra houdt haar mond, ze kan niet goed zien wat er in de kist zit. Ze kan alleen de zwarte letters lezen die in de binnenkant van het dek-sel zijn gekerfd: *Orsenigo 1867-1903.*

Die naam komt haar bekend voor, maar ze weet niet meer waarom. Een aantekening van de professor misschien... Een van de vele in zijn notitieboekje, die Mistral heeft overgeschreven. Het voelt echter zo vreemd vertrouwd dat haar hart sneller gaat kloppen.

De zigeunerin heft haar handen op naar het plafond. 'Ik weet niet hoe ik het wist. Maar ik zag echt het einde van de wereld in zijn hand.' Ze wijst naar haar linkerhandpalm. 'Al zijn lijnen waren afgebroken... en ze vormden allemaal samen een grote spiraal.'

'Als een draaikolk,' zegt Elettra.

'Ja, als een draaikolk...' knikt de zigeunerin. 'De draaikolk van het gevaar.'

Elettra klemt haar hand om de tol in haar zak.

De stem van de vrouw klinkt feller: 'Al zijn lijnen waren verkeerd. Ik zag er andere lijnen in. Ik zag mensen schreeuwen. Ik zag tranen. Ik zag brandende vlammen. Vreselijke rukwinden die alles omverwier-pen. En de aarde die onder de voeten van de mensen openspleet. Er was een zwarte, zoute zee die alles uitwiste. Dat zag ik allemaal in de hand van de professor.'

Elettra voelt de aandrang om weg te gaan. De Tiber zingt zijn vloeibare lied buiten het krot.

'Maar ik weet nog steeds niet waarom hij deze gebracht heeft...' mompelt de zigeunerin weer. Ze steekt haar handen in de hutkoffer. 'Hij heeft me betaald om ze te bewaren. Hij heeft me er goed voor betaald en hij zei: "Niemand zal ze komen zoeken. Maar jij moet ze verstoppen. En als er ooit iemand iets komt vragen, dan... dan loop je weg. Als je bang bent, moet je ze vernietigen. Maar laat ze aan niemand zien. Aan niemand."' Haar ene oorbel glinstert. 'Toen voegde hij eraan toe, terwijl hij me de lijnen van het eind van de wereld liet zien, dat ook *zij* op zoek waren naar de schat. En dat ze niet mochten weten waar ze moesten zoeken.'

Elettra staat met haar handen in haar zakken en zet een stap naar voren, om te zien wat er in de kist zit.

'Ik heb ze verstopt, zoals hij gevraagd had,' vervolgt de zigeunerin. 'En niemand is ze komen zoeken. Tot vandaag. Toen jij eraan kwam.'

'En toen ging jij ervandoor.'

'Ja.'

'Je wilde ze gaan vernietigen.'

'Ja. Dat heb ik wel overwogen.'

'En waarom ben je van gedachten veranderd?'

'De professor zei dat datgene waar hij naar op zoek was te maken had met het einde van de wereld. Daarom was hij zo bang: omdat er volgens hem nog meer mensen zijn die het einde van de wereld in hun handen hebben staan,' antwoordt de zigeunerin. 'Maar jij...'

'Wat is er met mij?' vraagt Elettra terwijl ze een halve stap naar achteren zet.

De vrouw haalt haar handen uit de kist. 'Jij bent niet bang.'

Elettra moet onwillekeurig lachen. 'O, nee, je vergist je. Ik ben heel erg bang. Veel banger dan je denkt.'

'Laat me je hand zien,' zegt de zigeunerin.

'Nee!' gilt Elettra geschrokken. Er loopt een rilling over haar rug, als een ijskoude druppel.

'Laat me je hand zien,' dringt de zigeunerin aan.

'Waarom?'

'Ik wil je lijnen lezen.'

Elettra schudt haar hoofd. 'Ik... ik wil het niet...'

'Soms doet het er niet toe wat je wel of niet wilt.'

'Ik hoef niet te weten wat er in mijn hand staat geschreven.'

'In de spiegel wordt je beeltenis ook weerkaatst als je je ogen dicht hebt.'

'Wat weet jij van spiegels?'

De zigeunerin buigt haar hoofd lichtjes naar haar rechterschouder. Zo ziet ze er ongelooflijk lief uit. Ze vraagt om haar hand alsof ze haar ten dans vraagt.

'Maar je moet me niets vertellen...' mompelt Elettra. 'Als je iets ziet, moet je het me niet vertellen.'

De zigeunerin knikt.

En het pact is bezegeld.

Elettra geeft haar linkerhand aan de zigeunerin, met de palm omhoog.

'Alsjeblieft...' prevelt ze, als een gebed.

De vrouw klemt haar vingers vastberaden om die van Elettra en glijdt met haar wijsvinger over de palm van het meisje. Ze beweegt hem op en neer, in grote cirkels, en ze duwt hier en daar als de punt van een tol.

Zo gaat ze een paar minuten door, en dan laat ze ineens los.

'En?' vraagt Elettra.

'Je hebt me gevraagd om je niks te vertellen. En dat zal ik ook niet doen.'

Elettra's hart gaat steeds sneller bonzen.

'Kijk jij nu eens... Kijk wat de professor ons heeft gegeven,' zegt de zigeunerin.

Elettra houdt haar adem in en richt haar ogen op een grote hoeveelheid witte, onregelmatige dingetjes. Ze heeft niet meteen door wat het zijn.

'Dat kan niet...' mompelt ze. Ze knielt voor de kist neer met een mengeling van afschuw en nieuwsgierigheid.

Ze schudt haar hoofd. In haar rechterhand voelt ze nog steeds de vingers van de zigeunerin drukken. 'Zie ik het goed?'

De vrouw glimlacht. 'Tanden,' zegt ze.

In de hutkoffer zitten honderden, misschien wel duizenden mensentanden.

'Hallo...' mompelt Beatrice terwijl ze de deur van de kamer opendoet.

Mistral zit op het bed en geeft geen enkele blijk van verbazing. Ze reageert niet en blijft voor zich uit zitten kijken, met een afstandelijke, koppige uitdrukking op haar gezicht.

Beatrice zet een paar stappen de kamer in. 'Hoe voel je je?'

Het meisje staart naar de gesloten luiken en zegt geen woord.

'Het duurt nu niet lang meer...' gaat Beatrice door, zo geruststellend mogelijk. 'Hij zal zo wel terugkomen.'

'Maar hij brengt me niet naar huis, hè?' vraagt Mistral abrupt.

Beatrice loopt naar het bed en legt haar handen erop. 'Waarom zeg je dat?'

'Omdat jullie... *zij* zijn.'

'En wie zijn *zij?*'

Mistral kijkt verbeten. 'Ik ben niet dom,' zegt ze. 'Jullie zijn alleen maar *zij* omdat ik niet weet hoe jullie heten.'

'Je vergist je...'

'O ja? Wie zijn jullie dan? En waarom hebben jullie mij ontvoerd?'

Beatrice bijt op haar lip. 'Je zult zien dat het allemaal snel weer voorbij is. Het is gewoon...'

Mistrals ogen staan diep en intens, smekend om haar niet voor de gek te houden. Om haar de waarheid te vertellen.

Beatrice zucht. 'Ik werk voor hem, dat klopt...' beaamt ze. 'Maar ik weet niets van die hele zaak. Ik kan je alleen maar vertellen dat ik niet zal toestaan dat hij je kwaad doet. Geloof me.'

'Hij is heel gemeen, hè?' vraagt Mistral met een blik op de half openstaande deur achter de jonge vrouw.

Beatrice staart naar de geknoopte sprei. Ze bedenkt hoeveel moed ervoor nodig is om tegen zo'n meisje te liegen. En hoeveel moed het van haar zal vergen om haar de hele waarheid op te biechten.

'Ja,' mompelt ze. 'Heel erg.'

Mistral kijkt weer naar de gesloten luiken. 'Dat wist ik wel,' mompelt ze. 'En ik wed dat hij degene is die de professor heeft vermoord.'

Beatrice probeert vlug van onderwerp te veranderen: 'Ik heb net zo'n zusje gehad als jij. Dat wil zeggen...' glimlacht ze. 'Min of meer net zoals jij. Ze zou nu ongeveer van jouw leeftijd zijn geweest.'

'En waarom heb je haar niet meer?'

'Ze hebben ons uit elkaar gehaald. Die dingen kunnen gebeuren, wanneer ouders... ruziemaken.'

'Ik heb geen ouders. Ik heb alleen mijn moeder, dus kan ze ook met niemand ruziemaken,' zegt Mistral.

'Soms is dat ook maar beter, weet je? Ik ben opgegroeid met mijn vader, en...' Een reeks nare herinneringen trekt in een flits aan haar voorbij. 'En dat was niet echt leuk.'

Mistral kijkt haar niet-begrijpend aan, maar stelt geen vragen. Ze veegt met een hand onder haar ogen.

'Wil je een zakdoekje?' vraagt Beatrice.

'Ik huil niet.'

Er valt een zware stilte in de slaapkamer. Door het raam klinken de gedempte geluiden van het verkeer.

'Hoe heet je?'

'Beatrice.'

'Ik heet Mistral.'

'Hallo, Mistral.'

'Denk je echt dat het allemaal snel weer voorbij zal zijn?'

Beatrice knikt zenuwachtig. Als ze naar Mistral kijkt ziet ze zichzelf op haar veertiende. Opgesloten op haar kamer, wachtend tot haar vader zou besluiten dat ze genoeg gestraft was en haar er weer uit liet.

'Dat meende ik zeker. Absoluut.'

Mistral wringt nerveus met haar handen. Beatrice luistert naar de geluiden van de straat. Ze meende de motor van haar Mini te herkennen. Dan een deur die wordt dichtgeslagen onder aan de trap.

'Wat gebeurt er?' vraagt Mistral.

'Niets,' antwoordt Beatrice, terwijl ze de kamer uitgaat.

Jacob Mahler is terug.

24
LETTERS

'Oké. Blijf waar je bent,' roept Ermete door de telefoon. 'Ik kom eraan.'

'Waar gaan we heen?' vraagt Harvey met een blik op de ingenieur, die als een dolle door het hele huis rent met zijn nog natte piekhaar.

Alle laden worden open en dicht gedaan. Hij is de sleutels van zijn motor weer eens kwijt, zoals gewoonlijk.

'Hoe is het mogelijk?' roept hij woedend.

De telefoon gaat opnieuw. 'Neem jij maar op!'

Harvey pakt de hoorn en luistert een paar tellen naar een vrouwenstem die tekeergaat zonder naar lucht te happen. Hij voelt al aan wie het is, houdt zijn hand voor de hoorn en roept: 'Ermete! Het is je moeder!'

'Zeg maar dat ik er niet ben,' antwoordt de ingenieur terwijl hij onder een hoop vuile overhemden staat te wroeten. 'Waar heb ik ze nu toch neergelegd?'

Harvey haalt zijn hand weg van de hoorn en mompelt: 'Mevrouw... Ermete is op dit moment...'

'IK BEN ER NIET!' schreeuwt de man van achter uit de kamer.

Eindelijk heeft hij de sleutels gevonden, in een lege bloempot. Hij grijpt ze, loopt naar Harvey toe, grijpt de hoorn uit diens hand en preciseert: 'Hallo mama. Luister: wat het ook is, het interesseert me niet. Nee, nee, nee, nee. Echt waar: vandaag ben ik er niet!' En hij hangt op.

Dan wendt hij zich tot Harvey en legt uit: 'Elettra belde net. Kennelijk heeft ze iets... waanzinnigs gevonden...'

'Wat dan?' vraagt Harvey met kloppend hart.

'O, het is een oude legende van Rome... Een paar eeuwen geleden was er een monnik, op het Tibereiland...'

'Dat eiland ken ik,' onderbreekt Harvey hem. 'Dat is de plek waar alles is begonnen.'

Ermete gaat daar niet op in en vervolgt: 'Hij heette broeder Orsenigo. Hij was een smoelensmid.'

'Een wat?'

'Een soort tandarts. Alleen genas hij de tanden niet, maar trok hij ze uit. En dat deed hij met zijn blote handen.'

Harvey houdt onwillekeurig zijn hand voor zijn mond. 'Nu, liever niet, bedankt.'

'Toch ging heel Rome naar hem toe, want hij vroeg er geen geld voor. Hij stopte zijn vingers in je mond en... tjak! Weg tand, weg pijn. Ze zeggen dat zelfs de paus naar hem toeging, en dat de vingers van de monnik die keer extra zachtzinnig te werk gingen. Het enige wat Orsenigo in ruil voor zijn diensten wilde, was dat hij de tanden die hij uittrok mocht houden. Tijdens zijn hele leven zou hij er bijna twee miljoen verzamelen.'

Harvey krijgt ineens een ingeving. 'Heeft dat verhaal misschien te maken met de tand die we in het koffertje hebben gevonden?'

'Schijnbaar wel,' beaamt Ermete. 'Elettra heeft de kist van broeder Orsenigo gevonden. Die uiteraard vol tanden zit. En op al die tanden... staat iets geschreven.'

Harvey spert zijn ogen open. 'Bedoel je dat er op die tanden een soort boodschap staat?'

'Inderdaad. Ik ga er nu naartoe om te kijken.'

'Ik ga met je mee.'

'Nee,' houdt Ermete hem tegen. 'Jij gaat naar mijn vriend. Zonder mij.'

'Maar dan word ik ter plekke gearresteerd...'

'Ik denk niet dat hij door de politie in de gaten wordt gehouden; hij is geen grote crimineel, gewoon een mannetje dat op de zwarte markt handelt in illegale kopieën van films en muziek. Maar, je kent die types wel... hij is zo iemand die alles weet over iedereen.'

'Nee. Ik ken die types niet.'

'Werk nu een beetje mee...' Ermete loopt naar het tafeltje en krabbelt iets op een blaadje. 'Hij zou de juiste persoon kunnen zijn van wie we iets over de man met de viool te weten kunnen komen. Bijvoorbeeld of hij is gesignaleerd. En of er misschien geruchten de ronde doen...' Hij geeft hem het blaadje. 'Zeg dat je namens mij komt en vraag hem alles wat hij weet. Maar laat niet te veel los, en vertel hem vooral niet hoe je heet.'

'Het klinkt nogal verdacht,' zegt Harvey.

'Dat is het ook. Maar jij wilde toch ook wat doen?'

'Wat is dat, "Da Bucatino"?' vraagt de jongen terwijl hij het blaadje leest.

'Dat is een restaurant een paar blokken hiervandaan. Je moet drie-honderd meter rechtdoor lopen en dan de eerste rechts nemen. Kan niet missen.'

Ermete doet de garagedeur open.

'En hoe kan ik die vriend van jou herkennen?'

'Heel makkelijk...' mompelt de man terwijl hij zijn helm opzet. Hij stapt op de motor met zijspan en geeft gas. 'Hij lijkt sprekend op Vasco Rossi.'

'Wie is dat?'

'Kennen jullie Vasco Rossi niet in Amerika?'

'Nooit van gehoord.'

De motor ronkt als een gevechtshelikopter. 'Hij is klein van stuk, met een dikke buik en lang haar. Hij heet Joe. Je herkent hem meteen doordat hij aan zijn stembanden is geopereerd, en om te praten zet hij een soort versterkertje tegen zijn keel aan.'

'Versterkertje,' knoopt Harvey in zijn oren.

'En doe de garage dicht!' roept Ermete terwijl hij ervandoor stuift in de sneeuw.

Elettra en de zigeunerin zitten in kleermakerszit op de plastic vloer van het hutje. Geen van beiden zegt een woord.

Ze zijn begonnen alle tanden uit de kist te halen en ze in stapels te verdelen, al naar gelang de letter die erin is gekerfd. Tot nu toe hebben ze vijf stapels.

'Had ik slechte lijnen?' vraagt Elettra op een gegeven moment, terwijl ze een handvol snijtanden en kiezen uit de kist vist.

De zigeunerin geeft geen antwoord. Ze gaat gewoon door met het nauwkeurig sorteren van de tanden.

'Er zijn geen slechte en goede lijnen. Er zijn alleen maar lijnen,' verklaart ze dan.

'De lijnen over het einde van de wereld zijn slechte lijnen.'

'Dat ligt eraan in wat voor wereld je leeft,' werpt de vrouw tegen.

Daar weet Elettra niets op te zeggen, en er gaat weer enige tijd voorbij voordat ze vraagt: 'Als ik je zou vragen om me te vertellen wat je in mijn hand hebt gezien... zou je dat dan doen?'

'Alleen als je het echt wilt.'

'Ik weet het niet zeker.'

'Dan zal ik het je niet vertellen.'

De blik van de zigeunerin glijdt steels naar de ingang van het krot. Ze hoort voetstappen aankomen.

'Ik denk dat mijn vriend eraan komt...' oppert Elettra.

Ze loopt naar de deur van aanplakbiljetten en duwt hem open om Ermete binnen te laten.

'Wat een ramp...' klaagt de man terwijl hij de modder van zijn overjas veegt. 'Ik had bijna een ijskoud bad in de Tiber te pakken.'

Eenmaal binnen heft hij zijn hand op om de zigeunerin te begroeten.

'Ermete!' stelt hij zich voor.

Ze antwoordt met een schittering van goud tussen haar haren.

'Niet te geloven!' roept Ermete even later, starend naar de hutkoffer. 'Waarom heeft Alfred me hier nooit over verteld?'

'Op elke tand staat een letter,' verklaart Elettra, terwijl ze Ermete de bergjes op de vloer laat zien. 'Tot nu toe zijn er vijf verschillende letters.'

'Daar zijn we een hele dag mee bezig, om die leeg te krijgen...' zegt de ingenieur met een blik op de honderden tanden in de hutkoffer.

'Daarom heb ik je gebeld. Ik had gehoopt dat je Harvey en Sheng ook mee zou nemen.'

'Ze waren met iets anders bezig... en ze pasten trouwens toch niet allebei in mijn zijspan. Laat die letters eens zien...' zegt Ermete kortaf.

Het zijn de I, de T, de E, de R en de M, die elk in een ander soort tand zijn gekerfd.

De man krabt op zijn hoofd. 'Waar denk je dat ze voor dienen?'

'Ik heb geen flauw idee,' antwoordt het meisje. 'Maar de professor had dat kennelijk wel.'

'Heeft hij u niets uitgelegd?' vraagt Ermete aan de zigeunerin.

'Alleen dat *zij* ernaar op zoek waren. En dat ze niet mochten weten waar ze moesten zoeken.'

'Dus er is iets te vinden in deze kist...'

Ermete duwt zijn armen tot aan de ellebogen in de tanden.

'Maar wat?' vraagt hij.

Het drietal gaat verder met het sorteren van de tanden tot de gaskachel na een uurtje definitief uitgaat, en er een bijtende kou tussen de wanden van het hutje doordringt.

Elettra kijkt naar de stapels tanden.

'Het zijn steeds dezelfde letters...' zegt ze.

'Het enige wat me te binnen schiet is dat je er mijn naam mee kunt schrijven,' zegt Ermete, handenwrijvend om warm te worden.

Hij pakt een hoektand, drie kiezen en twee snijtanden en rangschikt ze naast elkaar, zodat ze een grijnzende, vergeelde ERMETE vormen. Dan gebruikt hij de tanden als macabere scrabblestenen en probeert andere woorden te vormen: '*Ter... Iter...*'

De zigeunerin doet vergeefse pogingen om de kachel weer aan de praat te krijgen, terwijl Elettra haar verkleumde handen probeert warm te wrijven.

'*Tremiti* is de naam van een eilandengroep in de Adriatische Zee... Zou dat het zijn? Misschien ligt daar wel wat we zoeken. *Mier...*' probeert Ermete verder. '*Meter... Mieter... Mitri...*'

Elettra voelt dat haar vingers beginnen te tintelen.

'Wat zei je?'

'*Teer?*' bromt Ermete. '*Reet?*'

'Nee, nee. Daarvóór. Je zei een woord dat me ergens aan deed denken... Aan de Zonnegod. Nero. En het vuur.'

'Je hebt gewoon behoefte aan een beetje warmte...' schampert de ingenieur, terwijl hij de tanden naast elkaar legt.

'Maar ik snap wat je bedoelt: Mithra. Maar ik zei Mieter, of Mitre... Meer kan ik er niet van maken. Of er moeten ergens in die kist nog tanden met een A en een H zitten.'

'Wacht!' roept Elettra, die een ingeving krijgt. 'We hébben nog een andere letter.'

'Welke dan?'

Het meisje steekt een hand in haar zak en haalt de tand uit het koffertje tevoorschijn. 'Hier staat ook een letter op! Ik dacht dat het een cirkel was, of een ring... Maar stel dat het een nul is... of gewoon een O?'

Elettra legt de tand naast de andere vijf.

OMITRE.

'Hm...' mompelt Ermete, terwijl hij het rijtje letters bekijkt. 'Natuurlijk! Alleen moet die O niet hier, maar aan de andere kant. *MITREO.*'

'Wat is dat?' vraagt Elettra.

'Het *mitreo*!' verklaart Ermete. 'Zo heet het heiligdom van Mithra, de tempel waar hij in vroeger tijden werd vereerd.'

'En dan?'

'In Rome is een heel bekend mitreo, dat ondergronds ligt, onder twee andere kerken.' Ermete grijpt Elettra's hand vast en knijpt erin. 'En het is helemaal omringd door een waterbron. Een onderaardse rivier die er omheen loopt...'

'Een ring van water?' vraagt Elettra.

'Precies!' roept Ermete geestdriftig. 'Is er een betere plek denkbaar om... een Ring van Vuur te verstoppen?'

'En waar is die plek?'

'San Clemente,' antwoordt Ermete terwijl hij overeind krabbelt.

'We moeten gaan,' beveelt Jacob Mahler aan Beatrice. Zijn gezicht staat op onweer. Hij gooit een leeg koffertje op de grond, legt de viool-kist er boven op en voegt eraan toe: 'Nu meteen.'

'Waar naartoe?'

'Jij pakt de auto in.'

'En jij?'

De man loopt langs haar heen, en laat een zweem van zijn kenmer-kende geur achter. Hij doet een kast open, pakt zijn reiskoffer op wiel-tjes en smijt hem in de gang. 'Ik moet met dat grietje praten.'

'En wat ga je tegen haar zeggen?'

'Ze heeft tegen me gelogen.' Jacob Mahler komt teruglopen en schopt tegen het lege koffertje, zodat de vioolkist tot aan de voeten van Beatrice glijdt. 'En dat laat ik niet nog een keer gebeuren.'

'Wat wil je doen?'

'Vragen stellen.'

'En als ze geen antwoord geeft?'

Jacob heft een wenkbrauw op, alsof hij haar wil waarschuwen dat ze te ver gaat. 'Jij gaat de auto inpakken,' beveelt hij.

'En als ze geen antwoord geeft?' dringt Beatrice echter aan.

Het volgende moment krijgt ze geen lucht meer. Mahler heeft haar met een snelle beweging tegen de muur aan getild, en hij houdt zijn gezicht op een paar centimeter van het hare.

'Luister goed,' zegt hij. 'Want ik zeg het je maar één keer. Ik ga nu met dat grietje praten. En zij geeft me antwoord. Het geval wil namelijk, ik weet ook niet hoe het komt, dat zij en haar vriendjes me verhinderen om datgene te bemachtigen wat ik voor mijn baas moet gaan halen.'

'Ben je bang, Jacob Mahler?' sist Beatrice, terwijl ze bijna stikt in zijn greep. 'Ben je bang voor Heremit Devil?'

Mahler geeft haar een klap met zijn vlakke hand en laat haar op de grond vallen. De klap weerklinkt als een brekende glasplaat. 'Ik had je gezegd dat je die naam nooit moet uitspreken.'

'Heremit... Devil...' zegt de jonge vrouw, terwijl ze op de grond blijft liggen met haar elleboog beschermend voor haar gezicht. En nog een keer: 'Heremit Devil.'

Jacob Mahler balt zijn vuisten.

Beatrice leunt met haar rug tegen de muur van de gang. Ze veegt langzaam met de rug van haar hand over haar mond, en ziet dat er bloed op zit. Dan zegt ze: 'Kijk nu, de geweldige Jacob Mahler. De onfeilbare moordenaar, die vrouwen slaat en zich te grazen laat nemen door een paar kinderen.'

De man kijkt misprijzend op haar neer. 'Je bent gewoon zielig.'

'Kan zijn. Maar jij hebt me wel nodig.'

'Dat denk ik niet.'

'Dat denk ik wel,' antwoordt Beatrice. 'En ik zeg het je nog één keer: kom niet in de buurt van dat meisje.'

'Wie houdt me dan tegen? Jij soms?'

'Als het moet wel ja,' antwoordt Beatrice, terwijl ze het pistool uit haar zak trekt.

Mahler lacht en keert haar de rug toe. 'Je hebt geen idee waar je mee bezig bent. Hij is niet geladen.'

'O nee?' dreigt Beatrice.

'Ga de auto inpakken...' beveelt Jacob Mahler, terwijl hij zich bukt om iets uit zijn koffer op wieltjes te pakken.

'En ga jij maar naar de hel!' roept Beatrice, waarna ze de trekker overhaalt.

'Ik weet wie hij is. Hij heet Jacob Mahler. Een Duitser. Voormalig wonderkind. Voormalig geheim agent. Hij heeft zich tien jaar geleden teruggetrokken uit de legale wereld om zich aan de misdaad te wijden. Ze zeggen dat hij een groot muziekliefhebber is en dat Mahler niet zijn echte naam is.'

'Wat ik zou willen weten is waarom hij in Rome is.'

'Hij is gekomen om Alfred te vermoorden, neem ik aan. En om het koffertje te pakken te krijgen.'

'Dus... ze zijn echt bereid om te doden.'

'Dat hebben ze al gedaan, kennelijk.'

'En kunnen wij niets doen?'

'De afspraak is dat we ons niet met de kinderen bemoeien.'

'De afspraak was ook dat Alfred niet vermoord zou worden.'

'Ik weet niet wat ik ervan moet denken. Ik weet niet wie dit in gang heeft gezet. En waarom. Het is me nog steeds niet gelukt om... haar te vinden. Misschien heeft Alfred zelf zijn mond voorbij gepraat...'

'Dat geloof ik niet.'

'En dus?'

'Dus, een moordenaar van dat kaliber komt niet op eigen houtje naar Rome. Hij werkt voor iemand, iemand die heeft gehoord van het bestaan van de Ring van Vuur. Van alles, eigenlijk. En dus is de vraag... wie is die iemand?'

'Ik weet het niet, maar ik weet wel dat hij gevaarlijk is.'

'We moeten ze waarschuwen.'

'Wat je eigenlijk bedoelt is: we moeten ze tegenhouden.'

'Nee, we kunnen ze niet tegenhouden. Niet meer.'

'Waarom niet?'

'Omdat ik weet hoe mijn nichtje is.'

25
DE SCHUILPLAATS

Als Sheng terugkeert bij de woning van Ermete, treft hij niemand aan.

Hij belt een, twee, drie keer aan, zonder succes.

Hij loopt een rondje om het gebouw, om zeker te weten dat er geen andere deur is, en belt opnieuw aan. Hij roept een paar keer, maar daarmee bereikt hij alleen maar dat een bovenbuurman verstoord door het raam kijkt.

Sheng zwaait verlegen naar hem.

Dan kijkt hij om zich heen, terwijl hij koortsachtig de seconden aftelt en spijt heeft dat hij geen mobieltje bij zich heeft, en ook geen nummer dat hij kan bellen. Het enige wat hij kan bedenken is teruggaan naar Hotel Domus Quintilia, en dat ligt... in Trastevere, als hij het zich goed herinnert.

Hij vouwt de kaart open en begint te zoeken.

Hij moet een brug oversteken en dan, misschien, bus 9 pakken. Of 12.

'Waarom is het toch zo ingewikkeld?' jammert hij wanhopig.

Hij klapt de plattegrond woest dicht en besluit om nog vijf minuten te wachten.

'Niet meer dan vijf,' belooft hij zichzelf hardop.

De seconden verstrijken traag, en bij de vierde minuut ziet Sheng ineens Harvey verschijnen aan het eind van het trottoir.

'Hao! Harvey!' roept hij.

'Sheng! Wanneer ben jij teruggekomen?'

'Een uur of twee geleden?'

'Dat kan niet. Ik ben nog geen halfuur weggeweest.'

'Waar was je dan? En waarom is er niemand thuis?'

Harvey haalt een sleutelbos tevoorschijn en maakt de garage open.

'Ik ben naar een restaurant hier in de buurt geweest. Geweldig! Ik had nog nooit *bucatini* gegeten!'

'Je hebt het wel zwaar, hè...' schimpt Sheng. 'Waar is Elettra? En Ermete?'

Het rolluik van de garage gaat met een luid geraas omhoog.

Harvey vertelt wat hij weet: over de kist vol tanden die Elettra heeft gevonden, over hoe Ermete op zijn motor met zijspan is vertrokken, en over zijn ontmoeting met de louche vriend van Ermete in het restaurant.

'Wat voor type was dat?'

Harvey haalt teleurgesteld zijn schouders op. 'Ik had niet zoveel met hem. Eigenlijk heb ik hem maar kort gesproken. Ook omdat die vent niet echt praatte, maar... in een soort apparaatje rochelde. Maar toen ik hem vertelde over de man met de viool...'

'Wat heb je hem verteld?'

Harvey snuift. 'Bijna niks. Maar ik vroeg of hij hem kende. En zodra ik over hem begon, was het alsof hij... wakker schrok. Hij zei dat ik moest gaan zitten, hij bestelde een bord bucatini voor me en hij stelde me wel driehonderd vragen.'

'En wat deed jij?'

'Ik heb ze opgegeten.'

'En de vragen?'

'Ik heb een hoop onzin opgehangen,' glimlacht Harvey. 'Ik raak al bijna net zo bedreven als jij in smoesjes verzinnen. Ik zei het al: die vent lag me helemaal niet.'

'Heb je hem verteld van het koffertje?'

'Waar zie je me voor aan?'

'Hao! Je bent geweldig, Harvey. Maar heb je het hem verteld of niet?'

'Nee!' antwoordt de Amerikaanse jongen. 'Ik heb hem niks verteld!'

Sheng gaat naar de koelkast en komt terug met een ijskoude Coca-Cola. 'Ik weet niet...'

'Wat niet?'

'Ik weet zoveel dingen niet dat ik nu... begin te twijfelen of we er wel goed aan gedaan hebben om alles aan Ermete te vertellen.'

'Daar heb ik ook aan gedacht,' geeft Harvey toe.

'En?'

'En ik heb ook bedacht dat hij een van *hen* zou kunnen zijn.'

Sheng spert zijn ogen open. 'Hoezo?'

'We weten dat hij samenwerkte met de professor. Maar we weten niet zeker of de professor hem wel vertrouwde...'

'Maar in zijn notitieboekje stond de naam van Ermete geschreven bij... *De tollen en de houten kaart bestuderen. Uitzoeken hoe je ze moet gebruiken.*'

'Het is gewoon... ik weet niet hoe ik het moet uitleggen, Sheng, maar ik had het gevoel dat die vriend van Ermete... allang wist wie de man met de viool was.'

'Waarom dacht je dat?'

'Hij vroeg me niks over hem. Hij stelde alleen maar vragen over mij, en waar ik Ermete van kende. Luister...' Harvey telt op zijn vingertoppen mee. 'Ermete kent professor Alfred van der Berger. De vriend van Ermete kent de man met de viool. De man met de viool vermoordt de professor. Wie is de enige connectie tussen die mensen?'

'Ermete,' geeft Sheng toe, maar dan oppert hij: 'Hij heeft ons anders wel geholpen. En hij heeft ons uitgelegd hoe we de kaart moesten gebruiken.'

'Natuurlijk, maar wíj hadden de kaart in ons bezit,' helpt Harvey hem herinneren.

Sheng laat het even op zich inwerken. 'En die hebben wij hem op een presenteerblaadje aangeboden.'

'Precies. Trouwens... wat heb je gevonden in dat huis in de wijk Coppedè?'

Sheng laat hem de foto's zien en bekent dat hij op een gegeven moment uit angst op de vlucht is geslagen.

'Uit angst, waarvoor dan?'

'Ik weet het niet. Gewoon, angst. Alsof er in dat huis iets... angstaanjagends was, zeg maar.'

Harvey kijkt zijn vriend met een klein lachje aan. 'Tja, dat lijkt me heel duidelijk.'

Op dat moment rinkelt de telefoon. De jongens schrikken van het plotselinge, metalige geluid.

'Zullen we opnemen?' vraagt Sheng als hij voor de tweede keer overgaat.

'Misschien is het de moeder van Ermete. Die heeft al tien keer gebeld.'

'Hoe weet jij dat?'

'Je hoeft alleen maar naar het antwoordapparaat te luisteren. Dat springt automatisch aan als hij voor de vijfde keer overgaat.'

Inderdaad horen ze na de vijfde keer een schelle vrouwenstem briesen: 'Ermete! Ermete! Neem op! Ik weet dat je thuis bent! Ermete! Neem die telefoon op of ik kom je halen!'

De jongens kijken elkaar geamuseerd aan, en dan maakt de pieptoon van het antwoordapparaat een eind aan de tirade.

'We kunnen maar beter weggaan,' stelt Harvey voor als het weer stil is in de kamer. 'Ik moet er niet aan denken dat de moeder van Ermete echt hiernaartoe komt!'

'Wat een feeks!' roept Sheng.

'En daarbij...' vervolgt Harvey. 'Hoe meer ik aan de vent denk met wie ik gesproken heb, hoe meer zin ik krijg om wat verder weg van hem te zijn.'

'Inderdaad, als hij Ermete kent, weet hij ook waar hij woont... Maar waar wil je naartoe gaan?' vraagt Sheng. 'We weten niet waar Elettra en Ermete zijn en...'

'Behalve als...' Ineens herinnert Harvey zich het mobiele nummer van Ermete. Hij probeert hem te bellen, maar hij neemt niet op. 'Hij staat uit. Of hij heeft geen bereik. In elk geval doet hij het niet.'

'Dat kan er ook nog wel bij.'

'We hebben twee opties.'

'Een van die fantastische spelletjes doen bijvoorbeeld?' stelt Sheng voor.

'Nee: de eerste is teruggaan naar het hotel. Einde van de dag. Tenminste voor vandaag.'

'En de tweede?'

'We kunnen...'

'Nee!' roept Sheng uit, die al aanvoelt wat Harvey wil zeggen.

'Ik heb nog niks gezegd!'

'Ik weet het al...' Sheng begint nerveus door de kamer te ijsberen.

'Sheng? Wat weet je dan?'

De Chinese jongen pakt zijn rugzak en stopt al hun spullen erin. 'Laten we in elk geval eerst onze spullen weer verzamelen.'

'Wil je de tweede optie nog horen of niet?'

'Ik weet hem al,' zucht Sheng. 'We gaan samen terug naar de wijk Coppedè, om Mistral te zoeken.'

Harvey gooit het schetsblok van hun vriendin in de rugzak. 'Soms sta ik echt versteld van je.'

'Hao...' bromt Sheng. 'Maar ik waarschuw je: je moet wel een heleboel bussen nemen om daar te komen. En ons blokje buskaartjes is bijna op.'

Een paar minuten later lopen Harvey en Sheng het huis uit. De hemel is grauw en kondigt nog meer sneeuw aan. Op de stoep blijven ze staan en kijken argwanend om zich heen, maar de weinige mensen die kleumend buiten lopen lijken zich niet voor hen te interesseren.

'Hoe kom je erachter of je wordt achtervolgd?' vraagt Sheng.

'Goed opletten,' antwoordt Harvey.

Ze lopen naar de bushalte.

'Harvey?'

276

'Ja?'

'Dit gedoe is allemaal heel spannend...' zegt Sheng. 'Maar... nu zou ik eigenlijk best wel willen dat er een eind aan kwam.'

'Ik ook,' antwoordt de Amerikaan.

Achter hen rinkelt de telefoon in Ermetes huis vijf keer vergeefs. Dan springt het antwoordapparaat automatisch aan: 'Harvey! Sheng!' roept de stem van de ingenieur, die op het bandje wordt opgenomen. 'Ik zag dat jullie gebeld hadden! Jullie moeten meteen naar de basiliek van San Clemente komen! Ik herhaal: de basiliek van San Clemente! Misschien hebben we hem gevonden... de "je-weet-wel-wat". Kom gauw! We wachten op jullie!'

26
HET WATER

De basiliek van San Clemente ziet eruit als een dier dat ineengedoken onder de sneeuw zit. Binnen wordt de vergulde ruimte rond het altaar gevuld met het geroezemoes van de weinige toeristen, en de weerklank van hun voetstappen.

Elettra en Ermete gaan naar binnen door een zijdeurtje.

'Ik ben hier nog nooit binnen geweest...' zegt het meisje om zich heen kijkend. 'Wat een mooie kerk.'

Ermete wijst haar op de rechterzijbeuk, waar de kaartverkoop is. 'Je boft,' zucht hij. 'Ik ben hier al zeker dertig keer geweest. Ik ken volgens mij alle kerken van Rome op mijn duimpje.'

Elettra werpt hem een vragende blik toe.

'Ik moest verplicht misdienaar zijn,' legt de ingenieur uit. 'Dat was in de tijd toen mijn moeder nog trots op me was.'

De kaartverkoop is dicht, maar Ermete profiteert van zijn vroegere contacten en na een kort gesprek met een pastoor die zo lang en mager als een sardine is, krijgt hij de sleutels waarmee hij een grote deur openmaakt.

Achter de deur is een trap van witte treden die ondergronds voert. 'Waar is het mitreo?' vraagt Elettra.

'Heel diep onder de grond,' antwoordt Ermete.

Onder de kerk van San Clemente bevindt zich een tweede kerk. Een hele reeks staande lampen gaat met luid geklik aan. Als ze onder aan de trap komen, heeft Elettra het idee dat ze een stenen woud in gaat, verlicht door fakkels. De oude wanden zijn net gewelven van gevlochten takken. De graftomben die uit de muren zijn gehakt, de nissen en de teksten op de grafstenen vormen de rimpelige schors van de boomstammen.

Er zijn inscripties in het Latijn en stukken mozaïek. Fresco's die zijn verweerd door de tijd. Verbleekte afbeeldingen, waarvan de kleuren verloren zijn gegaan.

En een vochtige stilte.

'Is dit het?' vraagt Elettra, terwijl ze als een nachtdier door dat vreemde woud van bakstenen en keien dwaalt.

'Nee. Dit is de oude kerk. Het mitreo ligt nóg lager,' antwoordt Ermete, terwijl hij haar naar de linkerzijbeuk leidt, in de richting van een trapje dat is uitgehakt als een put. Op de vloer staan de resten van zuilen, als afgehakte slagtanden. 'Hier moeten we naar beneden,' zegt hij.

Onder de onderaardse kerk ligt een derde tempel.

En daar horen ze het ruisen van de rivier.

280

De tempel onder de kerk is donker en vochtig. Er loopt water omheen, langs de wanden, met een kolkend geluid. Elettra heeft het gevoel dat ze midden in de stroming van een onzichtbare rivier staat, die in toom wordt gehouden door de stenen en het donker.

Ze onderdrukt een huivering.

'Deze kant op, als ik het me goed herinner...' zegt Ermete, terwijl hij een nauwe, hoge gang in slaat. En dan nog een, die enkel wordt verlicht door een peertje dat de vergulde bogen doet schitteren.

Overal rondom hen klinkt het geluid van het water. En het is er koud.

Maar vanaf het moment dat ze in de tempel zijn afgedaald, in de vochtige omarming van de onderaardse rivier, heeft Elettra het juist warm.

'Ik voel dat we in de buurt zijn...' mompelt ze.

Het mitreo is een smalle, lange ruimte, met een gewelfd plafond en een rij stenen stoelen die langs de wanden zijn uitgehouwen. In het midden is een uitgehakt altaar waarboven vier gebeeldhouwde hoofd-jes prijken. Elettra kijkt ernaar door de tralies van de enige deur die toegang geeft tot het mitreo.

'Dat is het derde altaar, het oudste van allemaal,' wijst Ermete. 'Als ik me niet vergis is die afbeelding die erin uitgehakt is de god Mithra die tegen een stier vecht. Grappig hè?'

'Ja,' antwoordt Elettra, al kan ze er niks grappigs aan ontdekken.

Ermete knielt neer voor het slot van de traliedeur. 'Een altaar van de Zon dat onder de grond ligt, omringd door water.'

Misschien bedoelt hij dat hij dát grappig vindt, bedenkt Elettra.

'Een altaar waarin een oude godheid is uitgehakt die een stier ver-slaat...' mompelt Ermete, terwijl hij aandachtig naar het slot kijkt.

'Wat zou die stier hem in 's hemelsnaam misdaan hebben?' Hij haalt een Zwitsers zakmes tevoorschijn. 'Vroeger was ik gek op sloten. En ik heb ontdekt dat er vrijwel geen enkel slot bestaat dat niet open te krijgen is.'

'Wil je het openbreken?'

'Zoiets ja,' geeft de ingenieur toe. 'Als het me lukt.'

Aanvankelijk draait het mesje vergeefs rond, maar dan ineens... klikt het slot. 'Ziezo.'

De deur gaat piepend open.

'Juffrouw, na u!' grapt Ermete, wijzend op de lege ruimte.

Elettra haalt diep adem en gaat naar binnen.

'Zie je iets?' vraagt de ingenieur terwijl hij zijn hand over de uitge-hakte stoelen in de wanden laat glijden.

'Nee. Het is wel echt heel klein.'

'En wat voel je?'

'Het brandt,' antwoordt Elettra.

Ze lopen de ruimte twee keer rond.

Het altaar van Mithra is een uitgehakt blok met het beeld van de god in menselijke gedaante er boven op. De vloer eromheen is glad, en door de eeuwen heen gepolijst. In het plafond zitten elf openingen.

'Is dit de plek waar keizer Nero de Zon aanbad?' fluistert Elettra, bang om de heiligheid van zo'n oude ruimte te verstoren. Ze glijdt met haar hand over het bas-reliëf van het altaar en voelt haar huid gloeien.

Ermete haalt zijn schouders op. 'Ik heb geen flauw idee. Maar als we in een mitreo moeten zoeken, is dit de beste plek om te beginnen.'

'We weten niet eens wát we moeten zoeken.'

'En ook niet hóé we moeten zoeken. Ring van Vuur?' fluistert Ermete. 'Ring van Vuur?'

Elettra moet onwillekeurig lachen. 'Ik denk niet dat je hem alleen maar hoeft te roepen, als een kat...'

'Wie zal het zeggen?'

Het valt niet mee om iets afwijkends te vinden in de eeuwenoude eenvoud van die ruimte: steen, schaduwen en elf open nissen in het gewelf. Een altaar, met vier hoofdjes erboven. En het water dat aan de andere kant van de wanden stroomt.

'Als jij niks weet, geef ik het op,' zegt Ermete even later. Hij gaat tegen de muur aan staan, die vochtig aanvoelt. 'Het is alsof we een spel spelen waarvan we de regels niet kennen.'

'Ring van Vuur... Ring van Vuur...' herhaalt Elettra, die roerloos in de ruimte staat. 'Het is hier warm.'

'Vind je? Ik heb het ijskoud.'

Het meisje knielt op de grond en legt haar handen op de stenen.

Koud. Koud. Koud.

Ze begint over de vloer te kruipen.

Koud. Koud. Koud.

'Wat doe je?'

'Ssst...' antwoordt Elettra. 'Je hebt geen idee hoeveel energie ik in mijn lijf heb.'

Ze sluit haar ogen en probeert zich te concentreren, met haar handen op de stenen. Hoe verder ze naar het midden van het mitreo kruipt, hoe meer haar vingers uit zichzelf beginnen te bewegen, als antennes. Ze voelen oude sporen die onveranderlijk zijn gebleven met de tijd.

Koud. Koud. Koud.

Warm.

'Misschien voel ik hem...' fluistert ze.

Ze voelt aan de stenen eromheen. Koud. Koud. Koud.

Maar die in het midden is warm.

'Hier is hij...' zegt het meisje weer tegen Ermete, terwijl ze allebei haar handen op die ene steen legt, die er hetzelfde uitziet, maar toch zo heel anders is dan de andere.

De ingenieur knielt naast haar neer. Hij klopt met het heft van zijn zakmes op het oppervlak van de steen.

'Het klink hol,' fluistert hij.

Elettra geeft geen antwoord.

'Ik kan proberen hem los te wrikken,' stelt Ermete voor. 'Maar ik weet niet of dat lukt.'

'Probeer het maar,' fluistert het meisje.

Op dat moment horen ze voetstappen.

'Ik geloof dat er iemand aankomt...' kan Ermete nog net uitbrengen.

Dan klinkt er een knarsend geluid in de onderaardse ruimte. Een gedrongen man met een zwartleren jack en een vies shirt komt het mitreo binnen.

'Eindelijk... *rrr*... heb ik jullie gevonden, hè... *rrr*...' roept hij.

Zijn ruwe, krakerige stem wordt versterkt door een apparaatje van zwart plastic dat hij tegen zijn keel aan houdt.

'Joe?' stamelt Ermete verbijsterd. 'Wat doe jij hier?'

'Laten we zeggen... *rrr*... dat ik bij je langs ben gegaan... *rrr*... om naar je... *rrr*... antwoordapparaat te luisteren... *rrr*...' sist Joe Vinyl. 'En ik dacht bij mezelf... *rrr*... het zal toch niet waar zijn dat die ouwe Ermete... *rrr*... alles in zijn eentje wil doen?'

'Ermete?' vraagt Elettra. 'Wie is die man?'

'Ermete... *rrr...*? Wie is dat meisje... *rrr...*?' Joe Vinyl barst in een huiveringwekkend gelach uit.

Ermete probeert overeind te komen, maar de man houdt hem tegen met een glimmend zwart pistool. Dan blaft hij: 'Blijf stil zitten... *rrr...*'

Elettra snapt er niets van. 'Ermete!' roept ze ongelovig.

'Hou je koest... *rrr...* snotneus... *rrr...* Want ik denk dat Ermete... *rrr...* ons allemaal tegelijk... *rrr...* wilde belazeren... *rrr...*'

'Hoe heb je ons gevonden?' vraagt de ingenieur.

Het pistool van Joe Vinyl danst dreigend op de maat van zijn gebaren: 'Je moet me één ding eens uitleggen... *rrr...* zijn zij nu allemaal... *rrr...* kinderen?'

Ermete knikt.

Joe Vinyl grinnikt. 'En wie gaat dat nu... *rrr...* aan Mahler vertellen... *rrr...* dat hij zich heeft laten belazeren... *rrr...* door een groepje kleuters... *rrr...*?'

Beatrice loopt de kamer van Mistral binnen en beveelt: 'We gaan ervandoor, snel!'

Het meisje springt overeind. 'Wat was dat voor schot?'

'Dat doet er niet toe!' schreeuwt Beatrice. 'We moeten maken dat we hier wegkomen. Nu meteen!'

Ze loopt terug naar de gang, waar ze Jacob Mahler verder vastbindt en knevelt, en dan grijpt ze hem aan zijn armen vast en sleept ze hem naar de badkamer. Ze schopt de deur open en tilt het lichaam van de moordenaar net ver genoeg op om hem in de badkuip te gooien.

'En daar blijf je braaf liggen...'

'Beatrice?' roept Mistral.

'Ik kom eraan!' De jonge vrouw kijkt nog één keer naar Mahler en rent de badkamer uit.

Mistral staat in de gang. Ze staart naar de bloedsporen op de vloer. 'Heb je hem vermoord?'

'Nee, ik geloof het niet. Maar ik heb hem wel een tijdje buitenspel gezet,' mompelt Beatrice. 'Nu moeten we nog één ding doen. Pak jij die!' beveelt ze, wijzend naar de vioolkoffer. 'Dan ga ik... even een paar vrienden bellen.'

Ze rent naar een andere kamer, pakt een gele envelop vol foto's die op een printer zijn afgedrukt en loopt terug naar de kamer van Mistral.

'Een paar bewijzen hier...' zegt ze, terwijl ze de foto's op de grond strooit. 'En een paar in de andere kamers...' Ze laat maar een paar foto's in de envelop zitten. 'Deze kunnen ons misschien nog van pas komen.' Ze kijkt Mistral aan. 'Ben je klaar?'

'Ja.'

'Mooi zo.'

Ze rennen de trap af.

Eenmaal buiten wijst Beatrice naar de gele Mini die langs de weg geparkeerd staat. 'Mooi zo,' herhaalt ze.

Ze haalt haar mobiele telefoon uit haar zak en belt haastig het nummer van de carabinieri.

Met de middagschaduwen die zich uitstrekken als zwarte wolken, lijkt de boog van de wijk Coppedè net een poort uit een fantasyfilm, zo een die de wereld van de goeden scheidt van die van de slechteriken.

'Alles goed?' vraagt Harvey aan Sheng.

'Ik heb pijn aan mijn arm, maar dat maakt niet uit,' antwoordt die met een verbeten gezicht.

'Zullen we verder gaan?'

'Nu we hier toch eenmaal zijn... laten we dat maar doen.'

De twee jongens lopen onder de boog door. Als ze erdoor zijn, is er schijnbaar niets veranderd: dezelfde bijtend koude lucht, dezelfde mensen die haastig voortlopen en dezelfde opgehoopte sneeuw. Maar de gebouwen die overal om hen heen oprijzen hebben een andere uitdrukking.

'Snap je wat ik bedoelde?' vraagt Sheng.

'Prachtig...' antwoordt Harvey.

Sheng schudt zijn hoofd, gerustgesteld door de kalmte van zijn vriend. 'Dan is het goed.' Na een tijdje vervolgt hij: 'Ik moest eraan denken dat Ermete misschien een van *hen* zou kunnen zijn...'

'Ja?'

'Er is iets wat me niet lekker zit. Dat telefoontje van gisteren, in het appartement van de professor.'

'Wat is daarmee?'

'Als Ermete echt een van *hen* was, zou hij niet gebeld hebben. Dan had hij al moeten weten dat de professor dood was.'

Harvey knikt vol bewondering. 'Je hebt gelijk' zegt hij. 'Je hebt helemaal gelijk!'

Sheng kijkt op en wijst naar één van de met bomen omzoomde wegen. 'Kijk. Dat is het huis.'

De ramen van de kleine villa zijn nog dicht, en de luiken gesloten. Een ijskoude wind fluit tussen de lege bogen door. De vormen van de villa zijn van buitenaf gezien onbegrijpelijk; het lijkt net alsof hij steeds van vorm verandert, afhankelijk van de hoek van waaruit je ernaar kijkt.

De jongens lopen helemaal om de tuin heen, die is omheind met een smeedijzeren hek. Kronkelige bomen, verstijfd door de winter, verrijzen uit de sneeuw als geraamtes.

Aan de overkant hangt een zwarte poort te piepen in de wind.

'Hij is open,' zegt Harvey.

Een sneeuwvrij gemaakte oprit en drie treetjes leiden naar een patio met twee gele zuiltjes.

'En zo te zien staat ook de voordeur open...' voegt Harvey eraan toe.

'Dat is niet normaal,' mompelt Sheng. 'Dat kan niet, dat alles open staat. Dat was niet zo toen ik hier eerder was.'

Harvey loopt door de poort en houdt zijn blik strak op de voordeur gericht, die inderdaad niet dicht zit.

Sheng loopt achter hem aan, met hevig bonzend hart.

Harvey blijft op een paar meter van de voordeur staan.

Er is een bel.

Hij belt aan.

27
DE STEEN

Vele meters onder de basiliek van San Clemente zijn drie mensen druk bezig een oude steen los te wrikken. Hijgend, trekkend en duwend hebben ze de steen een beetje los gekregen, die nu wiebelt als een oude, misvormde tand. De tijd is langzaam verstreken, zonder dat iemand hen is komen storen.

Met heel veel moeite krijgen ze de steen er eindelijk uit, waardoor er een kleine nis zichtbaar wordt. Een stoffige holte, ter grootte van een schoenendoos. Amper groot genoeg om een muis in te vangen.

Als Joe Vinyl de nis ziet, heft hij zijn pistool op. Zijn krakerige stem zegt tegen Ermete dat hij aan de kant moet gaan. Dan richt hij zijn wapen op Elettra.

'Kijk... *rrr...*' beveelt Joe haar, 'wat erin zit... *rrr...*'

Als ratten in de val, denkt Elettra terwijl ze naast de nis neerknielt.

Allemaal stof. Haar handen zijn zo heet als gloeilampen. Onder het stof ligt nog meer stof. En daaronder ligt een linnen doek die ergens omheen gewikkeld zit.

'Is daar iemand?' roept Harvey, en zachtjes duwt hij de voordeur van de kleine villa open.

Voorbij de drempel is een donkere ruimte, met een trap die naar de eerste verdieping leidt. Twee schilderijen aan de muren. Een tafeltje. En een lamp die uit is.

Een koude wind giert langs de trap.

Harvey roept nog eens en gaat dan naar binnen. De hal geeft toegang tot meerdere vertrekken. De deuren zijn allemaal boogvormig. De plafonds zijn helderblauw geschilderd.

Harvey draait zich om. Sheng komt met een lijkbleek gezicht bij hem staan.

'Bang?'

'Dat kun je wel zeggen.'

'Wat zullen we doen?'

'Ik weet het niet.' Sheng kijkt om zich heen. 'De tol heeft ons gewaarschuwd voor de waakhond... misschien kunnen we die maar beter niet storen.'

Harvey kijkt naar de trap. 'Zullen we naar boven gaan?' stelt hij voor.

Gehurkt op de vloer van het mitreo veegt Elettra het stof aan de kant. Haar vingers raken een voorwerp dat zorgvuldig in een oude linnen doek is gewikkeld. Het is langwerpig en smal, en het ligt op zijn kant in de nis.

'Wel... *rrr...*?' vraagt Joe Vinyl ongeduldig.

Het water stroomt luidruchtig in de wanden rondom hen.

Ermete staat nagelbijtend aan de overkant van de ruimte.

Elettra pakt het voorwerp vast en merkt dat het heel licht is. Haar handen zijn bloedheet. Trillend legt ze de wikkel op de grond.

Hij is afgesloten met een verguld zegel.

'Wel... *rrr...*?' kraakt Joe Vinyl. Zijn stem heeft het effect van een handvol zout op een wond. 'Haal... *rrr...* die wikkels eraf... *rrr...*!'

Elettra kijkt naar Ermete, maar de ingenieur staart met nietsziende blik voor zich uit.

'Waar wacht je op... *rrr...*?' blaft Joe. 'Maak dat ding open... *rrr...*! Laat zien... *rrr...* wat er verdomme... *rrr...* in zit!'

Elettra streelt over het ringvormige zegel. Ze trekt er zachtjes aan, net genoeg om de wikkel los te maken.

Er zit een rond voorwerp in. Het is van ijzer.

Elettra's handen bewegen zich koortsachtig om de wikkel los te maken.

Dan grijpt ze het voorwerp vast en houdt het omhoog.

Het is een spiegel.

Op de eerste verdieping van de kleine villa is een gang waarop vier deuren uitkomen. Een ervan staat open en leidt naar een kleine slaapkamer met een blauw plafond. De luiken voor het enige raam zitten dicht, en tussen de latjes door filtert het laatste beetje daglicht.

Het onopgemaakte bed ligt bezaaid met foto's.

'Wie hier ook geslapen heeft,' zegt Harvey, 'die is nog niet lang weg.'

Sheng pakt een paar foto's, en laat ze dan met een kreet op de grond vallen: 'De professor!'

Harvey raapt de foto's van de grond op en kijkt ernaar. Ze lijken allemaal op elkaar: Alfred van der Berger die levenloos op de grond ligt. En naast hem, staand, de man met de viool.

De jongens huiveren van schrik.

'We moeten maken dat we hier wegkomen...' mompelt Sheng.

Harvey gaat de kamer uit. Op de vloer van de gang ligt een lange streep bloed, die naar een badkamer voert.

'Harvey...' dringt Sheng aan. 'Het is niet slim om hier te blijven.'

Harvey volgt de rode streep met het hart in de keel.

De badkamerdeur staat open. Er is een grote spiegel, een wasbak en een badkuip met een plastic douchegordijn eromheen.

Het bloed verdwijnt achter het douchegordijn.

Harvey loopt heel langzaam dichterbij.

En heel langzaam doet hij het gordijn aan de kant.

'Harvey...' fluistert Sheng vanuit de gang. Dan hoort hij zijn vriend schreeuwen, en roept hij: 'Harvey! Harvey!'

28
DE RING

Het pistool van Joe Vinyl kronkelt als een slang voor Elettra's ogen.

'Laat zien... *rrr*...!' roept hij terwijl hij haar opzij duwt.

Hij heeft allemaal zweetdruppels op zijn voorhoofd en zijn haren zitten aan zijn glanzende schedel vastgeplakt. Hij knielt hijgend op de grond en klemt zijn zweterige vingers om de spiegel.

'Is dit... *rrr*... alles... *rrr*...?' zegt hij. Hij draait de spiegel verbijsterd rond. 'Wat hebben we... *rrr*... in godsnaam gevonden?'

Ook Ermete komt dichterbij. Het voorwerp verspreidt schitteringen van gebarsten zilver en kwik. En het lijkt niet meer en niet minder dan wat het is: een oude holle spiegel, waarvan de spiegelende kant ongeveer zo groot is als een meloen. De rand is onregelmatig, alsof het een scherf van een veel grotere spiegel is, die naderhand in een bronzen lijst is gevat.

'De Ring van Vuur...' mompelt Ermete.

Elettra wil er niet naar kijken. Het is gewoon een spiegel, denkt ze.

'Een kapotte... *rrr*... spiegel... *rrr*...!' roept Joe Vinyl. Zijn dikke lijf schokt van het lachen. Hij legt de spiegel op de grond en hijst zichzelf moeizaam overeind. 'Hebben we... *rrr*... al die moeite gedaan... *rrr*... alleen om... *rrr*... een kapotte... *rrr*... spiegel... *rrr*... te vinden? O, o, o! Als Little Lynx... *rrr*... eens wist waarvoor hij... *rrr*... gestorven is! Een stomme... *rrr*... spiegel... *rrr*...!'

'Een spiegel...' mompelt Ermete. Dan zegt hij, als in trance: 'Het licht dat vuur wordt. Het leven dat verwoesting wordt. Waarom heb ik daar niet eerder aan gedacht?'

'Wat loop je toch... *rrr*... te bazelen?' kraakt Joe Vinyl.

Ermete werpt een opgewonden blik naar Elettra, maar deze keer is zij degene die nietsziend voor zich uit staart. Haar zwarte krullen vormen een onneembare barrière rondom haar gezicht.

De ingenieur praat verder bij zichzelf: 'Dit gebruikte Prometheus dus om het vuur van de goden te stelen! Gewoon een simpele holle spiegel. Dat is genoeg om de zonnestralen te concentreren en het licht in vuur te veranderen.'

'Nu en... *rrr*...?' valt Joe Vinyl hem in de rede.

Maar Ermete is niet meer te stoppen: 'Nu snap ik al die verwijzingen, die onbegrijpelijke fragmenten die Alfred met elkaar in verband probeerde te brengen. Dat hele verhaal van de Ring van Vuur die om de honderd jaar weer opduikt... en die van hand tot hand gaat. Van de oude Chaldeeën die het vuur vereerden tot aan de Grieken die de mythe van Prometheus bedenken, van het Groot Griekenland waar Archimedes de spiegel gebruikt om Syracuse tegen de Romeinen te verdedigen, tot aan de Romeinen zelf die de spiegel mee hiernaartoe nemen. Snap je, Elettra? Nero steekt Rome niet 's nachts in brand, maar overdag... En wel hiermee!'

Joe Vinyl snuift. 'Bedoel je... *rrr*... dat dit... *rrr*... stuk glas... *rrr*... van waarde is?'

'Het kan een gigantische waarde hebben,' antwoordt Ermete. 'Of geen enkele.'

Elettra zwijgt. Ze kijkt niet. Ze denkt.

Ze denkt aan Ermete, aan Harvey, aan Sheng en aan Mistral.

Ze denkt aan de professor.

Ze denkt aan de spiegel.

Ze bedenkt dat de Ring van Vuur een holle spiegel is. Misschien wel de oudste van de wereld. Misschien wel de allereerste. Het is de spiegel van het vuur, en zij voelt maar één ding in haar binnenste branden: hier weggaan.

Naar buiten gaan. Naar de sterrenhemel.

Met zijn voet draait Joe Vinyl de spiegel om. In de bronzen lijst zijn een tekening en een inscriptie gekerfd. 'En dit... *rrr*...? Wat is dat? Een komeet... *rrr*...? En wat is dit... voor hocuspocus? Jij hebt gestudeerd... *rrr*... vertel op... *rrr*... wat staat daar?'

Ermete wil de spiegel vastpakken, maar Joe houdt hem met zijn voet tegen. 'Alleen kijken... *rrr*..., niet aanraken... *rrr*...!'

Ermete knijpt zijn ogen tot spleetjes in het donker. Hij leest de zin die in de achterkant van de spiegellijst is gekerfd en hij kan een glimlach niet onderdrukken.

'Wat valt er... *rrr*... te lachen?'

'De professor had het goed gezien,' mompelt de ingenieur, terwijl hij opnieuw de blik van Elettra zoekt. 'Het is een zin van Seneca, uit zijn boek over kometen.'

'Wat staat er dan... *rrr...*?'

'Er is een onzichtbare reden achter de zichtbare wereld.'

Joe Vinyl snuift. 'Dat betekent... *rrr...* geen barst.'

'Niet waar...' protesteert Elettra, die zich met een ruk omdraait.

Haar haren waaien op alsof er storm op komst is.

En haar ogen zijn helemaal geel.

In de badkuip ligt een man. Zijn handen en enkels zijn vastgebonden, zijn mond is dichtgeplakt en zijn borst zit onder het bloed.

'Harvey!' schreeuwt Sheng. Hij rent de badkamer in en grijpt zijn vriend vast. 'Alles goed?'

De jongen knikt.

'Dat is hem, hè?' mompelt Sheng.

'Dat is de man met de viool,' bevestigt Harvey fluisterend. 'Maar wat doet hij daar?'

'Is hij dood?'

De man heeft zijn ogen dicht en zo te zien heeft hij heel veel bloed verloren. Het bad is helemaal rood gekleurd.

'Volgens mij wel.' Harvey zet een stapje dichterbij.

'Wat doe je?' roept Sheng.

'Ik wil het alleen even controleren...'

'Harvey, laat dat nu! We moeten hier weg!'

De Amerikaanse jongen zet nog een stap in de richting van het bad. En dan nog een. Hij houdt zijn ogen op het onbeweeglijke gezicht van de man gericht.

'Kom terug!' smeekt Sheng.

Harvey zet nog een stap, hij buigt zich voorover en strijkt met zijn vingertoppen over de arm van de man.

Dan zet hij een klein stapje achteruit, nog steeds gespannen. Hij kijkt om naar Sheng en fluistert: 'Ja... hij is dood...'

Ineens probeert een hand hem bij zijn middel vast te grijpen. Harvey heeft zich nog niet eens omgedraaid.

Sheng schreeuwt: 'Harvey, pas op!'

De man met de viool heeft zijn ogen open.

Harvey struikelt over het plastic douchegordijn, zodat alle ringen het begeven. Hij glijdt uit en valt op de grond.

'Nee!' schreeuwt Sheng, die naar hem toe rent en hem overeind helpt.

De man met de viool ligt te worstelen in het bad, en probeert zichzelf te bevrijden. De jongens blijven geen seconde langer meer.

Ze stormen de badkamer uit. Ze rennen de hele gang door en denderen de trap af, door de voordeur en de oprit af.

Ze stoppen nog niet als ze door de poort zijn.

Nog niet als ze onder de boog door zijn.

Ze stoppen niet, en ze rennen voor hun leven.

Als hij de gele ogen van Elettra ziet, deinst Joe Vinyl achteruit naar de uitgang van het mitreo.

'Hé... *rrr*... meisje... *rrr*... wat is er verdorie... *rrr*... met jou aan de hand... *rrr*...?' kraakt hij.

Als hij bij de deur is, verschijnt er ineens een schim achter hem. Een schim met een gouden schittering tussen de haren.

Joe slaakt een soort gegrom en draait zijn hoofd net ver genoeg naar achteren om haar aan te kijken: 'En wie... *rrr*... ben jij nu weer... *rrr*... in godsnaam?'

Eén tel later vliegt Ermete op hem af, en geeft hem een vuistslag die Joe Vinyl incasseert alsof het een aai is. Ermete probeert een tweede klap uit te delen, maar Joe rent met zijn hoofd omlaag op hem af en knalt hem tegen de muur van het mitreo aan. De twee raken verwikkeld in een grotesk gevecht, waarbij Joe de ene na de andere kopstoot uitdeelt en Ermete hem probeert op te tillen aan zijn broekriem.

Elettra staart intussen verbijsterd naar de zigeunerin.

'Ik ben gekomen om je te vertellen, meisje... dat jouw levenslijn nog heel lang is,' verkondigt de vrouw.

'Doe iets!' kreunt Ermete, terwijl hij als een razende op de rug van Joe Vinyl staat te timmeren.

'Stop!' schreeuwt Elettra.

Maar de twee blijven op elkaar in beuken alsof ze niets gehoord hebben.

'Pas op met dat pistool!' roept het meisje.

Pas op dat moment lijkt Joe Vinyl zich te realiseren dat hij het pistool nog in zijn hand heeft. Hij weet zich moeiteloos los te wurmen uit de onhandige greep van Ermete en zet een stap achteruit.

Hij doet zijn mond open om iets te zeggen, maar zonder zijn versterkertje is zijn stem niet meer dan wat gerochel.

Dus heft hij zijn pistool boven zijn hoofd en zet nog een stap achteruit.

Foutje.

Zijn voet belandt in de nis in de vloer en hij verliest zijn evenwicht. Zijn hoofd knalt met een doffe klap tegen het altaar van Mithra. Zijn pistool valt met een metalig gerinkel op de grond.

Er daalt een langdurige stilte neer over de ruimte.

De zigeunerin staat nog stil in de deuropening, gehuld in haar vele overjassen.

Ermete haalt moeizaam adem, en telt hoeveel ribben er zo te voelen nog heel zijn.

'Elettra?' vraagt hij. 'Alles goed met je?'

'Ja... volgens mij wel. Met jou ook?'

De ingenieur hoest van ja, en zet dan een paar wankele stappen in de richting van Joe Vinyl.

'Hij is buiten bewustzijn,' zegt hij. Hij schopt het pistool aan de kant. 'We moeten meteen maken dat we hier wegkomen...

Ermete zoekt de spiegel, maar de zigeunerin springt naar voren en gaat tussen hem en de Ring van Vuur in staan.

'Niet jij,' zegt ze terwijl ze haar hand opheft.

De man masseert zijn botten. 'Niet ik... hoe bedoel je?'

'Jij bent niet degene die de ring moet pakken,' verklaart de zigeunerin. 'Dat moet zij doen.'

Ermete schudt heftig zijn hoofd. 'Luister... ga jij je er nu niet ook nog eens mee bemoeien, oké? Wat maakt het uit wie hem pakt?'

'De ring is van degene die hem draagt. En de spiegel is van degene die zich erin moet spiegelen,' antwoordt de zigeunerin onverzettelijk.

'Ik wil me niet spiegelen!' protesteert Elettra.

'In de spiegel wordt je beeltenis ook weerkaatst als je je ogen dicht hebt,' helpt de vrouw haar herinneren.

Ermete kijkt haar niet-begrijpend aan. 'Hebben jullie nu een onderonsje of ben ik gek aan het worden?'

Elettra loopt op hem af. 'Ben jij een van *hen*?' vraagt ze plompverloren.

29
HET VERRAAD

'Waarom stop je?' vraagt Mistral aan Beatrice.

De jonge vrouw zet de alarmlichten aan en parkeert de gele Mini langs de kant van de weg.

'We moeten nog één ding doen...' zegt ze geheimzinnig.

Ze gebaart dat Mistral moet uitstappen en samen lopen ze door een nauw steegje. Haar warme adem vormt wolkjes stoom.

'Komt hij achter ons aan?' vraagt Mistral, en ze krimpt ineen terwijl ze het vraagt.

'Nee. Hij kan ons niet achterna komen,' antwoordt Beatrice. 'Tenminste, dat lijkt me stug.'

Haar gehavende lip is pimpelpaars geworden, en in haar slapen voelt ze een steeds heftigere pijn bonzen.

—————————————— ◯ ——————————————

Rondom hen is Rome weggezakt in de laatste ijskoude decemberavond. Oudejaarsavond, silvesteravond.

'Weet jij waarom ze dat zo noemen?' vraagt ze aan Mistral.

'Wat bedoel je?'

'Silvesteravond.' Ze kan zelfs nog glimlachen. 'Ik bedoel: als ik de naam Silvester hoor, denk ik alleen maar aan die zwart-witte kat die altijd probeert Tweety te vangen zonder dat het hem ooit lukt.'

Daar moet Mistral ook wel een beetje om lachen. 'Laten wij dan maar net zo dapper zijn als Tweety. En ons niet laten vangen.'

Beatrice knikt en tilt het deksel op.

'Vooruit, Mistral,' zegt ze, met haar kin wijzend naar de opengesperde muil van de afvalcontainer. 'Tijd voor de grote schoonmaak.'

Mistral tilt de vioolkoffer op en gooit hem erin.

'Ga naar de hel!' roept Beatrice, waarna ze het deksel met een klap laat dichtvallen.

Ineens voelt ze alle adrenaline uit zich wegvloeien, als sneeuw die smelt wanneer er warm water op wordt gegoten. Ze snapt dat ze snel moet handelen, voordat ze instort. Ze moet vertrekken, ver weg, voordat ze stil kan staan bij wat ze eigenlijk gedaan heeft.

'Oké,' zegt ze.

Mistral kijkt haar aan met haar grote, vloeibare ogen. 'En nu?'

'Nu stappen we weer in en dan breng ik je naar het hotel.'

'En jij dan?'

'Maak je over mij maar geen zorgen,' zegt Beatrice. 'Ik weet wat me te doen staat.'

Dat is niet waar. Maar het is tenminste iets.

Ermete heeft zijn ogen wijdopen. Zijn lip trilt. Hij duwt zijn handen neurotisch tegen zijn pijnlijke buik aan.

'Ben jij een van *hen*?' vraagt Elettra hem opnieuw.

'Hoe kun je zoiets denken?'

'Was die man geen vriend van jou?'

'Hij was een kennis.'

'Hij was een van *hen*.'

'Hoe had ik dat moeten weten?' protesteert Ermete. 'Ik heb niks te maken met... *hen*. Hoe moet ik weten wie de professor achtervolgde... of mijzelf?'

'En hoe moet ik jou geloven?'

'Geloof me nu maar gewoon,' dringt de ingenieur aan.

'Laat je hand aan de zigeunerin zien,' stelt Elettra voor.

Ermete De Panfilis spert zijn ogen open. 'Wat zeg je nu toch, Elettra?' roept hij. 'Wat maakt het nu uit of ik mijn hand aan haar laat zien? Geen geintjes! Laten we liever... maken dat we hier wegkomen voordat Joe weer bijkomt!'

'Ben je bang?' vraagt Elettra.

'Helemaal niet!' protesteert hij verbouwereerd. 'Verdorie, Elettra!' roept hij als het hem duidelijk wordt dat het haar menens is. 'Wil je ook nog weten wat mijn sterrenbeeld is? En misschien ook nog mijn ascendant?'

'Je hoeft haar alleen maar je hand te laten lezen.'

'Elettra! Het is al laat!'

Dan laat Ermete met een geïrriteerde zucht zijn hand vastpakken door de zigeunerin.

'Wat zie je?' vraagt het meisje haar.

'Wat denk je dat ze ziet? Ze ziet een hand die onder het stof zit!' bromt Ermete.

Aan zijn voeten maakt Joe Vinyl een rochelend geluid.

'Wat zie je?' dringt Elettra aan.

'Ben je al aangekomen bij die keer op de middelbare school dat ik de handtekening van mijn ouders heb vervalst?' schampert Ermete. 'En bij dat legendarische weekend waarin ik met twéé meisjes had afgesproken, zonder dat zij het van elkaar wisten?'

De vrouw schudt haar hoofd.

Ze leest zijn hand en schudt haar hoofd.

Als hij haar zo geconcentreerd ziet, probeert Ermete zijn hand los te rukken. 'Geen geintjes, hè?'

'Wat zie je?' vraagt Elettra voor de derde keer.

De zigeunerin glimlacht bedaard. 'Ik zie een hand die zijn hele leven niet één dag gewerkt heeft.'

'En daar ben ik trots op!' snuift Ermete.

'En een gigantische lijn van leugens...'

Elettra en Ermete verstijven.

'Maar het zijn allemaal grappige leugens. Grapjes en... spelletjes. Kinderlijke verzinsels,' besluit de zigeunerin.

'Leve de eerlijkheid!' roept de ingenieur met een diepe zucht. 'Kunnen we nu dan gaan?'

'Hij is dus niet een van *hen*?'

De zigeunerin glimlacht. 'Als zij tenminste geen mensen zijn die alleen maar spelletjes willen doen, zou ik zeggen van niet.'

Ermete bukt zich om de Ring van Vuur op te rapen en geeft hem stuurs aan Elettra.

'Hou jij die maar vast, voordat madame hier nog boos wordt!'

'Sorry,' zegt het meisje terwijl ze de Ring van Vuur aanpakt.

'Geen probleem,' antwoordt Ermete. 'Ik had het alleen... helemaal niet verwacht...'

Elettra gaat op haar tenen staan om hem te omhelzen. 'Het spijt me echt, Ermete. Ik weet gewoon niet meer wie ik moet geloven.'

'Geloof mij nu maar: we moeten maken dat we hier wegkomen!' zegt hij, terwijl hij haar omhelzing beantwoordt.

Harvey en Sheng rennen buiten adem verder, zonder te stoppen. Harvey loopt voorop, en besluit al rennend welke wegen hij moet inslaan; zonder enige aarzeling zoekt hij zijn weg door Rome.

En zonder ooit om te kijken.

Ze rennen maar door om de afstand tussen henzelf en de man met het witte haar zo groot mogelijk te maken. En hoewel ze bij elke stap riskeren uit te glijden door de ijzel, blijven ze op hun hardst rennen, ook in de bochten, en ze schieten rakelings langs de nietsvermoedende voetgangers heen.

Als ze uiteindelijk besluiten om tot rust te komen, is de stad om hen heen weer gewoon Rome. Niets doet hen meer denken aan de kantelen in de wijk Coppedè. Ze zien witte koepels, rijen monumentale zuilen en een hele reeks bogen. Ze zien de ruïnes van het Romeinse Rijk, trots verlicht door spectaculaire lampen.

Rome beschermt hen en verbergt hen.

Maar de stad is te groot en te oud, ze kunnen haar niet zo blijven uitdagen.

Ze hebben een veilige plek nodig waar ze kunnen uitrusten.

Een plek waar niemand hen iets kan doen.

Hotel Domus Quintilia.

Jacob Mahler slaagt erin uit het bad te glijden, en hij blijft op de koude vloer van de badkamer liggen. Hij trekt de knevel met zijn tanden los en begint naar de wasbak te kruipen, met zijn handen en voeten nog vastgebonden. Zijn borst ontploft bijna van de pijn.

Eerst steunt hij op zijn knieën, en dan komt hij met een heupbeweging op zijn voeten te staan. Hij leunt zwaar op de rand van de wasbak. Hij trekt zich omhoog. De spiegel weerkaatst de omtrekken van zijn gezicht.

Het lijkt net een doodskop.

'Je moet niet denken dat het hiermee uit is...' zegt hij tandenknarsend, starend naar zijn spiegelbeeld. 'Je moet niet denken dat ik niet achter je aan kom.'

Zijn hoofd bonst als een trommel. Door de wond in zijn borst kan hij bijna niet ademhalen.

Onhandig verplaatst hij zich naar het kastje naast de spiegel, maakt het open, grijpt zijn toilettas vast met zijn vingertoppen en gooit die in de wasbak, zodat de hele inhoud eruit rolt. Hij rommelt tussen de plastic verpakkingen, vindt zijn scheermes, klapt het open en klemt het handvat tussen zijn kiezen. Dan tilt hij zijn polsen op en begint met het touw over het mes te schuren, steeds maar heen en weer, zodat het steeds verder begint los te rafelen.

Een minuut later is hij los. Hij spuugt het scheermes uit en maakt zijn enkels los.

Hij haalt moeizaam adem.

Zijn borst zit helemaal onder het bloed.

Hij wankelt de badkamer uit. Hij loopt naar de kamer van Mistral en kijkt naar binnen. Leeg. Of nee, niet echt. Overal verspreid liggen foto's.

Hij kent die foto's. Hij heeft zelf bevolen dat ze gemaakt moesten worden, voor de kranten. Het zijn de foto's van Alfred van der Berger.

'Aaaargh!' schreeuwt hij, terwijl hij de lakens van het bed trekt en achter zich aan sleurt door de hele gang.

Eerst moet hij aan zijn wond denken. Daarna komt die jongedame aan de beurt.

Hij is echter nog niet terug in de badkamer of hij hoort muziek, de klanken van een liedje.

You're Beautiful, van James Blunt.

De melodie komt uit zijn broekzak. Jacob Mahler steekt zijn hand in zijn zak en haalt een mobieltje tevoorschijn.

Het is de telefoon van Mistral, die hij gisteren in beslag heeft genomen.

'Ja?' schreeuwt hij bijna als hij heeft opgenomen.

'Lekker geslapen?' klinkt de stem van Beatrice. 'Heb je al naar buiten gekeken?'

Mahler geeft geen kik.

'Je bent er geweest, Jacob...' vervolgt de jonge vrouw. 'Het schijnt dat ze de moordenaar van de Tiber te pakken hebben.'

'Dat kun je niet gedaan hebben...' mompelt hij terwijl hij woest de trap af beent.

Hij gooit de buitendeur open.

En hij deinst achteruit, getroffen door een blauw zwaailicht. Er staan twee auto's voor het huis.

'Halt!' beveelt een agent van de carabinieri. 'Handen omhoog!'

Jacob Mahler spert zijn ogen open. Hij herkent het geluid van pistolen die op hem gericht worden. Maar hij doet zijn handen niet omhoog.

Hij doet de deur achter zich dicht en gaat weer naar boven, met een hortende ademhaling door de pijn in zijn borst. Hij loopt naar zijn koffer op wieltjes en haalt de satelliettelefoon voor noodgevallen eruit.

Vanuit de tuin hoort hij de stemmen van de carabinieri die de villa omsingelen.

'Kom naar buiten met je handen omhoog!'

Het zwaailicht dringt door de gesloten luiken naar binnen.

Jacob zet de satelliettelefoon aan. Er is slechts één driecijferig nummer actief. Met elke andere toetscombinatie explodeert de telefoon.

Hij toetst de cijfers in.

Zes-zes-zes.

Dan houdt hij het apparaat tegen zijn oor, terwijl de agenten beneden de voordeur inbeuken.

'Schiet op...' mompelt Jacob.

Geruis. Geruis.

'Schiet op...'

Geruis. De satelliet ontvangt het signaal van de oproep, stuurt het naar Shanghai en brengt het naar een wolkenkrabber van zwart kristal waar niemand zonder toestemming naar binnen mag.

Hij gaat één keer over.

Een carabiniere komt de trap op.

Hij gaat voor de tweede keer over.

Jacob loopt naar het eind van de gang, in de richting van het ovalen raam.

Derde keer.

Hij kijkt door het raam: besneeuwde tuin.

Vierde keer.

Geen zwaailicht. Voetstappen op de trap.

Vijfde keer.

'Devil,' antwoordt een stem aan de andere kant van de lijn. Het is nauwelijks meer dan het gesis van een slang. Scherp als de klauw van een draak.

'Jacob,' antwoordt hij. 'Ze hebben me te pakken.'

De carabiniere verschijnt boven aan de trap, in aanvalshouding, met zijn getrokken pistool voor zijn gezicht. 'Blijf staan!' schreeuwt hij. 'Geen enkele beweging!'

Jacob hangt op.

Hij weet niet zeker of de duivel iemand zal sturen om hem te helpen.

In de tussentijd kan hij echter maar beter de hel voorbereiden.

'Handen omhoog!' herhaalt de carabiniere. 'Gooi dat op de grond!'

Jacob Mahler heft langzaam zjin handen op.

Zijn vingers tikken drie willekeurige cijfers in op de satelliettelefoon.

'Zoals je wilt!' schreeuwt hij tegen de carabiniere.

Hij gooit de telefoon in de gang.

Hij telt tot vijf.

En de hele gang komt met een enorme steekvlam tot ontploffing.

30
ONTPLOFFINGEN

Beatrice zet de Mini langs de kant in de Via dell'Arco Antico. De motor rookt in de nacht.

'Je moet onder die boog door lopen en dan rechtsaf gaan,' legt ze Mistral uit. 'Dan ben je op de Piazza in Piscinula. Van daaruit zie je het hotel vanzelf.'

Het meisje knikt. Ze buigt zich naar haar toe om haar een kus op haar wang te geven. 'Bedankt voor alles.'

Beatrice heft gemaakt achteloos haar hand op. 'Niks te danken. Ik had het je beloofd.'

Mistral doet het portier open en zet een voet in de sneeuw.

'Wees voorzichtig,' drukt Beatrice haar nog op het hart.

'Weet je zeker dat je niet mee wilt komen?' vraagt het meisje. 'We kunnen alles aan de mensen van het hotel vertellen en...'

Beatrice onderbreekt haar. 'Dat kan niet. Dat is geen plek voor mij.'

'Waarom niet?'

'Ik ben geen goed mens...'

'Daar vergis je je in.'

'Zeg dat maar niet te hard.' Beatrice heeft het gevoel alsof de binnenkant van haar lichaam elk moment kan afbrokkelen. 'Anders verander ik nog van gedachten.'

Mistral stapt uit de Mini. 'Laat nog eens iets van je horen, als je wilt.'

'Dat zal ik doen. Dus hier rechtdoor, en dan rechtsaf,' zegt Beatrice nog een keer.

Ze kijkt Mistral na, zwaait nog een laatste keer en schakelt dan naar de eerste versnelling. Onder het rijden barst ze in huilen uit. De veiligheidsgordel knelt om haar snikkende borst.

Ze weet niet waar ze naartoe moet.

Ze weet niet wat ze moet doen.

Ze weet alleen dat ze heeft gedaan wat goed is.

Ze komt bij de Tiber, rijdt de Ponte Quattro Capi over en neemt dan de weg die langs de Piramide loopt. Van daaruit rijdt ze naar het Colosseum en gaat ze op zoek naar de lichtjes van de Via del Corso en het rumoer van de nachtcafés. Het is bijna middernacht, op een heel moeilijke oudejaarsavond.

Ze zet de radio aan, met het volume voluit in de hoop dat ze ervan tot rust zal komen.

De lichtjes van de stad glijden langs haar heen.

Ze proeft de weg die onder de wielen langs trekt.

Ze kijkt hoe laat het is. Over een paar minuten begint het nieuwe jaar.

'Het nieuwe jaar... een nieuw leven,' fluistert ze, wachtend op de explosie van licht en geluid die om middernacht tot uitbarsting zal komen.

De hoofdstad van de oude wereld wacht op de klokslagen die het einde van het jaar inluiden.

Duizenden mensen hebben de tv aangezet om hun horloge gelijk te zetten. Elettra, Ermete en de zigeunerin duiken op uit de diepte van de San Clemente, in een onwerkelijke stilte. Het zijn de laatste minuten van het jaar.

Gekleurde slingers wapperen tussen de gebouwen. De feestverlichting knippert vrolijk. In de ramen trilt het schijnsel van de tv's die aanstaan. Achter het glas is gelach, champagnekurken die nog worden tegengehouden, handen die elkaar zoeken en monden die klaar staan om te zoenen.

'Dit is de vreemdste oudejaarsavond die ik ooit heb beleefd...' zegt Elettra terwijl ze door de zinderende stad loopt, met de ring in haar handen.

De eerste ramen worden al opengegooid. De stemmen van de tv-presentatoren weerklinken tussen de gebouwen.

'Vertel mij wat...' glimlacht Ermete. 'Ik heb nog nooit een oudejaarsavond doorgebracht met twee vrouwen. En hoe is het voor jou?' vraagt hij aan de zigeunerin.

De vrouw geeft geen antwoord: ze loopt voor hen uit met de geoefende tred van iemand die de stad altijd al te voet doorkruist en met de kalme blik van iemand die het gewend is toe te kijken als andere mensen feestvieren.

Door de open ramen begint iedereen nu de laatste twintig seconden van het jaar af te tellen. Het drietal blijft staan luisteren naar de duizenden stemmen die als één stem het aantal tellen tot middernacht opdreunen.

De zigeunerin wendt zich tot Elettra en zegt: 'Het is tijd.'

Ze vraagt haar om iets te doen. Iets belangrijks, dat gedaan moet worden.

De seconden verstrijken razendsnel.

Het is de nacht van de wensen. De nacht van Silvester, de naam van de paus die de mis leidde op de laatste dag van het jaar 999. De dag waarvan velen meenden dat het de laatste dag van de wereld zou zijn.

Na die middernacht veranderde alles.

Elettra kijkt de zigeunerin aan. En de zigeunerin herhaalt: 'Het is tijd dat de wereld opnieuw verandert.'

Elettra. *Kore Kosmou.* De maagd van het universum.

Zij is degene die moet beslissen. Zij is degene die de Ring van Vuur moet gebruiken. Ze moet het nu doen.

Of ze moet het weigeren.

De seconden stormen voorbij. Het aftellen klinkt steeds luider, als een roep.

De handen van Elettra maken het zegel los en wikkelen het linnen open.

De zigeunerin zegt: 'Kijk erin.'

Ermete glimlacht.

En Elettra tilt de spiegel op om erin te kijken.

Het eerste wat springt zijn de knipperende feestlichtjes. Ze worden wit en ploffen een voor een als popcorn. Dan is de beurt aan de straatlantaarns, die met een witte steekvlam ontbranden. De energie stuwt zich voort als een golf, hij verandert de tv-schermen in verblindend witte bladen, de schemerlampjes in plotselinge lichtflitsen, hij laat de weerstand van huishoudelijke apparaten doorbranden en tl-buizen smelten. Een enorme witte schicht schiet dwars door de stad en straalt door naar de San Clemente als één grote explosie van licht. Heel Rome licht op in een elektrische steekvlam die de stad omhult als een windvlaag.

Dan, even snel en onverwacht als het is gekomen, verdwijnt het licht. Er klinkt een luid geroffel van springende stoppen en zekeringen in elke straat, in elk gebouw, in elke wijk. Het geplof klinkt tegelijk met de springende champagnekurken en de eerste feestkreten.

Rome stort in het duister, vermoeid en overbelast.

Het gelach blijft in de kelen steken. De champagne klokt in onverwacht stille stromen. Na het totale wit dat de stad deed oplichten als een ster die in de sneeuw werd weerspiegeld, is de hoofdstad nu ineens uitgedoofd in een reusachtig zwart gat.

Stroomuitval.

'Elettra?' klinkt Ermetes stem na een eindeloze tijd. 'Elettra, alles goed?'

Het meisje doet haar ogen open. Ze bevindt zich midden in het zwart, en Ermete zit over haar heen gebogen.

'Wat is er gebeurd?' vraagt ze.

'Je hebt je gespiegeld in de Ring van Vuur en er kwam een reusachtige explosie van licht... en toen ben je flauwgevallen,' legt de ingenieur uit.

Elettra voelt zich zwak en leeg. 'Ik weet er niets meer van.'

Ze tast om zich heen en voelt koud metaal. Ze zit in het zijspan van Ermetes motor.

'Hou je het vol tot aan het hotel?'

Elettra kijkt naar de ramen van de gebouwen om haar heen. Het schijnsel van de tv's heeft plaatsgemaakt voor het flakkerende licht van kaarsen.

Kaarsen.

Duizenden en duizenden kaarsen, die branden op alle vensterbanken van de stad.

'Waarom?' vraagt ze.

'Er is weer een stroomuitval geweest,' antwoordt Ermete. 'Het leek alsof de stroom overbelast was.'

Elettra kijkt naar de straat, waar de zigeunerin een stille, zwijgende dans uitvoert. 'Wat doet ze?'

'Wie zal het weten?' mompelt Ermete. 'Maar zo te zien is ze wel gelukkig.'

'Vraag haar eens...' fluistert Elettra. 'Vraag haar eens wat ze in mijn hand heeft gelezen. Wil je dat doen?'

Ermete haalt zijn schouders op. 'Ik kan het proberen, maar... ik vraag me af of ze me antwoord zal geven.'

Hij loopt weg van het zijspan en laat Elettra alleen met het schouwspel van de wegen die worden verlicht door kaarsen.

Als ze weer in de richting van de zigeunerin kijk, ziet het meisje alleen Ermete.

'Toen ik haar de vraag gesteld had,' zegt de ingenieur als hij terug-komt bij de motor, 'barstte ze meteen in lachen uit; ze fluisterde me het antwoord in het oor en ging er toen vandoor.'

'En wat vertelde ze je?' vraagt Elettra.

'Dat ze een ster op je hand heeft gezien. En dat jij die hebt opge-roepen toen je in de spiegel keek.'

31
OUDEJAARSAVOND

Fernando Melodia ligt languit op de bank van Hotel Domus Quintilia, met twee gebroken ribben. Maar de enige beschadiging die niet meer zal genezen, is die van zijn trots. Zijn trots die gekrenkt is door die dief van gisteren, die hem te grazen nam. En door Linda, die wél in staat was om die vent te verjagen, met een bezem.

Zij van haar kant laat geen gelegenheid voorbijgaan om hem aan zijn afgang te helpen herinneren: 'Ach, Fernando...' kweelt ze dan, 'heb je heel veel last van die klap die die schurk je heeft gegeven?'

Hij zou er niet zoveel last van hebben als zij haar mond eens zou houden.

Hij zucht.

Het is een heel rare ochtend. Sinds er weer stroom is, wordt er op de tv-journaals alleen nog maar gepraat over de tweede stroomuitval in twee dagen tijd: de hele stad zat zonder energie, zodat de Romeinen moesten feestvieren bij kaarslicht. Ook bij het diner van de president. En bij de belangrijkste gala-avonden. Niet iedereen was teleurgesteld: de stad was gehuld in een sfeer van vroeger tijden. Sommige mensen hebben zelfs voorgesteld om oudejaarsavond voortaan altijd zo te vieren: zonder elektriciteit. De politici geven de schuld aan de technici, de technici aan de internationale politiek. De internationale politici zijn niet bereikbaar voor commentaar.

En intussen is er weer stroom.

Maar die stroomuitval, denkt Fernando, is zeker niet het allervreemdste. Een stuk vreemder was de manier waarop de kinderen terugkwamen naar het hotel.

Inclusief Mistral.

Voordat Harvey en Sheng thuiskwamen, waren hun ouders nog van plan om hun zoons er flink van langs te geven, maar toen ze hen uitgeput en angstig door de voordeur zagen komen, sloten ze hen meteen in hun armen. En toen Mistral binnenkwam, vielen Harvey en Sheng bijna flauw van blijdschap. Ze vielen haar om de hals en bestookten haar met talloze vragen, fluisterend, zodat de volwassenen er niets van konden horen.

En Elettra? Elettra kwam als laatste thuis, somber en stil. Volgens Linda werd ze thuisgebracht door een jongen met een motor. En wat voor motor: eentje met zijspan!

Fernando besloot haar geen vragen te stellen. Ook al omdat Linda het hoogste woord had met haar verhaal over de indringer die ze met de bezem heeft verjaagd, en ze het restant van de heldhaftige bezemsteel liet zien alsof het een museumstuk was.

Daarna vierden ze het nieuwe jaar, allemaal samen, zonder nog aan de ruzie van die middag te denken.

En aan de dreigementen om aangifte te doen en een proces aan te spannen.

En aan alle dingen die ze maar beter konden vergeten.

Irene was degene die erop stond dat ze zouden feestvieren. Echt feestvieren. Fernando was de kelder in gegaan om een van de speciale flessen te pakken, afkomstig uit de wijnkelder van Ulysses Moore, die hij met zijn vrouw had gekocht tijdens hun huwelijksreis in Cornwall.

Er waren er nog vier.

Pang! De kurk knalde tegen het plafond, prompt gevolgd door het gemopper van Linda: 'En wie gaat die vlek daar nu weer weghalen?'

Ze hieven de glazen.

'Proost!' zei Irene terwijl ze haar glas tegen dat van Shengs vader liet klinken.

Zittend op de vloer van de kelder houden Harvey, Elettra, Sheng en Mistral misschien wel hun laatste vergadering. Mistral wacht tot haar moeder terug is en vertrekt dan weer naar Frankrijk. In de middag gaat de familie Miller van Rome naar Napels, waar het congres van Harvey's vader wordt gehouden. Ze komen alleen nog hier terug om het vliegtuig naar de Verenigde Staten te nemen.

Het voelt of ze elkaar niet zomaar gedag zeggen, maar alsof ze definitief afscheid nemen. Over een paar uur worden ze gescheiden door duizenden kilometers.

'Maar ík blijf nog een maand in Rome!' roept Sheng als de sfeer iets te somber dreigt te worden. 'Elettra en ik willen de stroom nog een paar keer laten uitvallen.'

Ze glimlachen alle vier.

Ze hebben elkaar alles verteld wat er is gebeurd, van moment tot moment.

Ze weten dat ze enkele belangrijke beslissingen moeten nemen. En ze blijven zichzelf steeds dezelfde vragen stellen, waarop ze nog geen antwoord weten. Vooral die tweede stroomuitval vinden ze allemaal intrigerend. Elettra heeft verteld dat die meteen plaatsvond nadat zij zich in de Ring van Vuur had gespiegeld. Als Mistral haar vraagt wat ze in de spiegel zag, schudt Elettra weifelend haar hoofd.

Ze zag zichzelf. Omgezet in licht.

Maar ze antwoordt: 'Niks bijzonders eigenlijk.'

Nu ligt de oeroude spiegel voor hen, volkomen onschadelijk. Ze hebben er allevier in gekeken, en hun wat wazige, door de tijd getekende spiegelbeeld bewonderd. Ze hebben de tekst van Seneca gelezen die in de achterkant gekerfd is, terwijl ze de Ring van Vuur vol ontzag aan elkaar doorgaven. En ze hebben zachtjes gepreveld dat professor Van der Berger jarenlang onderzoek heeft gedaan om deze spiegel te vinden, en dat hij ervoor is vermoord.

Maar ze snappen nog steeds niet waarom. Ze voelen zich terneergeslagen door iets wat ze niet de baas kunnen worden, iets waaraan ze nog geen betekenis kunnen geven, geen plek, geen tijd, geen gezicht.

Hoe meer ze het voorwerp dat onder de basiliek van San Clemente verborgen lag bestuderen, hoe meer ze ervan overtuigd raken dat de spiegel maar één puzzelstukje is, een beginpunt.

De spiegel is een raadsel dat op zijn beurt nieuwe raadsels verbergt, die misschien wel in het notitieboekje van de professor staan, of in de boeken die hij aan het lezen was.

Of die misschien wel verborgen liggen in het feit dat ze elkaar in Rome ontmoet hebben.

Wat het ook is, het is een gevaarlijk raadsel.

'*Zij* zullen ernaar blijven zoeken...' zegt Harvey.

'En ze weten dat jij hier woont,' zegt Mistral tegen Elettra.

Háár deel van het verhaal, over de ontvoering, heeft de meeste indruk gemaakt. Het deel van Harvey en Sheng daarentegen, met Jacob Mahler die in de badkuip lag te worstelen, heeft hen de stuipen op het lijf gejaagd.

'Misschien is hij gearresteerd,' oppert Sheng, optimistisch als altijd. 'Als die Beatrice de politie gebeld heeft, denk ik dat ze hem wel te pakken hebben gekregen.'

'We moeten afwachten...' zegt Elettra. 'Misschien horen we er nog iets over.'

Niemand kan nog weten wat er is gebeurd. Op 1 januari zijn er geen kranten, en op tv overheerst nog het nieuws van de stroomuitval.

'In elk geval is hij zijn viool kwijt...' zegt Mistral.

'*Hij* is niet het probleem. Ook al zou hij dood zijn, of gearresteerd,' zegt Harvey, 'dan sturen *zij* wel weer een ander. En diegene komt dan hierheen. Naar dit hotel.'

'Maar dit is onze schuilplaats,' protesteert Elettra.

'Hij is al geschonden,' antwoordt Harvey. 'Vraag maar aan je vader.'

'Het is hier nu te gevaarlijk,' beaamt Sheng. 'Ook al hebben de tollen deze plek aangewezen als... veilig... we moeten voorzichtig zijn. Jij moet voorzichtig zijn.'

Elettra knikt.

'Misschien bedoelden de tollen dat deze plek veilig is voor ons. Maar niet voor de Ring. Of voor andere mensen.'

'Dus, wat zullen we doen?'

Harvey stelt voor om de spiegel aan een museum te schenken. 'Dan is hij tenminste veilig opgeborgen.'

Elettra denkt er echter anders over: 'Ik vind dat wij er onderzoek naar moeten blijven doen. En dat we moeten voortborduren op de dingen die Ermete en de professor al hadden ontdekt.'

'Hoe dan?'

'Sheng blijft nog een maand in Rome. Hij en ik kunnen...'

'Hao, ja!' onderbreekt hij haar. 'Wij kunnen alvast doorgaan.'

'Maar dan samen met Ermete,' voegt Elettra eraan toe. 'Tenslotte is hij degene die de kaart van de Chaldeeën heeft bestudeerd. En die twee dingen hebben met elkaar te maken, nietwaar?'

De kinderen kijken elkaar weifelend aan. Mistral, die Ermete als enige niet ontmoet heeft, legt zich bij hun oordeel neer.

'En de zigeunerin?' vraagt ze.

'De zigeunerin leek er meer van te weten dan ze me verteld heeft,' geeft Elettra toe. 'Niet alleen omdat ze ons achterna kwam naar de San Clemente... maar vooral later, toen ze me overhaalde om in de spiegel te kijken. Het leek alsof ze wist... dat ik dat moest doen. Ik ga haar opzoeken. En dan vraag ik haar hoe dat zit.'

De kinderen zwijgen langdurig.

'En dan is er nog de kwestie van de tanden. Wie heeft al die letters erin gegraveerd? En waarom?' vraagt Mistral zich af.

'Ermete zegt dat het heel oude tanden zijn. Dat ze meer dan honderd jaar oud zijn,' vertelt Elettra.

'Honderd jaar, honderd jaar,' bromt Harvey. 'Dat getal honderd komt ook telkens weer terug in dit verhaal.'

'Jongens,' zegt Sheng even later, 'het heeft geen zin om ons hierover te veel het hoofd te breken. Het is duidelijk dat we aan de slag moeten. We hebben een soort geschenk ontvangen. Een gevaarlijk geschenk, dat wel, maar ook een dat we niet mogen negeren. We moeten het... benutten. Kijken waar het ons kan brengen. Als we het kunnen doorgronden, uiteraard. Ik denk dat Ermete de enige is die ons kan helpen. De enige die we kunnen vertrouwen.'

'De enige volwássene die we kunnen vertrouwen,' preciseert Mistral. 'En te oordelen naar wat jullie me verteld hebben, weet hij veel meer dan wij.'

'Maar ook hij is in gevaar. Hij moet niet in Rome blijven,' vindt Harvey. 'Het gaat niet alleen om Mahler. Die Joe Vinyl is er ook nog.'

'Waarschijnlijk wel,' beaamt Elettra.

'En die kent Ermete,' vervolgt Harvey.

'Waarom nodig je hem niet bij jou thuis uit?' stelt Mistral voor.

'In New York?'

'Daar vindt niemand hem.'

'Ik weet niet... Ik moet het aan mijn ouders vragen...' zegt Harvey. 'Maar het is misschien geen gek idee.'

'Ik kan het anders ook aan mijn moeder vragen,' oppert Mistral. 'Dat kan ik straks meteen doen, als ze terugkomt. We hebben een gigantisch huis in Parijs, dat altijd leeg staat.'

Wat Mistral er niet bij zegt is dat ze, als ze eenmaal terug is in Frankrijk, het eng zal vinden om alleen te zijn in dat zo gigantische en zo lege huis.

'Denken jullie dat Ermete bereid is om weg te gaan uit Rome?' vraagt Sheng.

'Ik betwijfel of hij wel weg mag van zijn moeder...' grapt Harvey. 'Maar ik denk dat hij zelf niets liever wil.'

'Maar als we de spiegel aan Ermete meegeven...' zegt Mistral, 'wat doen we dan met de landkaart? En met de tollen?'

'De tollen verdelen we,' oppert Sheng. 'Ieder één. En dan loten we wie de kaart bij zich moet houden.'

Elettra schudt haar hoofd.

'Nee. Ik kan hem hier niet houden.'

'Waarom niet?'

'Om dezelfde reden waarom ik de Ring van Vuur niet kan houden. Als er één naam is die *zij* kennen... dan is het de mijne.'

'Ze heeft gelijk,' beaamt Mistral. 'En ik kan hem ook niet meenemen. *Zij* weten inmiddels ook wie ik ben.'

'Dan blijven wij tweeën over...' zegt Sheng.

'Hoe zullen we loten?' vraagt Harvey.

'We dobbelen.' Sheng laat twee dobbelstenen zien die hij heeft meegenomen uit het huis van Ermete. 'Wie het hoogst gooit, houdt de kaart.'

Sheng gooit een drie en een twee.

Harvey rolt een zes en een vijf op de vloer.

'Nee hè! Ik wist het wel,' protesteert hij hoofdschuddend.

Elettra geeft hem de houten kaart. 'Bewaar hem heel zorgvuldig, maar vertel ons niet waar. Dat kunnen we beter niet weten.'

'Precies,' stemt Sheng in.

Harvey slaat de kaart nog één keer open, klapt hem dan weer dicht en legt hem op zijn schoot. 'Goed. Maar dan moeten we nu wel een pact sluiten.'

Er verspreidt zich een eeuwenoude stilte door de kelder.

'We zullen deze kaart nooit meer gebruiken, tenzij we weer met z'n vieren bij elkaar zijn. Ik weet niet wanneer dat zal gebeuren. Misschien als jullie tweeën iets meer te weten zijn gekomen over de professor, of als Ermete ons kan vertellen waar de Ring van Vuur echt toe dient... Misschien is het over een jaar. Of misschien gebeurt het nooit meer. Het pact is: óf we zijn er allevier bij, of anders niet.'

Elettra knikt en voegt eraan toe: 'En de afgelopen dagen blijven voorgoed ons grote geheim.'

'Allevier weer bij elkaar,' herhaalt Sheng, terwijl hij zijn hand op die van Harvey legt. 'Ik ben ervóór.'

Mistral glimlacht.

'Ja,' zegt ze, terwijl ze haar hand erop legt. 'Ik ook.'

'Nu hebben we eigenlijk een betere zin nodig dan: "Eén voor allen, allen voor één"...' zegt Elettra. 'Maar ach, eigenlijk waren de drie musketiers ook met z'n vieren.'

'Ben jij ook van de partij?' vraagt Harvey.

Elettra legt haar hand op die van haar nieuwe vrienden.

'Wat er ook gebeurt. Wat de toekomst ook voor ons in petto moge hebben,' zegt ze plechtig. 'Ja. Ik hoor bij jullie. En jullie horen bij mij.'

32
DE STERREN

Tante Irene wacht tot ze de maan boven de daken ziet opkomen. Ze grijpt de armleuningen van haar rolstoel vast en luistert naar de ademhaling van het huis. Hotel Domus Quintilia is in diepe rust verzonken.

Alleen haar zus Linda ligt in bed te woelen. Ze heeft altijd al een beetje last van slaapwandelen, en zelfs in haar slaap houdt ze nog hele verhalen.

Irene rijdt met haar rolstoel langs de rozenplant naar de balkondeuren en maakt het slot open. De koude nachtelijke lucht danst door de kier die zich verbreedt.

De vrouw rolt in haar nachthemd het balkon op en doet de deuren achter zich dicht.

Het is ijskoud buiten.

Januari begroet haar.

Ze duwt de rolstoel tot aan de vier stenen beelden die uitkijken over de binnenplaats. Op haar nachthemd zijn allerhande soorten dieren getekend.

Ze heeft het niet koud.

Ze kijkt omhoog naar de hemel. Er zijn geen wolken, alleen het zachte schijnsel van de witte krans rond de maan. De zeven sterren van de Grote Beer schitteren roerloos boven haar.

'Wij kijken naar jullie en jullie kijken naar ons...' mompelt Irene. 'Ook al kruisen onze blikken maar zelden.'

Ze leunt zwaar op de armleuningen van haar rolstoel. 'Wat moet ik nu doen?' vraagt ze aan de maanverlichte nacht. 'Heb ik er verkeerd aan gedaan om mijn nichtje te kiezen? Alfred is vermoord. Nu zijn we nog maar met z'n drieën. Dit had niet mogen gebeuren. Dit was nooit eerder gebeurd.'

Langzaam, met trillende polsen van inspanning, tilt Irene zichzelf uit haar rolstoel.

'*Zij* hebben Mistral ontvoerd. En ze zijn in staat om te doden. Dat was niet de afspraak. Hoe is het mogelijk, na al die moeite die we hebben gedaan om de kinderen te vinden? Zijn *zij* tot zoiets in staat?'

Irene zet haar voeten op de grond. Dan oefent ze druk uit op haar tengere benen.

'Zeg me, Natuur: kan ik nog hopen dat het Pact blijft voortbestaan? In de schuilhut hadden we gezegd dat het in Rome zou beginnen. Zo is het ook gegaan. De Ring van Vuur is tevoorschijn gehaald. De maagd van het universum heeft zich erin gespiegeld. De roep van het licht is verzonden. En de eerste stap is gezet. Heb je hem gezien in New York? En in Shanghai? Heb je het helderwitte licht van onze ster gezien? *Hij is laag verborgen en hoog verborgen. Zoek laag, dan vind je hem hoog.* Zo stond het geschreven, en zo is het gegaan. Spiegel jezelf in de kleine om je te spiegelen in de grote. Maar er stond ook geschreven dat de kinderen niets zou overkomen. Wie heeft de regels veranderd?'

Irene trilt, maar haar wil is sterker dan haar ouderdom.

En daardoor kan ze heel goed op haar benen blijven staan.

'Geef antwoord, Natuur,' vraagt ze opnieuw, en ze klemt haar tanden opeen van de inspanning. Ze heft haar trillende handen op naar de sterrenhemel en roept: 'Geef antwoord! Geef antwoord! Wat moet ik doen?'

Haar blik is geconcentreerd, volkomen in beslag genomen. Haar oren wachten op het onzichtbare geluid van een antwoord.

Als het antwoord komt, met een zucht, luistert de oude vrouw ernaar, ze laat zich erdoor wiegen en ze laat zich uitgeput weer in haar rolstoel ploffen.

Ze doet haar ogen dicht en glimlacht.

Hoog boven haar schitteren de sterren van de Grote Beer aan de hemel.

Maar in hun midden straalt een nieuwe ster, klein en snel, nog onzichtbaar voor de telescopen en de turende ogen van de astronomen. Het is een ster die als een razende door de ruimte schiet, met zijn lange staart van gloeiend ijs.

Het is een komeet. Hij is opgeroepen door de Ring van Vuur.

En hij zet koers naar de Aarde.

INHOUDSOPGAVE

Het begin 5

1. De val 9

2. Het stof 19

3. De vier 27

4. Toeval 37

5. De roep 47

6. Het donker 53

7. De brug 65

Eerste Stasimon 79

8. De krant 81

9. Het koffertje 93

10. Caffè Greco 105

11. De bibliotheek 113

12. Het notitieboekje 131

13. Het nieuws 145

Tweede Stasimon 153

14. Het appartement 155

15. De telefoon 165

16. De vloer 177

17. Het bed 183

18. De boodschapper 195

19. De kaart 211

20. De wijk 219

Derde Stasimon 227

21. De wegen 229

22. De kelder 243

23. De rivier 249

24. Letters 259

Vierde Stasimon 269

25. De schuilplaats 271

26. Het water 279

27. De steen 289

28. De ring 293

29. Het verraad 301

30. Ontploffingen 311

31. Oudejaarsavond 319

32. De sterren 329

Dankbetuiging

Ik heb vele maanden van jullie tijd in beslag genomen om dit eerste deel uit te denken en te schrijven. Normaal gesproken hou ik niet van dankbetuigingen, maar deze keer is het anders. En jullie weten wel waarom.

Zoals altijd had Marcella als eerste door wat er aan de hand was, en ze wachtte geduldig op me. We hadden het een paar jaar geleden al gehad over het verhaal van *Century*, toen we het een leuk idee vonden om een verhaal te schrijven dat zich afspeelt in Italië en in Rome, een Rome dat zo echt mogelijk is, en dus ongewoon. En dat is ons denk ik ook wel gelukt.

Ik moet Clare bedanken omdat ze de meest romantische, dromerige en koppige redactrice is die je ooit zult tegenkomen. Ze is de enige persoon die me op mijn mobiel weet op te sporen, zelfs als mijn mobiel uit staat. Ik dank Iacopo en Francesca voor hun talent om al voor zich te kunnen zien wat ik aan het schrijven ben nog voordat ik het geschreven heb. Van mijn vrienden wil ik met name twee Beatrices bedanken. De een herkent zichzelf vast op de bladzijden van dit boek, en de ander heeft me een geweldig visitekaartje verschaft. Veel dank aan Alessandro, Walter, Tommy, Andrea en Franco voor hun hulp, en zoals altijd veel dank aan mijn vader en moeder: jullie kritische blik (héél kritisch) en jullie verhelderende adviezen (héél verhelderend) zijn echt onvervangbaar.

Sommige personages uit dit eerste deel verbergen mensen van vlees en bloed: dokter Tito gaf me het idee voor de 'tanden', Elena voor het personage van Elettra en professor Gianni Collu, met zijn ontelbare hoeveelheid boeken, vormde de inspiratie voor het personage van Alfred. Linda Melodia heet in werkelijkheid Laura en is een geweldige vrouw.

Tot ziens in New York!

Pierdomenico Baccalario

Ik ben op 6 maart 1974 geboren in Acqui Terme, een mooi, klein stadje in Piemonte. Ik ben opgegroeid te midden van de bossen, met mijn drie honden, mijn zwarte fiets en mijn vriend Andrea, die vijf kilometer bergopwaarts woonde vanaf mijn huis.

Ik ben begonnen met schrijven op het gymnasium: sommige lessen waren zo saai dat ik deed alsof ik aantekeningen maakte, maar in werkelijkheid verzon ik verhalen. Daar heb ik ook een groep vrienden leren kennen die gek waren op rollenspelen, met wie ik tientallen fantastische werelden heb verzonnen en verkend. Ik ben een nieuwsgierige, maar discrete ontdekkingsreiziger.

Toen ik rechten studeerde aan de universiteit won ik een prijs, de Premio Battello a Vapore, met mijn roman *La strada del guerriero* (De weg van de krijger), en die dag was een van de mooiste van mijn leven. En vanaf dat moment heb ik steeds nieuwe boeken gepubliceerd. Na mijn afstuderen ben ik me gaan bezighouden met musea en culturele projecten, omdat ik ook oude, stoffige voorwerpen interessante verhalen wilde laten vertellen. Ik ben gaan reizen om nieuwe horizonten te verkennen: Celle Ligure, Pisa, Rome, Verona.

Ik hou ervan om nieuwe plaatsen te zien en andere manieren van leven te ontdekken, ook al trek ik me uiteindelijk altijd weer terug op dezelfde plekken.

Er is één plek in het bijzonder. Het is een boom in de Val di Susa, van waaruit je een geweldig uitzicht hebt. Als je net als ik dol op wandelen bent, zal ik je weleens uitleggen hoe je er moet komen.

Maar het moet wel een geheim blijven.

Iacopo Bruno

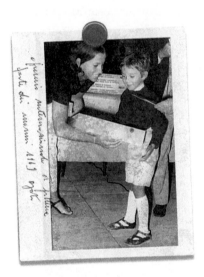

Ik zou niet weten hoe ik jullie moet uitleggen wie ik ben, maar het is min of meer zo gegaan.

Ik heb een speciale vriend die nooit iets nodig heeft.

Al vanaf dat we klein waren was het zo dat als hij een ruimteschip nodig had...

Dan tekende hij het...

Maar hij tekende het zo goed dat het echt leek.

We stapten erin en maakten een mooie reis rond de wereld.

Een keer, toen hij een schitterende rode tweedekker tekende, zoiets als die van de Rode Baron maar dan kleiner, scheelde het weinig of we waren neergestort in een gigantische vulkaan, die hij dus ook net getekend had.

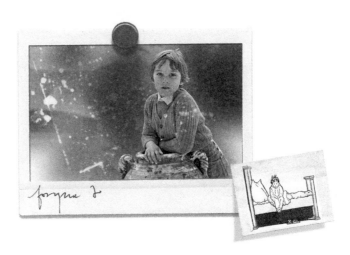

Als hij slaap kreeg, tekende hij een bed met vier poten... En daar droomde hij dan in tot het ochtend werd. Hij had altijd een geweldig houten potlood met twee punten bij zich, dat altijd perfect geslepen was.

Nu is die vriend van mij naar China vertrokken, maar hij heeft mij zijn toverpotlood gegeven!

DDEON - TA

Broadway
CA since 1980
33-0507

sney - New York
Number 4223
ue   212-702-0702
r   407-363-6200

ENT

PAN ROASTED SALMON with lemon

ROASTED FREE RANGE CHICKEN   4.95

RED SNAPPER WITH PAELLA STYLE   4.95

PAN ROASTED HALIBUT with suncho

MAC & CHEESE with Emintal, Gruyere,   44.84
                                          3.76
GRILLED ORGANIC PORK CHOP, wi   48.60

ALL NATURAL NY SIRLOIN STEAK F   48.60

XXX2858
REF: 603810036703
CHANGE   0.00

Thank You
Please come again.

GUEST COPY
2/7/2006 10:40 4223 003 0008 MARY